LA PÉNITENCE

SOURCES CHRÉTIENNES

Fondateurs : H. de Lubac, s.j., † J. Daniélou, s.j., C. Mondésert, s.j.
Directeur : D. Bertrand, s.j.
Directeur-adjoint : J.-N. Guinot

N° 316

TERTULLIEN

LA PÉNITENCE

INTRODUCTION, TEXTE CRITIQUE,
TRADUCTION ET COMMENTAIRE

DE

Charles MUNIER
Professeur à l'Université des Sciences humaines de Strasbourg

Ouvrage publié avec le concours
du Centre National de la Recherche Scientifique

LES ÉDITIONS DU CERF, 29, Bd de Latour-Maubourg, PARIS 7ᵉ
1984

Ce volume a été préparé et mis en forme pour l'impression
avec le concours de l'Institut des « Sources Chrétiennes »
(U.A. 993 du Centre National de la Recherche Scientifique)

IMPRIMATUR

Lyon, le 29 octobre 1984

J. ALBERTI, p.s.s.

Cens. dep.

© *Les Éditions du Cerf*, 1984.

ISBN : 2-204-02307-8

ISSN : 0750-1978

INTRODUCTION

I

OCCASION DU TRAITÉ

Tertullien a consacré deux écrits aux problèmes de la pénitence : le *De paenitentia* et le *De pudicitia*. Le premier appartient à sa période catholique, le second aux toutes dernières années de sa vie littéraire, après que l'auteur fut passé au montanisme.

Certains historiens ont cru pouvoir placer la rédaction du traité *De la pénitence* au début de l'année 204; ils croyaient, en effet, reconnaître des allusions à des événements contemporains, une éruption du Vésuve[1], les campagnes électorales engagées en vue des magistratures[2]. Ce sont là des hypothèses intéressantes, mais elles sont loin de s'imposer[3]. Dans les dernières années, un consensus semble se dégager en faveur d'une datation relative, plaçant la

---

1. *Paen.,* 12, 2; cf. DION CASSIUS, 76, 2.
2. *Paen.,* 11, 4-6.
3. BRAUN, p. 570, opte pour 204, non sans assortir cette date d'un point d'interrogation; discussion des opinions anciennes par LABRIOLLE, p. VIII-IX, et par BARNES, p. 250.

composition dudit traité entre celle du *De patientia* et celle des ouvrages consacrés à des thèmes nouveaux de l'éthique chrétienne, tels le *De cultu feminarum* et l'*Ad uxorem*.

Le fait est que le *De paenitentia* fait partie d'un ensemble d'écrits étroitement apparentés par le fond et la forme, qui caractérisent une période bien circonscrite de la vie de Tertullien. Parmi ces écrits, il y a lieu de mentionner tout spécialement le *De oratione*, le *De baptismo*, le *De patientia*, le *De paenitentia*. Ces ouvrages traitent de problèmes de morale et de discipline propres à la communauté chrétienne et les abordent sous une forme qui se ressent de leur commune origine parénétique[4].

Plusieurs détails du *De paenitentia* suggèrent en effet que Tertullien n'a pas choisi la forme d'un sermon fictif pour exposer ses idées sur la pénitence, mais qu'il a effectivement prononcé une instruction sur ce sujet d'actualité, en présence de l'assemblée chrétienne tout entière, devant un auditoire où les fidèles et le clergé local côtoyaient les catéchumènes et les aspirants au baptême[5]. Le plan même du traité s'ordonne en fonction de ces diverses catégories d'auditeurs.

Dans une première partie (I-V), l'orateur sacré traite de la pénitence en général, de sa nature, de son objet (le péché), de ses effets (le pardon). Dans une seconde partie (VI-XII), il examine les questions particulières concernant, d'une part, la pénitence qui doit précéder le baptême (VI), d'autre part, l'institution pénitentielle prévue pour les péchés commis après le baptême (VII-XII).

---

4. BARNES, p. 117.
5. Plusieurs passages mentionnent la présence des catéchumènes : *Paen.*, 6, 1 : *nouitiolis istis;* 6, 14 : *auditorum tirocinia;* cf. 6, 15.17.20; 7, 1 : *audientes.* D'autres supposent celle des fidèles et du clergé : *Paen.*, 7-12, qui traite de la pénitence postbaptismale; 6, 10 : *praepositum huius rei;* 7, 1 : *seruis tuis dicere uel audire.*

Point n'est besoin de supposer que Tertullien dût être prêtre, pour prendre la parole dans l'assemblée chrétienne. On sait qu'à cette époque, les laïques aussi étaient invités à se produire sur un sujet biblique de leur choix[6]. Toutefois, les parénèses prononcées par notre auteur sur le baptême, le martyre, l'oraison dominicale, la patience, d'autres sujets encore, relèvent, semble-t-il, d'un autre genre littéraire que l'homélie, au sens strict du terme. Il s'agit bien plutôt d'instructions d'ordre général, adressées à toute la communauté; l'intention y est, essentiellement, d'ordre didactique : l'exposé doctrinal passe au premier plan. Mais l'on conçoit aisément qu'un homme aussi attentif aux controverses que Tertullien consacre de longs développements à la discussion de questions alors débattues dans l'Église de Carthage. Ce faisant, il s'acquitte de son mieux de sa tâche de didascale, d'abord au service des catéchumènes à lui confiés, mais aussi pour l'édification de toute la fraternité chrétienne, qui se presse à ses instructions.

Qu'il reproduise textuellement la parénèse pénitentielle de Tertullien ou qu'il ait fait l'objet d'une élaboration littéraire après coup, le *De paenitentia* est le plus soigné des traités de ce genre. Composé selon les règles de la rhétorique la plus raffinée, il se ressent même d'une application quelque peu laborieuse. On devine que l'auteur, sans doute admis de fraîche date dans les rangs des didascales de Carthage, tient à faire une excellente impression sur l'élite cultivée de la communauté. Non content de déployer toute la gamme de ses talents oratoires, il fait profession d'humilité, de modestie, de dévouement[7]. Il souligne, avec une insistance presque gênante, sa volonté «d'édifier» le peuple fidèle[8]. S'il ne se fait pas faute de recourir à l'ironie[9], pour

---

6. *Apol.,* 39, 18.
7. *Paen.,* 4, 5; cf. 6, 1 : *mediocritas nostra;* cf. 1, 1; 12, 9.
8. *Paen.,* 5, 8.
9. *Paen.,* 5, 10-12.

confondre les sophistes qui nient l'importance du péché, il choisit plutôt la voie de l'exhortation pressante et de la persuasion chaleureuse, pour inviter à une conversion sincère les catéchumènes lents à réformer sérieusement leur vie[10], ou pour décider les chrétiens pécheurs à accomplir loyalement l'exomologèse, soit qu'ils mettent en doute la possibilité du pardon après le baptême, soit qu'ils hésitent à assumer les rudes obligations de la discipline pénitentielle[11].

Le *De paenitentia* n'est donc pas un traité de théologie; il ne prétend pas exposer de manière systématique la doctrine pénitentielle, ni décrire les modalités et les conditions de la pénitence publique. C'est une œuvre de circonstance, inspirée par des préoccupations pastorales immédiates : face aux tergiversations des catéchumènes de Carthage, peu empressés à délaisser leurs habitudes païennes pour vivre conformément aux principes de la discipline chrétienne, face aux réticences des fidèles à s'engager dans les rangs des pénitents, pour obtenir le pardon de leurs péchés, Tertullien exhorte les uns et les autres à produire « un fruit qui soit digne du repentir » (*Matth.* 3, 8) et il leur rappelle la parole du Maître : « Si vous ne faites pénitence, vous périrez tous » (*Lc* 13, 5). Il n'en reste pas moins que cet écrit offre des renseignements précieux sur l'institution pénitentielle en usage au début du IIIe siècle et qu'il constitue la première ébauche doctrinale sur la vertu de pénitence.

---

10. *Paen.*, 5, 14-17.
11. *Paen.*, 8, 1-3.7-8; 9, 5-6; 10, 5-6; 12, 5-8.

II

LA DOCTRINE PÉNITENTIELLE

Dans son acception la plus large, la pénitence embrasse tout ce qui est requis du pécheur qui aspire au pardon de Dieu. Les théologiens du Moyen Age distinguaient entre la pénitence intérieure et la pénitence extérieure, toutes deux nécessaires[1]. La pénitence comprend d'abord une attitude intérieure, par laquelle le pécheur regrette son péché et se propose de ne plus le commettre. Mais cette attitude de repentir, de conversion, de retour à Dieu, ne suffit pas; elle doit être traduite dans les actes de la pénitence ecclésiastique, l'*actio paenitentiae*. Le pénitent doit se présenter devant le prêtre, ministre du Christ, et lui avouer ses fautes, pour qu'il les juge et lui indique la «pénitence» à subir. D'après la doctrine classique, la pénitence ecclésiastique comprend donc trois éléments essentiels : tout d'abord un aveu des fautes (la confession), puis un jugement dans lequel sont déterminés la durée et le mode de la punition[2],

---

1. Voir P. ANCIAUX, *La théologie du sacrement de pénitence au XIIe siècle*, Louvain-Gembloux 1949, p. 20-55; H. EMONDS–B. POSCHMANN, art. «Busse», *RAC* 2, 1954, c. 802-814; LE SAINT, p. 132-133.

2. De bonne heure les termes *paenitentia, paenitere* ont été contaminés par les acceptions de la famille de *poena*. D'abord parce que l'idée de regret, de repentir implique celle d'une peine, d'une souffrance de l'âme; voir A. ERNOUT–P. MEILLET, *Dictionnaire étymologique de la langue latine*, Paris 1967⁴, p. 474. D'autre part, en contexte chrétien, l'importance accordée à l'élément expiatoire dans le processus pénitentiel, devait faire

enfin un acte de réconciliation par lequel l'Église signifie au pécheur que ses péchés sont pardonnés. Si l'on imagine mal que l'attitude intérieure de regret, de repentir, puisse faire défaut, les éléments traditionnels de la pénitence extérieure ont pu varier dans leur application concrète. Le traité de Tertullien nous reporte aux origines de l'institution pénitentielle, mais l'auteur n'aborde cette question qu'après avoir donné un large aperçu des problèmes relatifs à la pénitence intérieure.

1. La pénitence intérieure

Fidèle aux traditions rhétoriques et didactiques de son temps, Tertullien ouvre son exposé par une définition générale du terme *paenitentia*[3]. Comme il l'avait fait au début de son traité *De la patience*, il demande au témoignage de l'âme humaine, au sens commun de l'humanité, de lui fournir cette notion générale, dont la foi chrétienne éprouvera ensuite la justesse[4]. Tous les hommes, constate le moraliste, possèdent une certaine notion de la pénitence, grâce aux lumières de leur entendement naturel[5] : ils connaissent, en effet, cette douleur, cette affliction de l'âme qui provient de certaines actions passées, qu'ils ont lieu de

---

prédominer une compréhension punitive, pénale de la discipline ecclésiastique; cf. ANCIAUX, *o.c.*, p. 43-46. Par un phénomène analogue, à partir du XIIᵉ siècle, à mesure que la honte de l'aveu se vit attribuer un rôle plus important dans la rémission du péché, le sacrement de pénitence fut de plus en plus désigné par le terme de : confession.

3. H. RAHN, *Morphologie der antiken Literatur,* Darmstadt 1969, p. 142-150; LAUSBERG, p. 385.

4. *Pat.*, 1, 1-9. Les parallélismes sont frappants d'un traité à l'autre : même profession d'humilité (*Pat.*, 1, 1–*Paen.*, 1, 1); même argumentation au sujet des païens, qui vivent dans les ténèbres (*Pat.*, 1, 7–*Paen.*, 1, 1), et ne pourront échapper au châtiment (*Pat.*, 1,9–*Paen.*, 1,3).

5. *Paen.*, 1,1; cf. *Test.*, 1, 6-7; voir FREDOUILLE, p. 187-190; ALÈS, p. 38-41; RAMBAUX, p. 25.

regretter pour une raison ou l'autre.[6]. Mais un tel sentiment n'a pas nécessairement une valeur morale et il est loin
de recouvrir la signification de la pénitence chrétienne.
Comme l'enseigne le langage courant, à travers les diverses
acceptions du terme *paenitere*, le sentiment de regret, de
déplaisir, que l'on éprouve à propos de certaines actions
passées, peut avoir pour objet aussi bien des actes moralement bons que des actes moralement répréhensibles. Par
elle-même la *paenitentia* est indifférenciée; elle ne reçoit sa
signification morale – sa valeur religieuse, dirions-nous –
que si elle vient se placer sous la mouvance de la *ratio
diuina,* la raison divine, cause, mesure, norme de toutes
choses[7].

Sur la base de telles prémisses, il serait possible
d'admettre que les non-chrétiens aussi peuvent éprouver de
véritables sentiments de pénitence, dans la mesure, précisément, où leur connaissance de Dieu, de ses commandements et de l'ordre du monde instauré par son décret
détermine leur prise de conscience du péché, qui trouble
cet ordre et altère la relation personnelle de l'homme à

---

6. On rapprochera de la définition de Tertullien la description
donnée par AULU-GELLE, *N.A.,* XVII, 1 : nous disons que nous nous
repentons *(paenitere),* lorsque ce que nous avons fait ou lorsque ce qui a
été fait sur notre ordre ou notre conseil commence à nous déplaire et
lorsque nous changeons d'avis à ce sujet; c'est pourquoi *poenitere* (de
poenio, c'est-à-dire *punio*) consiste à éprouver de la douleur, à supporter
avec peine ce qui a plu antérieurement.

7. *Paen.,* 1, 2-3; à rapprocher de *Apol.,* 21, 10, qui rapporte les
opinions stoïciennes sur l'essence de Dieu, raison, loi naturelle et divine,
nature rationnelle. Il est difficile de trouver dans ces textes une
confirmation de la thèse de G. BRAY («The Legal Concept of *ratio* in
Tertullian»), qui voudrait réduire la signification de *ratio* chez Tertullien
à ses acceptions juridiques. En fait, comme l'observe R. BRAUN (c.r. de
l'article en question, *REAug* 24, 1978, p. 323), «l'usage de Tertullien
s'éclaire en général beaucoup mieux par les traditions de la pensée
philosophique ou les catégories de la rhétorique que par la technicité de
la langue du droit»; voir aussi SPANNEUT, p. 293-294, citant J. STIER,
Die Gottes- und Logoslehre Tertullians, Göttingen 1899.

Dieu[8]. La notion et la pratique de la pénitence sont directement commandées par cette prise de conscience; la morale commence, en effet, avec l'impératif de la conscience, face au bien[9]. En droit, elle postule et permet de rejoindre son fondement métaphysique, le Bien, Dieu. En fait, le regard métaphysique n'est pas toujours aussi pénétrant; la morale ne rejoint pas toujours le Dieu de la religion[10].

Tertullien n'entre pas dans ces considérations, auxquelles ses recours à l'âme «naturellement chrétienne» auraient pu le rendre sensible. Puisque son discours s'adresse à la communauté chrétienne, et aux catéchumènes qui aspirent à y être admis, l'orateur s'empresse d'en appeler à la foi et nie, de manière abrupte, non seulement que les païens puissent posséder une notion correcte de la pénitence, mais même qu'ils puissent être sauvés[11]. A ses yeux, la seule pénitence digne de ce nom, la seule utile au salut, est celle que connaissent les chrétiens. Elle seule, en effet, répond au dessein de Dieu : enracinée dans la crainte de Dieu, elle élimine en l'homme tout ce qui est péché.

8. R. MOHR, art. «Busse», *LThK* 2, 1958, c. 815. Voir à ce sujet : R. PETTAZZONI, *La confessione dei peccati;* F. STEINLEITNER, *Die Beicht im Zusammenhang mit der sakralen Rechtspflege in der Antike,* Leipzig 1913; WILHELM-HOOIJBERGH, p. 38-71 et 74-84; AMANN, «Pénitence-Repentir».

9. H. JAEGER, «L'examen de conscience dans les religions non-chrétiennes et avant le christianisme», *Numen* 6, 1959, p. 175-233; C. MARTHA, *Études morales sur l'Antiquité,* Paris 1883, p. 191-234; l'auteur souligne la résurgence, sous le Haut-Empire, du vieux précepte pythagoricien, recommandant l'examen de conscience (HIÉROCLÈS, Vers d'or 40-44); cf. SÉNÈQUE, *De ira,* 3, 36; ÉPICTÈTE, III, 10; MARC-AURÈLE, IV, 10.

10. B. HÄRING, *La loi du Christ,* Tournai-Rome 1962, I, p. 73-74; Y. DE MONTCHEUIL, «Dieu et la vie morale», *Mélanges théologiques,* Paris 1946, p. 141-157.

11. L'affirmation reparaît tout aussi massive, en *Pat.,* 1, 9; *Spect.,* 30, 1-5, au sujet des païens; en *Praes.,* 44, 1-2, à propos des hérétiques. Sur le fondement théologique de cette affirmation, voir L. CAPÉRAN, *Le problème du salut des infidèles,* Toulouse 1934. Sur les présupposés

Tous les hommes sont pécheurs, rappelle Tertullien; tous devraient faire pénitence, mais ils demeurent dans le péché, faute de connaître le dessein salvifique de Dieu. La faute du premier homme lui valut d'être expulsé du paradis et soumis à la mort. En la personne d'Adam, c'est toute l'humanité pécheresse qui se trouve condamnée[12]. Bien plus, la création elle-même, que Dieu avait confiée à l'homme, comme un cadeau de noces, à l'aube des siècles, partage désormais son destin et ressent le contre-coup de ses transgressions et de sa démesure[13]. Cependant, le Seigneur n'a pas abandonné l'humanité coupable. Consacrant, en quelque sorte, la pénitence, en sa propre personne, il a résolu de témoigner à l'homme son indulgence, d'épargner celui qu'il avait créé à son image. Par la bouche des prophètes, d'abord, il n'a cessé d'exhorter à la pénitence le peuple d'Israël, malgré ses récidives; puis il a institué le baptême de pénitence, en vue du salut, annoncé par Jean, le précurseur, et apporté par Jésus-Christ[14].

Après avoir ainsi rappelé à grands traits l'économie du salut, Tertullien décrit les effets et le champ d'application de la pénitence intérieure. Puisqu'elle a pour tâche de préparer, au cœur de l'homme, une demeure pure pour l'Esprit-Saint, qui doit y venir avec ses dons, elle doit, au préalable, «balayer, gratter, éliminer» tout ce qui, en l'homme, est péché[15].

Il est significatif qu'à cet endroit de son exposé Tertullien consacre un long développement aux diverses espèces de péchés et aux nuances de la culpabilité subjective. Il recueille, en effet, la tradition légaliste du judaïsme tardif et

---

personnels, qui ont conduit Tertullien à ce dualisme sommaire, voir KLEIN, p. 156-188; FREDOUILLE, p. 337-356.

12. *Paen.*, 2, 3; pour la doctrine de Tertullien concernant le péché originel, voir ALÈS, p. 120-127 et 264-268.

13. *Paen.*, 2, 3.

14. *Paen.*, 2, 4-5.

15. *Paen.*, 2, 6.

transpose dans le domaine éthique chrétien nombre de ses données, qu'il associe, du reste, à des notions empruntées aux jurisconsultes romains en matière de responsabilité délictuelle. Il n'ignore pas pour autant la conception de la pénitence-conversion, chère à la grande tradition prophétique.

L'idée de la conversion joue un rôle important dès l'époque préexilique[16]. Si l'Ancien Testament ne possède pas de terme abstrait équivalent à la *métanoia* du judaïsme hellénistique[17], il connaît bien la chose, cette mutation radicale et définitive, cette transformation profonde qui détermine l'homme à changer d'attitude au plan éthique et religieux, à abandonner sa conduite passée, adonnée au mal, pour se tourner, une fois pour toutes, vers le seul vrai Dieu. Pour les auteurs de l'Ancien Testament, la conversion consiste avant tout à se détourner du culte des idoles et à revenir à Yahvé, le Dieu d'Israël. Chez les grands prophètes, d'Amos à Jérémie, c'est le point de vue de Dieu qui prédomine. La transformation intérieure de l'homme apparaît comme une irruption souveraine, comme l'œuvre même de Dieu[18]. Sa parole puissante ou son action, directe ou indirecte, arrache l'homme à sa vie de péché : placé en face du Dieu puissant, l'homme reconnaît son indignité, d'un cœur sincère et repentant, et implore de Dieu son pardon. Conscient d'avoir mérité le châtiment du Très-Haut et de l'avoir évité grâce à la miséricorde toute gratuite du Seigneur, il est résolu à servir Dieu désormais de tout son cœur, de tout son esprit, de toutes les puissance de son être, et à se soumettre à toutes les exigences de sa volonté.

Chez les écrivains d'après l'exil, la pénitence conserve ses

---

16. DIETRICH, p. 16; voir aussi A. NOCK, art. «Bekehrung», *RAC* 2, c. 113-114 et AUBIN, p. 33-47.

17. J. BEHM et E. WÜRTHWEIN, art. *«Métanoéo, métanoia»*, *ThWBNT* 4, 1942, p. 972-1004.

18. DIETRICH, p. 36 et 211, cite les textes d'Osée, Isaïe et Jérémie, qui

résonances éthiques et religieuses, mais l'accent est placé davantage sur l'observance des commandements divins, sur l'effort quotidien du juif pieux, conscient de «pécher sept fois par jour» (*Prov.* 24, 16) et d'être encore bien éloigné de la sainteté à laquelle Dieu le convie[19]. C'est moins l'aspect d'une rupture radicale et définitive avec une vie de péché qui l'emporte que celui d'une purification toujours nécessaire, toujours recommencée. Dans cette perspective, la conversion apparaît moins comme un retournement total, opéré une fois pour toutes, que comme une réorientation toujours reprise, dans un effort moral et spirituel d'une grande intensité. Le juif pieux s'afflige d'avoir transgressé la Loi; il confesse son péché, avec «crainte et tremblement», et prend la ferme résolution d'observer désormais la Loi, scrupuleusement, sans défaillance.

Il ne saurait être question d'opposer ces deux conceptions de la pénitence; après avoir nourri la piété juive, la prédication de Jean-Baptiste et celle de Jésus[20], elles ont profondément marqué toute la littérature paléochrétienne. Le premier courant, qui présente la pénitence plutôt comme une conversion radicale et définitive, convenait au premier chef à l'exhortation missionnaire, à la parénèse pénitentielle prébaptismale. Le second, qui insiste sur la repentance toujours nécessaire au pécheur et sur l'effort de conversion toujours à reprendre, convenait davantage à la parénèse pénitentielle postbaptismale. Mais cette distinction n'a rien d'absolu, car les thèmes pénitentiels s'entrelacent chez les auteurs et s'enrichissent d'influences diverses.

Qu'ils s'adressent à des païens ou à des chrétiens, les Pères apostoliques et les apologistes peuvent faire appel à

---

vont dans ce sens; voir aussi AMANN, «Pénitence-Repentir», c. 725.

19. DIETRICH, p. 245; pour les conceptions de Philon en cette matière : ID., p. 286-302; pour celles de Josèphe : ID., p. 306-314.

20. BEHM, *art. cit.*, p. 995-998.

la justice de Dieu ou à sa miséricorde. Tantôt ils mettent davantage en relief les possibilités de la pénitence en vue du salut personnel : ils encouragent le pécheur à une conversion sincère et l'assurent du pardon divin[21]. Tantôt ils soulignent la gravité du péché, qui compromet le salut de l'homme : rappelant les exigences sévères de la justice de Dieu, ils insistent sur la difficulté de la pénitence; ils s'efforcent aussi de détourner du péché, en évoquant la rigueur du châtiment réservé au pécheur endurci ou récidiviste[22].

Tertullien a recueilli tout naturellement cette double tradition. Dans la première partie de son traité, consacrée aux questions générales, il décrit longuement les divers aspects de la pénitence, déjà explicités dans l'Écriture. Mais son expérience personnelle n'a pas été moins déterminante que sa méditation des textes sacrés pour l'élaboration de sa doctrine pénitentielle.

Tertullien s'est converti au christianisme dans la force de l'âge[23]. Cette démarche a constitué pour lui la conclusion logique, mûrement réfléchie, délibérément assumée, d'un

---

21. DASSMAN, p. 131 s., donne une ample sélection de textes illustrant chacune de ces deux tendances. Parmi les hérauts de la miséricorde divine, il signale, entre autres, les noms de POLYCARPE, *Phil.*, 1, 2; *A Diognète*, 9, 2; THÉOPHILE D'ANTIOCHE, *Ad Autol.*, II, 14; IRÉNÉE, *Adu. haer.*, IV, 45, mais surtout CLÉMENT D'ALEXANDRIE, notamment : *Protr.*, X, 104, 3; XII, 118, 5; *Paed.*, I, 92, 3; *Strom.*, VI, 109, 1 et ORIGÈNE, *In Is. hom.*, I, 4; *In Ez. hom.*, XII, 3; *C. Celsum*, II, 67; etc.

22. Le courant rigoriste et pessimiste est représenté plus spécialement par *Actes de Thomas*, 53; *Orac. sibyll.*, VIII, 14; *Apoc. de Pierre*, 3; *Évangile de Barthélemy*, 33, cités par DASSMANN, p. 137 s. On reviendra plus loin sur la question des péchés dits «irrémissibles».

23. BARNES, p. 245-246, limite au maximum la signification autobiographique de certains détails de l'*Apologeticum*. Pour leur part, KLEIN (p. 78-102) et FREDOUILLE (p. 148-149, 425-426, 434-439) tirent le meilleur parti de certains passages de Tertullien, tels *Spect.*, 19, 5; *Nat.*, I, 1; *Test.*, 1, 4; *Praes.*, 43, 5; *Vx.*, II, 7, 2, etc. N'y a-t-il rien à tirer d'*Apol.*, 15, 5; 18, 4; *Res.*, 59, 1?

itinéraire intellectuel et spirituel qui semble avoir été assez laborieux[24]. S'il n'a pas écrit ses «Confessions», le rhéteur de Carthage livre cependant des confidences nombreuses, suffisamment explicites, sur les égarements de sa vie dans le paganisme et sur les raisons qui l'ont poussé à embrasser la foi chrétienne. Il en ressort que la conversion de Tertullien obéit à des considérations morales non moins que dogmatiques; elle mit un terme à une longue période de recherche inquiète. A cet homme avide de vérité le christianisme apparut non seulement comme la révélation de Dieu faite aux hommes en Jésus-Christ, mais comme la moralité supérieure, comme la *disciplina morum* par excellence. Tertullien nous dit lui-même combien l'exemple d'une vie «digne de Dieu», donné par les chrétiens, et celui de leur «patience» devant les épreuves, les persécutions et la mort, fut déterminant dans l'œuvre de sa conversion[25].

Celle-ci l'engagea tout entier; elle fût, au sens plénier du terme, arrachement à une vie de péché et d'incertitude, retournement, choix librement résolu d'une vie nouvelle, toute donnée à Dieu, acceptation des risques attachés à la condition chrétienne. Marquée au sceau de l'effort personnel, l'expérience de la conversion a imprimé à sa conception de la pénitence un tour nettement volontariste, au point que l'impulsion première de la grâce prévenante

---

24. FREDOUILLE écrit à ce sujet (p. 410) : «La conversion du premier Père de l'Église d'Occident ne fut pas un reniement brutal de son passé. Il vaudrait mieux parler dans son cas d'une "conversion continuée", dont on peut suivre le progrès depuis la condition païenne de Tertullien, et dont deux composantes essentielles perceptibles à travers son œuvre sont la curiosité et l'inquiétude.»

25. G. BARDY, *La conversion au christianisme durant les premiers siècles*, Paris 1949, p. 155; même si les intentions apologétiques transparaissent, on ne peut écarter le témoignage de passages comme *Nat.*, I, 4, 12-13; *Apol.*, 3, 1-4; *Vx.*, I, 6, 2 et II, 7, 2; *Pud.*, 1, 1-5, qui exaltent la chasteté des chrétiens; l'originalité de la *patientia* chrétienne n'a pas été moins décisive pour la conversion spirituelle de Tertullien; voir FREDOUILLE, p. 363.

de Dieu en paraît quelque peu estompée, en regard de
l'effort humain, laborieux, soutenu, efficace[26].

Selon Tertullien, le sentiment initial, qui provoque la
pénitence-conversion, c'est la crainte de Dieu, mais celle-ci
revêt divers aspects[27]. Elle est à la fois servile et filiale.
D'abord l'homme prend conscience de la grandeur de
Dieu, de sa puissance, de sa sainteté. Les fautes de sa vie
loin de Dieu, son aveuglement, ses faibleses morales lui
apparaissent crûment et l'accablent. Il se sent indigne de
paraître devant Dieu; il sait qu'il a mérité un châtiment
sévère, aux yeux du Juge suprême à qui rien ne saurait
échapper[28]. Les considérations fondées sur la justice de
Dieu et la crainte du châtiment occupent une place
primordiale[29] dans la doctrine pénitentielle du moraliste
africain; d'aucuns ont vu dans cette insistance une compo-
sante de la mentalité punico-berbère[30]. Quoi qu'il en soit,
Tertullien ne s'en tient pas aux ressorts de la crainte
servile[31], même si parfois il l'utilise, afin d'impressionner

---

26. *Apol.*, 18, 4 : *fiunt non nascuntur christiani*; 49, 5 : *certe, si uelim,
christianus sum*; cf. *Paen.*, 4, 3 : *rape occasionem inopinatae felicitatis*; 6, 6;
8, 7; 9, 6; 10, 5; 12, 5 : partout Tertullien insiste sur l'effort de volonté
que requiert la pénitence : *Paen.*, 4, 7; 6, 9; 12, 7; *Bapt.*, 10, 2 : *paenitentiae praepositus, quae est in hominis uoluntate.*

27. *Paen.*, 2, 1-2.

28. Le thème de la grandeur de Dieu est évoqué en *Paen.*, 3, 2. Dieu
commande souverainement : *Paen.*, 4, 4-6; le péché, sous toutes ses
formes, l'offense : *Paen.*, 3, 5; 5, 5; 10, 2; 11, 6; Dieu tirera vengeance
du pécheur, qui méprise ses commandements : *Paen.*, 3, 12-14; 5, 4;
6, 6; 9, 5; 12, 1.8.

29. *Paen.*, 7, 6 : *timor hominis Dei honor est*; cf. *Cult.*, II, 2, 14 : *timor
fundamentum salutis est*; voir aussi la description de *Praes.*, 43, 5.

30. R. BRAUN, «Aux origines de la chrétienté d'Afrique : un homme
de combat, Tertullien», *BAGB*, 4ᵉ série, 1965, p. 189-208.

31. La crainte servile est ainsi nommée à cause de son motif,
l'appréhension de la justice de Dieu, auteur du châtiment, qui est un
motif d'esclave, d'un être obligé d'agir par des motifs étrangers à ceux
de son cœur, expliquent les moralistes, héritiers d'une longue tradition.
Au contraire, le propre de l'être libre est d'agir selon son inclination et

les païens[32], les hérétiques[33], les pécheurs, qui risquent de
s'enliser dans une vie coupable[34]. Il fait appel aussi
à cette crainte attentive, déférente, scrupuleuse de l'enfant
à l'égard d'un père très aimant, et que l'on désigne, de ce
fait, comme crainte filiale. Le chrétien pardonné redoute,
plus que tout, d'offenser derechef «un Père plein de
bonté», d'être de nouveau «à charge à sa miséricorde», de
se montrer ingrat, indélicat, en retournant à une vie de
péché[35].

Tertullien ne s'attarde pas à décrire la gamme des
pensées et des affections qui accompagnent habituellement
le repentir du pécheur quand il revient à Dieu. Dans
l'*Apologeticum*[36], il avait indiqué, en passant, ses principales
composantes : *timor, pudor, tergiuersatio, paenitentia, deplora-
tio,* mais cette énumération n'est pas reprise dans le traité
De la pénitence. Les nuances psychologiques du repentir,
l'accablement qui pèse sur la conscience, la honte provoquée par la laideur de la faute, l'humiliation sous la
puissante main de Dieu, l'espoir en la miséricorde du
Seigneur, la résolution pour l'avenir, tous ces sentiments
que fait éprouver à une âme religieuse le souvenir de ses
péchés, l'évidence de la bonté prévenante de Dieu, sont
évoqués dans les Écritures, notamment dans les psaumes et

---

par amour, sentiments qui inspireront la crainte dite filiale; voir
A. GARDEIL, art. «Crainte», *DTC* 3, 1923, c. 2015-2019.

32. Tertullien évoque plusieurs fois dans notre traité le châtiment qui
attend le pécheur, à moins qu'il ne fasse pénitence : *Paen.,* 3, 12.14; 5, 4;
6, 6; 9, 5; 12, 1.8.

33. Voir notamment *Nat.,* II, 2, 2-9; *Apol.,* 48, 15; *Praes.,* 44, 1;
Spect., 30, 3.

34. *Paen.,* 12, 1-5; à rapprocher de 5, 11.

35. *Paen.,* 7, 5-6; 8, 6 (commentaire de la parabole de l'enfant
prodigue); 9, 2-6; 10, 4 et 6. Tertullien mentionne fréquemment la
miséricorde de Dieu, notamment en *Paen.,* 2, 3.4.7; 4, 3; 6, 11; 7,
3-5.11.14; 8, 2-7; 9, 2-3.6; 10, 4.6; 11, 3; 12, 5-7; ce fait mérite certainement d'être souligné.

36. *Apol.,* 1, 13.

les écrits prophétiques[37]. Tertullien leur consacre quelques
rares allusions par ailleurs[38]. Dans le *De paenitentia,* sans
détailler davantage les aspects de la pénitence qui se
rapportent à la pénitence-conversion et à la pénitence-
repentance, il se contente de souligner la bonté morale
de la pénitence, d'en énumérer rapidement les fruits,
d'en énoncer les qualités essentielles.

La pénitence opère le salut de l'homme, en détruisant en
lui tout ce qui est péché. Elle réalise ainsi les conditions
préalables à la venue de l'Esprit-Saint et de ses dons
célestes[39]. Faire pénitence, c'est s'ouvrir à la vie divine
et s'arracher aux puissances de mort, qui menaçaient
d'engloutir le pécheur. Tertullien décrit en termes chaleureux la transformation suscitée par la divine miséricorde ; il
invite le pécheur à saisir l'occasion que lui offre la grâce,
comme un naufragé agrippe «une planche de salut[40]». Et,
empruntant aux prophètes leurs images les plus sugges-
tives, il presse le pécheur repentant de se tourner vers
Dieu[41].

Du reste le chrétien, attentif à se régler sur la volonté de
Dieu, ne s'interroge pas sur le profit personnel que lui
vaudra son empressement à faire pénitence. Il lui suffit de
savoir que Dieu lui en intime l'ordre[42]. Tertullien s'efforce
d'écarter de l'œuvre pénitentielle toute idée de calcul
égoïste. Il souhaite que le mouvement de l'âme, qui
l'inspire, soit sincère et désintéressé. Il est aisé, là encore,
de reconnaître l'exigence de rigueur et de perfection du
converti. Dieu a parlé : cela doit suffire, pour que le

---

37. AMANN, «Pénitence-Repentir», c. 726.
38. *Marc.,* V, 11, 1-3 ; IV, 16, 12 ; *Res.,* 47, 4 ; *Pud.,* 2, 1 ; 17, 9 ; etc.
39. *Paen.,* 2, 6.
40. *Paen.,* 4, 2.
41. *Paen.,* 4, 3.
42. *Paen.,* 4, 6-8.

pécheur fasse pénitence, une fois pour toutes, et pour le restant de ses jours.

Obéissante, généreuse, désintéressée, la pénitence assumée avec joie et reconnaissance ne doit plus être brisée désormais par la rechute dans le péché[43]. Comme les écrivains du Nouveau Testament et les Pères, qui reprennent leur message de conversion et de pénitence, Tertullien met en relief la nouveauté radicale de la vie chrétienne. Mais on observera qu'il ne place pas cette mutation au moment du baptême; c'est dès le premier instant de sa conversion que celui qui a été illuminé par la grâce doit s'appliquer à vivre une existence sans péché, digne de la sainteté et de la justice de Dieu.

S'il décrit l'existence du chrétien comme arrachée à la domination du péché, Tertullien n'exclut pas pour autant la possibilité d'une rechute[44]. Il dit ce qui devrait être, tout en déplorant ce qui est trop souvent la réalité quotidienne dans les communautés chrétiennes et dans la vie de chaque fidèle[45]. Le processus de sanctification du chrétien n'est pas achevé au moment du baptême; il se prolonge durant toute la vie; il est susceptible d'interruptions et de reprises, car l'homme reste pécheur et il a toujours besoin de l'indulgence et de la miséricorde divine.

La doctrine pénitentielle de Tertullien juxtapose les affirmations fondamentales de la tradition judéo-chrétienne sur la condition pécheresse de l'homme et l'exigence de sainteté qui lui est intimée par le Dieu de toute sainteté; elle souligne tout particulièrement la gravité de l'offense faite à

---

43. *Paen.*, 5, 1; cf. PÉTRONE, *Sat.*, 75, 1 : *nemo nostrum non peccat; homines sumus, non dei.*

44. POSCHMANN, p. 2-3, souligne avec force, contre les tenants de la «Tauftheorie», que, malgré ses exigences de perfection morale, Jésus lui-même compte avec la réalité du péché chez ses disciples; il cite successivement, à ce propos : *Matth.* 28, 19 s.; *Mc* 16, 15 s.; *Jn* 21, 15 s; *Lc* 22, 32; *Matth.* 18, 22.35.

45. *Paen.*, 4, 2; 12, 9; cf. *I Tim.* 1, 15; *Jac.* 3, 2, ainsi que *II^a Clem.*, 18, 2.

Dieu et la rigueur du châtiment réservé au pécheur qui
s'obstine dans une vie coupable; cependant, elle demeure
confiante en la miséricorde de Dieu et croit en l'efficacité de
sa volonté salvifique[46]. Tertullien cite avec prédilection le
célèbre verset d'Ézéchiel : «Par ma vie, oracle de Yahvé, je
ne prends pas plaisir à la mort du pécheur, mais au retour
du méchant qui change de voie pour avoir la vie»
(*Éz.* 33, 11). Dans une exhortation pressante adressée
aux catéchumènes, il s'écrie : «Heureux sommes-nous,
puisque Dieu s'engage par serment à nous pardonner,
si nous faisons pénitence; mais combien malheureux
nous sommes, si nous refusons de croire le Seigneur, si
nous négligeons d'assumer l'œuvre de notre conversion et
de la vivre avec le plus grand sérieux[47]».

Une conversion sincère, qui transforme toute la vie, telle
est, en somme, la substance de la doctrine pénitentielle de
Tertullien[48]; doctrine puisée aux textes de l'Écriture, mais
aussi, assurément, aux sources profondes de son expérience
personnelle. Mais le moraliste africain ne se contente pas
d'exhorter ses auditeurs à opérer leur conversion. Il
apporte tous ses soins à les instruire de leurs devoirs; c'est
pourquoi il va leur exposer longuement la nature, la
gravité, les conséquences du péché, que la pénitence a pour
tâche d'abolir.

---

46. DASSMANN, p. 103-153, regroupe utilement les témoignages les
plus importants des trois premiers siècles pour la doctrine pénitentielle.
Deux tendances s'affrontent : aux écrivains qui mettent en relief la
perfection morale, sinon l'impeccance chrétienne, tels ARISTIDE (*Apol.,*
15, 1-2), JUSTIN (*I Apol.,* 14, 1-3), ATHÉNAGORE (*Suppl.* 11), THÉO-
PHILE D'ANTIOCHE (*Ad Autol.,* III, 15), CLÉMENT DE ROME (*Iᵃ Clem.,*
30, 1), IGNACE (*Eph.,* 8, 2; 14, 2, etc.), POLYCARPE (*Phil.,* 2, 1-3),
s'opposent en quelque sorte ceux qui ne cachent pas la réalité du péché
dans les communautés chrétiennes : HERMAS (17 et 19), l'auteur de la
IIᵃ Clem. (13, 1; 17, 2.6), celui de l'*Epist. apostolorum* (39; 46; etc.).
47. Cf. *Paen.,* 4, 8.
48. *Paen.,* 5, 10.

2. La pénitence et le péché

Religion de salut, le christianisme envisage le mal moral du point de vue qui lui est propre : si la vie dont Dieu veut faire vivre les hommes est mise à mal par le péché, elle peut être restaurée par la grâce que le Seigneur nous accorde en Jésus-Christ. La tradition vétéro-testamentaire avait exprimé en termes d'Alliance cette vie, cette communion des hommes avec Dieu et entre eux. L'Église paléochrétienne prolonge cette tradition et y intègre sa doctrine pénitentielle[49].

Nous avons observé plus haut que Tertullien ne s'attarde pas à explorer les dimensions religieuses de la pénitence des païens ; d'emblée il passe à la description du dessein salvifique de Dieu et à celle de la pénitence chrétienne, la seule qui, selon lui, réponde pleinement à ce dessein. La démarche de Tertullien traduit une réalité qui lui paraît essentielle : la source première de la conception chrétienne de la pénitence et du péché ne se trouve pas dans ce que l'homme peut expérimenter par lui-même en ce domaine, mais dans la parole de Dieu et dans la foi en cette parole. D'autre part, si Tertullien n'aborde le thème du péché qu'après avoir rappelé l'économie du salut, il se montre en cela parfaitement fidèle au propos des saintes Écritures, dont la révélation sur le péché s'inscrit toujours dans le cadre de la révélation sur le salut de l'homme.

Il convenait de rappeler ces faits, avant de présenter les idées du moraliste africain relatives au péché, car on lui a imputé en cette matière bien des conceptions profanes, qui ne sauraient en rendre compte. C'est ainsi que l'on a trop facilement admis que, si Tertullien avait retenu de préfé-

---

49. J.-M. POHIER, art. «Péché», *Encyclopaedia universalis* 12, 1972, p. 661-664 ; Th. DEMAN, art. «Péché», *DTC* 12, 1933, c. 142-275 ; H. RONDET, *Notes sur la théologie du péché,* Paris 1957 ; Ph. DELHAYE, A. GELIN, A. DESCAMPS, J. GOETZ, *Théologie du péché,* Bruges-Paris 1961.

rence les termes *delictum, delinquere,* pour désigner le péché, c'était sous l'influence du langage juridique, et l'on est allé jusqu'à construire toute une théorie sur la notion d'obligation *ex delicto,* qui en résulterait pour le pécheur : conformément aux institutions juridiques de son temps, Tertullien aurait compris le péché comme une *figura delicti,* faisant naître chez le coupable une obligation de réparer, de fournir une *satisfactio,* en guise de *poena* compensatoire[50]. La *paenitentia,* précise-t-on encore, offre cette *satisfactio.* Dieu l'accepte comme telle, en remplacement *(Ersatz)* de la dette contractée par le pécheur à son égard, du fait de son offense[51].

En réalité, le relevé statistique fait apparaître que Tertullien emploie indifféremment *delictum / delinquere* et *peccatum / peccare,* pour désigner le péché. Certes, le premier couple offre 339 occurrences, le second 52[52]. Mais la raison de la préférence que lui accorde Tertullien est facile à découvrir; elle traduit tout simplement la terminologie paulinienne des versions latines[53]. D'autre part, il convient d'observer que *peccatum* et *delictum* sont parfaitement interchangeables pour notre auteur. Quant au terme *satisfactio,* comme l'a fait remarquer René Braun, il est trop rarement utilisé par Tertullien en liaison avec la pénitence pour

---

50. BECK, p. 116 s.

51. BRÜCK, p. 276-290.

52. WILHELM-HOOIJBERGH, p. 98-102; l'auteur précise que *delictum* est employé 250 fois, *delinquere* 89 fois, *peccatum* 35 fois, *peccare* 17 fois chez Tertullien. D'autre part, Tertullien emploie aussi les termes : *culpa, iniuria, offensa, crimen,* pour désigner le péché, sans leur attacher alors de signification technique particulière.

53. Les relevés de Wilhelm-Hooijbergh ont été faits sur la Vulgate, dont la situation reflète malgré tout l'usage antérieur. Au couple *delictum/delinquere,* qui prédomine dans les écrits pauliniens, répond celui de *peccatum/peccare* dans les écrits johanniques, semble-t-il. La familiarité de Tertullien avec les écrits pauliniens devrait suffire à expliquer la prédominance du premier couple, sans qu'il faille voir dans cet usage une intention expresse de la part du docteur africain désireux de transposer les catégories du droit romain dans la théologie du péché.

pouvoir constituer une notion essentielle de sa doctrine; de fait, *satisfactio* ne se trouve que 4 fois dans ses écrits, en rapport, du moins, avec la pénitence; *satisfacere* n'est pas attesté davantage. «D'un terme auquel Tertullien aurait donné une précision technique, on attendrait des emplois plus nombreux, plus cohérents. Or... le sens large de : "donner satisfaction", "réparer", domine les diverses acceptions[54].»

Tertullien ne s'est pas mis en peine de définir le péché *expressis verbis*. Il signale, comme en passant, qu'est péché toute action moralement mauvaise[55] et qu'il faut regarder comme péché ce que Dieu interdit[56]. C'est renvoyer chacun aux commandements de Dieu et au jugement de sa conscience, qui distingue le bien et le mal. Mais quelle est la gravité respective des péchés? Tous sont-ils également répréhensibles, comme l'enseignent les stoïciens[57]? N'y a-t-il pas lieu aussi de prendre en considération les aspects objectifs des actes humains, leur publicité, le dommage effectif qu'ils ont causé, l'atteinte à l'ordre public, le scandale provoqué? Le moraliste africain se devait de répondre à ces questions; il va le faire longuement au chapitre III du *De paenitentia,* en privilégiant, bien entendu, le point de vue moral, au regard de l'élément légal ou matériel du péché. Son propos, en effet, n'est pas celui du casuiste subtil, attentif à peser les circonstances aggravantes ou atténuantes; il n'est pas non plus celui du philosophe, définissant dans l'abstrait les effets et les causes. Tertullien se sait investi d'une tâche pastorale d'enseignement au service de la communauté. Aussi sa

---

54. R. BRAUN, «Chronica Tertullianea 1975», *REAug* 22, 1976, p. 305-306, dans sa recension de l'article de M. BRÜCK.

55. *Paen.*, 2, 13 : *peccatum nisi malum factum dici non meretur;* CICÉRON donne une définition très voisine, à partir du terme grec *"katorthoma"* *(recte factum) : recte facta sola in bonis actionibus ponens, praue...* (*Acad.*, I, 31).

56. *Paen.*, 3, 2.

57. POHLENZ, p. 153; WILHELM-HOOIJBERGH, p. 68-71.

parénèse vise-t-elle, au premier chef, à susciter chez ses
auditeurs, catéchumènes et fidèles, une égale répulsion à
l'égard de tous les péchés, de quelque nature ou gravité
qu'ils soient. Le paradoxe stoïcien va servir de cadre à son
exhortation.

Mais il lui faut dire un mot, d'abord, de l'élément
matériel du péché. Il distingue, à cet effet, entre péchés
charnels ou corporels, consommés à l'aide du corps, et
péchés spirituels, consommés intérieurement[58]. Cette distinction repose sur une vision dualiste de l'être humain,
que Tertullien partage avec la philosophie de son temps,
dominée par l'école stoïcienne[59]; elle lui convenait parfaitement, dans la mesure où il croyait la retrouver dans certains
textes pauliniens[60].

Aussi importante que soit la distinction des péchés
externes et internes au regard de la discipline pénitentielle,
Tertullien, soucieux de former le sens moral de ses
auditeurs, les invite à dépasser le point de vue légal et
matériel du péché, qu'il a adopté jusqu'ici, afin de considérer la malice propre de toute offense envers Dieu[61]; du
même coup, il déjoue les échappatoires des gnostiques et
de tous ceux qui refusent de se soumettre à la pénitence
ecclésiastique (publique), sous prétexte que certaines fautes
(graves) sont purement intérieures. Le moraliste fait mine
de reprendre l'idée générale du paradoxe stoïcien : tous les
péchés sont à mettre sur le même plan, et de l'expliciter à
l'aide de divers arguments, de plus en plus spécifiques :
l'unité du composé humain, la personnalité offensée[62], la

---

58. *Paen.*, 3, 3.
59. SPANNEUT, p. 150-166; ALÈS, p. 114 s.
60. *Rom.*, 7, 22, notamment, où l'Apôtre oppose à l'homme «extérieur» (le corps passible et mortel) l'homme «intérieur» (la partie
rationnelle de l'homme). Ce thème, d'origine grecque, est distinct de celui, d'origine juive, de l'homme «vieux» et «nouveau»; cf. *Col.* 3, 9-10.
61. *Paen.*, 3, 4.
62. *Paen.*, 3, 5.

rétribution dernière[63]. En réalité, l'examen du paradoxe
stoïcien tourne court, car l'orateur chrétien ne l'allègue que
pour assurer les prémisses de ses développements ultérieurs : la nécessité de donner corps à la pénitence intérieure (5, 10), ainsi qu'aux exercices concrets de l'exomologèse (9, 1).

Dès qu'il a établi ses prémisses, Tertullien en arrive à ce
qui fait l'objet propre de sa parénèse pénitentielle. Il
formule sa pensée dans la *propositio* suivante : qu'il s'agisse
de péchés extérieurs ou purement intérieurs, tous doivent
être évités avec le plus grand soin; tous aussi doivent être
expiés par la pénitence, s'ils viennent à être commis[64].
Deux séries de preuves sont apportées à l'appui de cette
affirmation. Parmi les preuves de raison, l'orateur examine
successivement le péché du point de vue de Dieu, puis du
point de vue de l'homme. Il souligne d'abord que la
puissance de Dieu s'exerce sur toute chose et que rien ne
saurait se soustraire à sa vue; les péchés intérieurs, si
secrets soient-ils, sont commis sous le regard de Dieu[65], au
même titre que les fautes externes, les seules que les
hommes puissent connaître[66]. Les uns et les autres seront,
par conséquent, sanctionnés par Dieu, le juste Juge.

Quant à la gravité respective des péchés, elle est à

----

63. *Paen.*, 3, 4-6; voir RAMBAUX, p. 305, n. 107.

64. *Paen.*, 3, 9.

65. *Paen.*, 3, 9-10; l'argument est fréquemment utilisé par Tertullien
pour expliquer la conduite morale irréprochable des chrétiens, par ex. en
Apol., 39, 4 : *certos de Dei conspectu;* 39, 18 : *ut qui sciant Deum audire;*
Orat., 17, 3 : *Deus conspector est cordis;* cf. *Nat.*, II, 7, 6; *Cult.*, II, 13, 1;
Vx., II, 3, 4, etc. – Si le thème du regard de Dieu est éminemment
biblique (*Prov.* 15, 3; 24, 12; *Ps.* 10, 5; 16, 2; 32, 18; 33, 16; *Job* 7, 8;
24, 23; 34, 21; etc.), il n'est pas ignoré de la tradition philosophique
gréco-romaine; voir P. WILPERT, art. «Auge», *RAC* 1, 1950, c. 961-
962; H. MIDDENDORF, *Gott sieht*, Diss., Fribourg en Br. 1936.

66. L'adage romain : *de internis non iudicat praetor,* souligne qu'une
certaine manifestation est nécessaire pour que la loi pénale puisse se
saisir d'une culpabilité.

évaluer en fonction de la volonté de l'homme, qui est à leur
origine. L'orateur aborde ici le chapitre de l'imputabilité et
de la responsabilité. Un fait mérite d'être souligné : alors
que la doctrine juridique contemporaine lui fournissait
un vaste champ de références, Tertullien s'en tient à
des généralités, qu'il emprunte à l'art de la rhétorique.
Lorsque l'action incriminée ne peut être directement jus-
tifiée (relatio), les rhéteurs conseillaient de recourir à un
mode de défense indirect (ex causis facti ductae defensiones).
Plusieurs solutions s'offraient à l'orateur, la comparatio, la
remotio et la concessio[67]. Seule cette dernière nous intéresse
ici : la défense reconnaît le fait incriminé, mais invoque
l'indulgence du juge, soit en affirmant son innocence
(purgatio), soit en admettant sa culpabilité (deprecatio).
Parmi les conditions de nature à innocenter le prévenu, qui
affirme la rectitude de son intention, en cas de purgatio,
l'avocat peut faire jouer l'error, le casus[68], la necessitas[69]
et l'obliuio. Telle est, à n'en pas douter, l'origine de la
remarque préliminaire de Tertullien. A ses yeux, la responsabilité du pécheur est dégagée lorsqu'il s'agit d'un cas
fortuit ou de force majeure. Les jurisconsultes du Haut-
Empire se sont efforcés de mieux cerner les figures juridiques de délits et crimes où interviennent ces facteurs,
mais il est difficile de dire à quel point le moraliste africain
en était informé[70]. Quant à l'error, parfois appelée igno-

---

67. LAUSBERG, p. 98-105 ; MARTIN, p. 40-41.

68. CICÉRON, Inu., 2, 31, 96 : casus autem inferetur in concessionem, cum
demonstratur aliqua fortunae uis uoluntati obstitisse. L'exemple spécifique des
manuels est celui du chasseur qui frappe un homme de son javelot, lancé
contre une bête sauvage : LAUSBERG, p. 104.

69. Sous le terme : necessitas, les auteurs rangent d'abord la contrainte
morale ; ils citent, par exemple, le cas d'un orateur fait prisonnier et
contraint de composer et de déclamer un panégyrique à la gloire des
ennemis de sa patrie (FORTUNATIANUS, Rhet., 1, 16). – QUINTILIEN
(Inst., 7, 4, 14) désigne par necessitas la force incoercible des éléments
naturels, que CICÉRON (Inu., 2, 31, 96) appelle : necessitudo.

70. Th. MOMMSEN, Römisches Strafrecht, Leipzig 1899, p. 89 et 837,

rantia, elle est un des ressorts habituels de la comédie antique[71]. L'orateur ne la mentionne que par raccroc, sans lui prêter une attention particulière[72].

Le point de vue du moraliste l'emporte également dans la manière dont Tertullien envisage le difficile problème de la tentative. On observera tout d'abord que s'il choisit cet exemple, à vrai dire exceptionnel, ce n'est pas seulement pour un motif littéraire, afin d'opposer aux cas où la responsabilité de l'agent est dégagée (3, 11) ceux où elle demeure entière, c'est afin d'illustrer la règle générale qu'il énonce en matière d'imputabilité : puisque la volonté est à l'origine de l'action, un acte est d'autant plus gravement coupable que la volonté de l'agent y a pris une part plus importante[73]. La formulation est délibérément paradoxale, car le sens commun et la pratique judiciaire ont coutume de mesurer la peine au dommage effectif qui a été causé, étant admise l'intention coupable ou dol général. Cependant, lorsqu'ils ont affaire à une tentative de délit, les pénalistes peuvent faire prévaloir soit un point de vue strictement objectif et ne considérer que la nocivité des actes et le degré de cette nocivité, soit un point de vue plus subjectif, dans le souci d'atteindre la volonté criminelle[74]. Il va sans dire que

observe que les jurisconsultes romains ne distinguent pas toujours rigoureusement les diverses espèces de *casus.* Tantôt ils assimilent le *casus* à la *neglegentia,* et l'opposent à la *uoluntas* : *Dig.,* 4, 9, 9 ; 48, 8, 1, 3 ; tantôt ils distinguent parmi les *fortuita incendia* ceux qui ont été provoqués *incuria* (où la responsabilité de l'agent demeure impliquée) et ceux qui ont été propagés *casu uenti furentis* : PAUL, dans *Coll. Mod.* 12, 2, 2 (où elle peut être dégagée). En tous les cas le juge doit apprécier prudemment, selon les circonstances, si le fait incriminé entraîne une responsabilité *per culpam,* c'est-à-dire par manque de la diligence requise.

71. LAUSBERG, p. 104 ; MARTIN, p. 41.

72. Tertullien utilise ici la terminologie de QUINTILIEN, *Inst.,* 7, 4, 14.

73. *Paen.,* 3, 12.

74. Voir C. LEGROS, *L'élément moral dans les infractions,* Bruxelles 1951 ; R. VOUIN – P. LÉAUTÉ, *Droit pénal et criminologie,* Paris 1956, p. 173-180, ainsi que les commentaires classiques du Code de droit canonique, par exemple É. JOMBART, art. «Délit», *Dict. de droit*

Tertullien choisit cette dernière solution, la plus rigoureuse, car il tient à souligner que la volonté a sa responsabilité à elle, qui ne peut pas être mesurée au seul vu des
moyens mis en œuvre par l'agent. Lors même qu'un acte
criminel n'a pas pu être consommé, parce qu'une cause
indépendante de la volonté de l'agent est intervenue,
la responsabilité morale de ce dernier demeure entière,
puisque l'intention criminelle existait au départ.

Pour conclure, Tertullien rappelle que la supériorité
de la loi évangélique sur la loi mosaïque consiste précisément dans l'attention qu'elle apporte à réprimer jusqu'aux moindres désirs coupables[75]. Le chrétien s'interdira
donc non seulement les actions répréhensibles, mais aussi
les imaginations coupables, «puisque la force de la volonté
est telle que, nous rassasiant par le plaisir qu'elle procure,
elle prend la place de l'acte[76]». Un dilemme hautement
sophistiqué achève la déroute d'un objecteur éventuel, qui
voudrait prétendre à l'impunité sous prétexte que l'action
coupable, envisagée dans la sphère de la volonté, n'a pas
été conduite à son achèvement[77].

Commandé par des préoccupations pastorales immédiates, l'exposé de Tertullien sur la nature et la gravité du
péché se borne donc à des considérations d'ordre très
général; il n'en constitue pas moins un apport intéressant
et original pour la morale chrétienne. Certes, on y cherche-
rait en vain une définition précise du péché, originel ou
actuel, ou une analyse de la malice particulière de chacun.
Pour la distinction des péchés, l'auteur a choisi le point de

---

canonique 4, 1949, c. 1096-1097. On observera que Tertullien décrit assez
exactement le *delictum frustratum* du c. 2212, § 2, pour lequel le législateur ecclésiastique estime que le délit manqué est plus coupable, du seul
point de vue de l'imputabilité juridique, que la simple tentative de délit
(*conatus*).

75. *Paen.*, 3, 13 : citation de *Matth.* 5, 28.
76. *Paen.*, 3, 14.
77. *Paen.*, 3, 15-16.

vue du sujet; sans négliger cet aspect, la théologie de
l'École fera valoir que les péchés se distinguent aussi en
fonction de l'objet qui les spécifie et des devoirs auxquels
ils contreviennent[78]; elle précisera, en outre, que leur
gravité se définit essentiellement à partir de cet objet et se
mesure à la disproportion, au désordre de l'acte humain
privé de sa rectitude[79]. Tertullien n'a fait qu'effleurer le
problème des circonstances (aggravantes et atténuantes),
qui prendra une importance considérable dans la casuis-
tique[80]. Il n'a pas non plus examiné en détail les causes
intérieures du péché, domaine infini qui relève de la
psychologie commune[81]. En revanche, il a décrit avec
insistance les efforts de Satan, l'ennemi du genre humain,
acharné à la perte des âmes[82], et souligné le rôle de la
concupiscence de la chair et du monde dans l'inclination
déréglée de l'homme vers certains biens, qui l'éloignent de
Dieu[83]. Rappelons que le moraliste africain se range parmi
les initiateurs de la théorie théologique des péchés capitaux, dont il a proposé un premier septénaire[84]. Il a

---

78. Th. DEMAN, art. «Péché», *DTC* 12, 1933, c. 156-162;
B. HÄRING, *La loi du Christ,* Paris-Tournai-Rome 1962⁵, I, p. 495-503.

79. HÄRING, *ibid.,* p. 500 : «pour la gravité subjective du péché, c'est
le degré de liberté qui compte, à savoir le degré de malice ou de
faiblesse, de connaissance claire ou d'inconscience ou d'inattention»;
telle est déjà la position de Tertullien qui signale, en *Paen.,* 3, 11, deux
facteurs concernant la volonté *(casus, necessitas)* et un facteur concernant
l'intelligence *(ignorantia).*

80. DEMAN, *o.c.,* c. 174-176; cf. *Paen.,* 3, 12-13.

81. Voir A. GARDEIL, art. «Consentement», *DTC* 3, 1923, c. 1182-
1186; l'auteur observe que les Pères des premiers siècles se sont
contentés d'une notion sommaire de l'acte de consentement au péché,
plus préoccupés qu'ils étaient de souligner ses conséquences morales que
d'en établir la théorie psychologique. Il faut attendre Jean Damascène
pour voir intégrées les données essentielles de la psychologie aristotélicienne de l'acte humain.

82. *Paen.,* 7, 7-9; cf. 5, 7-9; *An.,* 41, 1.

83. *Paen.,* 3, 13; 7, 9.

84. *Marc.,* IV, 9, 6.

contribué aussi de manière décisive à doter la théologie morale de certaines notions, dont celle du péché «mortel».

La synthèse de Tertullien dépend étroitement de ses sources habituelles, et tout d'abord des saintes Écritures. Nous avons vu plus haut combien il est redevable à la tradition prophétique et sapientielle pour sa notion de la pénitence-conversion. En ce qui concerne son intelligence du péché, l'influence biblique apparaît nettement dans la manière de l'envisager comme une transgression de la loi divine, ou comme un déni de justice envers Dieu, le Seigneur et Maître à qui est due toute obéissance[85]. Mais le péché n'est pas seulement la transgression objective d'une norme, il n'est pas seulement l'opposition subjective de l'homme à la volonté de Dieu manifestée dans sa loi. Il constitue une ingratitude sans bornes à l'égard d'un père plein de bonté, dont le dessein d'amour se trouve bafoué[86].

Si la pensée biblique a imprimé à la doctrine morale de Tertullien son cachet définitif, elle n'a pas effacé pour autant l'empreinte que le rhéteur africain avait reçue de la *koinè* philosophique de son temps. L'influence de cette dernière, très nette pour les problèmes de morale théorique[87], le libre arbitre, l'action vertueuse, la loi naturelle, reste marginale et indirecte dans le domaine de la pénitence et du péché, et pour cause[88]; elle est réelle, cependant, et se manifeste à propos de deux thèmes particuliers, étroitement solidaires, l'unité du composé humain et le rôle prépondérant de la volonté.

Contre les hérésies dualistes, pour lesquelles ce n'est pas l'âme qui pèche, Tertullien a toujours insisté sur la

---

85. *Paen.*, 3, 2; cf. 3, 10; 4, 4; 5, 3-9; 7, 14; 8, 8.

86. *Paen.*, 2, 4; 4, 3; 5, 6; 7, 3-6.

87. SPANNEUT, p. 233, 238, 244; ALÈS, p. 262-264.

88. *Paen.*, 1, 1-5; à son habitude, Tertullien s'empresse d'en appeler à la foi, malgré ses protestations de confiance à la raison et au sens commun.

communauté constituée par le corps et l'âme raisonnable et
souligné les relations mutuelles de ces deux éléments[89].
«Semées, formées, produites ensemble» au moment de la
génération[90], l'âme et la chair sont unies pour une activité
commune, *operarum societatem*[91]. Le moraliste n'admet vraiment aucune action qui soit propre à l'une des deux
substances, car l'âme n'est jamais sans la chair. Certes,
l'âme pense et sent, mais elle ne peut rien réaliser sans le
corps[92]. Si le corps et l'âme ne font qu'un, tout péché sera
commun au corps et à l'âme. Telle est bien la démonstration effectuée dans le *De paenitentia,* car Tertullien veut
mettre en relief la responsabilité de l'homme, corps et âme,
à l'occasion de chaque faute, et son devoir de faire
pénitence, corps et âme, s'il veut échapper au châtiment
que lui ont mérité ses forfaits et qu'il devra subir au jour du
jugement, en son corps et en son âme. On voit quels
services l'auteur attend de l'anthropologie unitaire qu'il a
empruntée à la philosophie contemporaine[93].

Mais il ne suffit pas de prouver la coresponsabilité du
corps et de l'âme dans le péché. Tertullien est trop rompu
aux procédés de la rhétorique pour ne point vouloir
consommer la défaite de ses adversaires, en démontrant
que le corps est moins coupable que l'âme, que celle-ci peut
commettre des péchés par pensée, sans attendre la participation du corps. Il aura ainsi établi, à l'encontre des
gnostiques, que le péché est le fait de l'âme. Tel est le sens
d'un passage, assez obscur, du *De anima*[94], où il revient sur

---

89. SPANNEUT, p. 150-166.
90. *Res.,* 16, 10; SPANNEUT, p. 185.
91. *Res.,* 15, 4.
92. SPANNEUT, p. 152-154.
93. G. ESSER, *Die Seelenlehre Tertullians,* Paderborn 1893; F. SEYR,
Die Seelen- und Erkenntnislehre Tertullians und die Stoa, Vienne 1937,
p. 51-74; H. KARPP, *Probleme altchristlicher Anthropologie,* Gütersloh
1950, p. 42-80; voir surtout les commentaires de WASZINK au *De anima.*
94. *An.,* 58, 6-8.

une idée qu'il avait esquissée dès le traité *De la pénitence*[95]. Commentant le précepte du Seigneur qui interdit jusqu'aux désirs coupables, Tertullien avait souligné que, dans le péché, c'est la volonté qui est à l'origine de l'acte et formulé le principe qu'un acte est d'autant plus coupable que la volonté y a pris une plus grande part. Sur ce point précis, une influence stoïcienne semble indéniable, aussi paradoxale que puisse paraître cette affirmation.

Il est banal de dire que le stoïcisme a fourni à notre moraliste les traits essentiels de sa psychologie pratique; encore convient-il de préciser lequel. Cicéron et Musonius, plus proches de leurs sources grecques, privilégient l'aspect rationnel de l'âme, dans sa recherche du bien; ils n'ignorent cependant point le rôle de la *boulèsis*[96]. Dans les *Tusculanes* (IV, 6), Cicéron traduit ce terme grec par *uoluntas* et il y voit, comme les stoïciens, la recherche sage et prudente du bien. Cette qualité n'existe que chez le sage; elle se définit «la tendance où le souhait s'accompagne de raison[97]». A son tour, Sénèque accorde à la volonté attachée à la raison une place de choix : la volonté du sage est toujours en accord avec elle-même, comme sa raison; la volonté droite est dans la disposition droite de l'âme; elle n'est pas une faculté spéciale, mais une activité de l'*animus*[98]. Bien qu'il ne soit pas le premier moraliste de la volonté, Sénèque, par souci pédagogique, a mis l'accent sur la nécessité de l'effort personnel en vue du progrès moral. Il dira même : «Que faut-il pour être bon? – Le vouloir[99].»

Pour Épictète, la disposition qui rend la nature apte à

---

95. *Paen.,* 3, 11-16.

96. POHLENZ, p. 319.

97. Traduction d'É. Bréhier (*Les stoïciens, Bibl. de la Pléiade,* Paris 1962, p. 333).

98. POHLENZ, p. 320; M. SPANNEUT, *Permanence du stoïcisme,* Gembloux 1973, p. 63-64.

99. *Ep.,* 80, 4.

l'acte moral est la *proairèsis,* qui nous aide à limiter nos désirs et nos actions aux choses qui sont en notre pouvoir; c'est elle qui contrôle les opinions *(dogmata)* et décide de nos représentations *(phantasiai).* Pour écarter les jugements erronés et faire un bon usage des représentations, l'homme examinera la relation de chaque chose, de chaque événement, avec son être intérieur et réel[100]. L'exercice moral consiste donc essentiellement à purifier, à perfectionner son jugement, mais la *diairèsis,* (la classification des événements et des choses qui en résulte) trouve dans le bon usage son couronnement. «Malgré la note intellectualiste, la morale d'Épictète centrée sur la *proairèsis,* qui détermine toute valeur, prépare une éthique de la volonté», estime M. Spanneut[101].

Chez Marc-Aurèle, c'est l'*hègémonikon* qui remplace la *proairèsis* d'Épictète, mais cette fois l'anthropologie est nettement tripartite[102]. L'auteur distingue dans l'homme le *sôma* (le corps), le *pneuma* (le souffle vital, encore appelé *pyschè*) et le *noûs* (l'intelligence), qui constitue l'*hègémonikon* de l'âme. Max Pohlenz observe que la doctrine de Marc-Aurèle s'écarte de la tradition stoïcienne antique sur un point des plus importants. En effet, si elle distingue nettement l'âme de l'homme de celle de l'animal, la psychologie du Portique maintient soigneusement l'unité de l'âme humaine, en admettant que le logos exerce lui-même les fonctions animales aussi bien que les fonctions supérieures[103]. Marc-Aurèle, en revanche, sous

---

100. SPANNEUT, *Permanence du stoïcisme,* p. 74-88.
101. *Ibid.,* p. 81; POHLENZ, p. 332.
102. SPANNEUT, *Permanence du stoïcisme,* p. 88-98; POHLENZ, p. 341-353.
103. *Ibid.,* p. 343; la position de Marc-Aurèle peut être rapprochée de la doctrine de Posidonius, qui place l'être véritable de l'homme dans le pur *logos,* le *daimôn* divin. Ce *logos* développe les fonctions animales, après qu'il a été uni au corps. Mais Posidonius maintient l'unité substantielle de l'âme.

l'influence de l'École médicale[104], confie au *pneuma* les activités de l'âme animale et fait du *noûs* une partie spéciale du composé humain[105].

A cet égard, Tertullien se place résolument dans la ligne du stoïcisme antique. Contre Marcion et Hermogène, il affirme l'unité de l'âme humaine[106]. Contre Valentin et ses disciples, il refuse toute distinction entre le *noûs* et le *pneuma*, qui mettrait en cause le libre arbitre et l'effort moral[107]. S'il admet l'activité de l'*hègémonikon*, il n'en fait pas une part de l'âme, mais son degré le plus haut, son couronnement[108]. Certes, le *De paenitentia* n'offre pas encore les développements consacrés à ces questions dans les traités ultérieurs; toutefois, les mêmes principes y sont mis en œuvre, et les mêmes adversaires s'y trouvent visés. L'auteur lutte contre toutes les formes de platonisme et de gnosticisme qui voudraient tirer argument de la nature «divine» de l'âme, pour nier qu'elle puisse pécher[109]. Le stoïcisme antique, qui rangeait dans l'âme unique le souffle vital et le vouloir rationnel, lui apporte un concours précieux. Tertullien lui est largement redevable. Et l'on ne s'étonnera pas que, parmi les activités de l'âme unique, il s'intéresse plus spécialement à celles de la volonté. Cicéron et Sénèque l'avaient précédé sur cette voie.

---

104. Le fondateur de cette école est le médecin grec Athénée, qui exerça son art à Rome sous le règne de Claude : POHLENZ, p. 362. Tertullien, féru de science médicale, se rattache à l'école méthodique de Soranus, qui fleurit sous Trajan et Hadrien; voir WASZINK, p. 21-44.

105. POHLENZ, p. 343.

106. WASZINK, p. 82 (commentaire de *An.*, 1, 1); SPANNEUT, p. 155-156.

107. *Marc.*, II, 4-6; *Val.*, 25; *An.*, 11, 1-3; 21, 2; 22, 1-2; 23, 1-4; voir SPANNEUT, p. 157-159.

108. *An.*, 15, 4-5; *Res.*, 15, 4-8.

109. Voir A. QUACQUARELLI, «Libertà, peccato e penitenza secondo Tertulliano».

III

PÉNITENCE ET CATÉCHUMÉNAT

Dès que se dessinent les premiers traits de l'institution du catéchuménat, au cours du IIe siècle, on voit qu'elle comporte, outre un enseignement particulier réservé aux futurs baptisés, un ensemble de pratiques ascétiques et liturgiques destinées à les préparer plus directement à la réception du sacrement de l'initiation chrétienne[1]. A l'époque de Tertullien, l'organisation systématique du catéchuménat est déjà passablement avancée, aussi bien en Orient (Alexandrie, Syrie) qu'en Occident (Rome et Carthage). L'Église, persécutée à la fin du règne de Marc-Aurèle, a bénéficié, en effet, d'une accalmie relative sous celui de Commode; elle se préoccupe de n'admettre au baptême que des candidats sérieux et résolus, faisant preuve d'une préparation suffisante et donnant toutes les garanties d'une persévérance courageuse. Son premier souci est d'intensifier la formation religieuse de ces recrues, devenues plus nombreuses et moins sûres; il importe de les fortifier dans la foi et de les entraîner à une vie morale

---

1. Sur le développement de l'institution, voir notamment B. CAPELLE, «L'introduction du catéchuménat à Rome», *Recherches de théologie ancienne et médiévale* 5, 1933, p. 129-154; J. LEBRETON, «Le développement des institutions ecclésiastiques à la fin du IIe et au début du IIIe siècle», *RevSR* 24, 1934, p. 129-164; G. BARDY, «L'enseignement religieux aux premiers siècles», *Revue d'apologétique* 66, 1938, p. 641-655; 67, 1939, p. 5-18.

d'une extrême rigueur. Précautions d'autant plus justifiées que la discipline pénitentielle alors en vigueur n'offre qu'un recours unique, en cas de faute grave.

Tertullien s'est fait l'écho de ces préoccupations, dès qu'il fut associé aux tâches d'enseignement de l'Église de Carthage. Son *De baptismo* défend le sacrement chrétien contre la propagande gnostique[2] et souligne la nécessité de s'y préparer avec le plus grand soin. Une foi ferme, une vie sainte, sont indispensables pour y accéder. Par le baptême, en effet, le chrétien devient citoyen de la « Jérusalem céleste » (*Hébr.* 12, 22) et ne doit plus pécher[3]. Le catéchuménat doit donc être un temps d'épreuve et de réflexion; les nouveaux convertis doivent prendre conscience de la gravité de leur démarche et ne s'y engager qu'en connaissance de cause. S'ils hésitent, ou doutent de leur persévérance, ils feront mieux de différer le baptême, plutôt que de s'exposer à retomber dans une vie de péché aussitôt après avoir reçu le sacrement[4].

Dans le *De paenitentia,* le docteur africain revient sur cette question délicate, afin d'écarter un certain nombre d'opinions et d'attitudes erronées qui se répandent dangereusement au sujet de l'efficacité immanquable du baptême, au point de compromettre l'effort moral lié à la pénitence-conversion. « Certain du pardon indubitable de ses fautes, on fait larcin, en attendant, sur le temps qui reste et l'on

---

2. *Bapt.,* 2, 1-2; 13, 1; Tertullien rappelle la loi évangélique : *Matth.* 28, 19; *Jn* 3, 5; *Act.* 22, 10. Par ailleurs il admet que le martyre, le baptême de sang, puisse suppléer au baptême d'eau (*Bapt.* 16, 1-2), de même qu'il peut rendre la pureté perdue, en effaçant tous les péchés commis après le baptême (*Scorp.,* 6, 9-11; *Res.,* 52, 12); voir F.G. DÖLGER, « Tertullian und die Bluttaufe », *Antike u. Christentum* 2, 1930, p. 117-141.

3. *Paen.,* 5, 1; 6, 17-24.

4. *Bapt.,* 18, 6 : Tertullien recommande expressément d'ajourner « ceux qui ne sont pas mariés, car la tentation les guette, aussi bien que les vierges, lorsqu'elles avancent en âge, et que les veuves, lorsqu'elles vagabondent ».

s'accorde un délai pour pécher encore, au lieu d'apprendre à ne plus pécher du tout[5].» Tertullien dénonce cette attitude équivoque, ces retards coupables à entreprendre sérieusement l'œuvre de la conversion. A quoi bon proclamer que l'on renonce à sa vie antérieure, à quoi bon, même, faire le premier pas, en s'engageant dans les rangs des catéchumènes? Ce n'est là qu'une démarche initiale, vaine si elle ne conduit pas à un changement de vie résolu, intégral, sans retard ni faux-fuyants. A ceux qui veulent faire dater leur conversion du jour de leur baptême, Tertullien déclare sans ambages que la pénitence est le prix[6] que le Seigneur a fixé pour accorder son pardon; le baptême ne saurait donc suppléer ce qui manque du côté de la pénitence. Les marchands examinent attentivement la pièce qu'on leur présente, pour voir si elle n'est pas «rognée, plaquée, falsifiée[7]». Comment croire que Dieu se laissera payer de fausse monnaie, qu'il prendra pour argent comptant une pénitence avare et menteuse? Certes, il est relativement facile, par de belles paroles, de tromper la vigilance du clergé et de se faire admettre au sacrement de l'initiation chrétienne, mais on ne saurait tromper le Seigneur, qui veille sur ses trésors de grâce et ne permettra pas à des indignes d'y accéder par surprise[8]. Si quelques-uns s'imaginent que Dieu est obligé d'accorder son pardon, parce qu'il l'a promis, ils font de sa libéralité une servitude, mais ils ne profiteront pas d'une justification éphémère[9]. Les défections qui se multiplient chez tant de chrétiens de fraîche date sanctionnent la réception présomptueuse et prématurée du sacrement. Que personne donc ne s'illusionne : rien ne sert de s'enfler du titre de

---

5. *Paen.*, 6, 3.
6. *Paen.*, 6, 4.
7. *Paen.*, 6, 5.
8. *Paen.*, 6, 10.
9. *Paen.*, 6, 11-12.

«catéchumène». La seule chose qui importe, c'est de se montrer disposé à faire pénitence sérieusement, à changer de conduite sans retard ni réticence. Il n'y a pas un Dieu pour les baptisés, un autre pour les catéchumènes, mais un seul et même Dieu, que professe une seule et même foi[10]. Le baptême est le sceau de la foi *(obsignatio fidei)*, mais cette foi commence par une pénitence sincère et trouve en elle sa recommandation[11]. Et Tertullien de conclure : «Nous n'avons pas été lavés au baptême pour mettre fin à nos péchés, mais parce que nous y avons mis fin, pour avoir été lavés déjà, au fond de notre cœur. Tel est, en effet, le premier baptême de l'"auditeur"[12].» Autrement dit, le baptême suppose accomplie la purification du cœur et celle-ci ne peut intervenir sans une foi pure et un repentir sincère, qui se traduisent par un effort moral adéquat.

Il appartenait aux Pères et aux théologiens ultérieurs d'expliciter les problèmes sous-jacents à l'exposé, plutôt embrouillé, du rhéteur de Carthage et d'en fournir des solutions cohérentes[13]. Se pose tout d'abord la question des conditions requises pour une réception valide et licite du sacrement de baptême. La doctrine classique a précisé, à cet égard, que le baptême des adultes suppose une seule condition indispensable pour sa validité, c'est l'intention ou la volonté de recevoir le sacrement tel que l'Église le confère. D'autre part, pour le recevoir d'une manière licite et fructueuse, l'intention de se faire baptiser ne suffit pas. Il faut, de plus, avoir la foi et le repentir des péchés que l'on a pu commettre. L'École a déclaré, en outre, que celui qui se ferait baptiser sans avoir la foi, pour un motif intéressé, par

---

10. *Paen.*, 6, 15.

11. *Paen.*, 6, 16.

12. *Paen.*, 6, 17.

13. ALÈS, p. 338, observe, à ce sujet : «Cet enfantement laborieux d'une pensée inachevée a produit un merveilleux déploiement de rhétorique. Mais pour équilibrer sa doctrine, il lui a manqué la notion précise du caractère sacramentel.»

exemple, recevrait néanmoins le caractère baptismal, mais non la grâce sanctifiante. Elle a résolu, dans le même sens, le cas de la réception du baptême comportant une fiction de la part du sujet[14].

Sur un plan plus général, il a fallu définir la part respective de la foi et des œuvres dans le processus de la justification, celle de la grâce divine et du mérite de l'homme en vue du salut, ainsi que les divers aspects de ce mérite. A l'encontre du moralisme pélagien, où tout le salut dépend de l'homme, et d'un certain laxisme qui, sous des formes diverses, proclamait systématiquement l'indifférence ou l'inutilité des œuvres, les Pères ont enseigné la nécessité de la grâce et l'action de Dieu à la base de notre justification[15]. Cependant, l'action de Dieu ne va pas sans le concours de l'homme. Prolongeant la ligne de pensée de Tertullien, Augustin déclare que la première forme de cette coopération humaine, c'est la foi[16]. Parce qu'elle est un acte de soumission à l'autorité divine, cette foi a déjà par elle-même une valeur morale, mais à condition de ne pas oublier qu'elle est tout d'abord un don de Dieu[17]. Une fois implantée dans l'âme par la grâce, cette foi y doit fructifier en «bonnes œuvres».

Peu d'idées sont aussi complexes que celle de justification. Il ne saurait être question d'en présenter ici les divers aspects. Qu'il suffise de marquer le lien de la foi et du repentir avec elle, du point de vue de la psychologie

---

14. B. NEUNHEUSER, art. «Taufe», *LThK* 9, 1964, c. 1318-1319; A. LANDGRAF, «Die Wirkung der Taufe im *Fictus* und im *Contritus* in der Frühscholastik», *Acta pontificiae Academiae romanae S. Thomae Aquinatis* 8, 1941-1942, p. 237-348.

15. J. RIVIÈRE, art. «Justification, II : La doctrine de la justification chez les Pères», *DTC* 8, 1925, c. 2077-2106.

16. AUGUSTIN, *Serm.* 43, 1 : *initium bonae uitae, cui uita aeterna debetur, recta fides est.*

17. AUGUSTIN, *Retract.*, I, 23, 3 : *fidei meritum etiam ipsum esse donum Dei.*

religieuse, puisque tel est le point de vue auquel se place
Tertullien. Le docteur de Carthage a bien vu que la
démarche initiale de l'homme s'enracine dans la foi. Il a
souligné le rôle déterminant de la crainte de Dieu, née de la
prise de conscience de sa puissance et de sa sainteté[18]. Les
théologiens expliqueront ultérieurement que, par cette foi,
il faut entendre l'adhésion au message divin de la révélation : la foi qui sauve est éminemment théocentrique et
signifie la soumission de notre raison à l'autorité divine.
Parmi les vérités révélées et les promesses divines que nous
devons croire, se trouve surtout celle-ci : que Dieu justifie
le pécheur par sa grâce[19]. Mais ce principe général appelle
une application personnelle, et celle-ci intervient quand le
pécheur s'élève à la confiance que Dieu lui sera favorable à
cause du Christ[20].

   La foi tend nécessairement à devenir pratique, commen-
tent les auteurs. Est-il possible de croire à l'incarnation et à
la rédemption du Christ, sans être pénétré d'amour et de
reconnaissance? Comment croire que le Fils de Dieu fait
homme est mort pour expier nos péchés, sans éprouver un
très vif sentiment de contrition; et comment un tel désir
pourrait-il être sincère, s'il ne conduit pas à s'acquitter des
actes de pénitence? La foi conduit donc d'elle-même à
l'action, c'est-à-dire à la pénitence, à l'espérance, à l'amour,
et à toutes les œuvres intérieures et extérieures que dictent
de telles dispositions[21]. Telle est bien aussi la pensée
profonde de Tertullien : s'il insiste sur la nécessité de

---

18. *Paen.*, 6, 17 : *metus integer exinde quod Dominum senserit, fides sana
conscientia semel paenitentiam amplexata.*

19. M.L. GUÉRARD DES LAURIERS, *Dimensions de la foi,* Paris 1952;
R. AUBERT, *Le problème de l'acte de foi,* Louvain 1958[3].

20. W. PANNENBERG, art. «Glaube. IV. Im prot. Glaubensvers-
tändnis», *LThK* 4, 1960, c. 925-928.

21. B. DUROUX, «La structure psychologique de l'acte de foi chez
saint Thomas», *Freiburger Zeitschrift f. Theologie u. Philosophie* 1, 1954,
p. 281-300.

traduire en actes externes la pénitence intérieure, il s'en faut de beaucoup qu'il réduise le salut à une question d'observances matérielles[22]. Pour lui, comme pour Augustin et l'École, les actes externes, qui prouvent la conversion intérieure, ne sauraient avoir de valeur que par les sentiments qui les inspirent. Et si, en moraliste sévère, il souligne l'importance de l'œuvre de l'homme dans l'économie du salut, au point d'en faire la condition du pardon divin[23], ses vues s'intègrent harmonieusement à la doctrine classique, qui les a précisées et complétées dans une vision plus globale de la justification. Celle-ci demeure absolument gratuite, et nos œuvres antérieures, même faites avec le secours de la grâce, ne méritent pas, à proprement parler, la grâce de la justification[24]. Il n'en reste pas moins que les œuvres préparatoires jouent le rôle de disposition morale qui, d'une certaine façon, incline Dieu à nous accorder sa grâce.

Par des notations discrètes, éparses à travers les premiers chapitres du *De paenitentia,* Tertullien décrit l'action conjointe, progressive, de Dieu et de l'homme. C'est Dieu qui, le premier, veut le salut de l'homme, et qui, par sa grâce, attire le pécheur à se convertir et à faire pénitence. Il l'ordonne, il y exhorte, il y invite, par la voix de ses prophètes, et promet le salut en récompense[25]. Ses prévenances sollicitent le libre arbitre de l'homme, mais le choix de celui-ci lui appartient en propre. L'orateur décrit avec une indulgence bonhomme, qu'on ne lui connaît guère, les pas mal assurés des «nouvelles recrues», des «conscrits»

---

22. *Paen.,* 9, 1.
23. *Paen.,* 6, 4-5.
24. RIVIÈRE, *art. cit.,* c. 2216; ALÈS, p. 270-271. Voir aussi, sur la doctrine du mérite chez Tertullien, J. RIVIÈRE, art. «Mérite», *DTC* 10, 1928, c. 619-622; la distinction du mérite *ex condigno* et du mérite *de congruo,* agréée par Luther, marque la différence fondamentale entre la part de Dieu et la part de l'homme dans l'acte de la justification.
25. *Paen.,* 2, 4.7; 4, 7; 5, 1.

dans la foi : «comme de jeunes chiens qui viennent juste de
naître et dont les yeux ne sont pas encore bien ouverts, ils
se traînent au sol d'une allure mal assurée[26].» Il devine
aussi la secrète complicité que certains continuent d'entretenir avec leurs plaisirs d'antan : «C'est ainsi que les fruits
qui, en vieillissant, commencent à se charger d'aigreur ou
d'amertume, veulent cependant garder encore, par quelque
endroit, leur charme d'antan», commente-t-il à leur sujet[27];
mais s'il témoigne quelque indulgence à l'égard de l'irréso-
lution et de certains délais, il traque sans ménagements la
présomption et la duplicité[28]. Augustin décrira, à son tour,
les dernières hésitations de l'âme partagée, que ses com-
pagnes charnelles cherchent à retenir encore[29]. C'est que,
se fondant sur leur expérience personnelle, l'évêque d'Hippone, tout comme le docteur de Carthage, envisagent la
conversion comme une démarche décisive, une rupture
brutale et définitive avec le passé. Rien ne leur est plus
étranger que la perspective d'une rechute dans le péché,
quand on a fait, une fois pour toutes, le pas de la
conversion en vue du baptême unique, pour la rémission
des péchés[30].

Cette intransigeance du converti se traduit également
dans le long développement consacré par Tertullien à la
disciplina paenitentiae (V, 1-12) : une fois que l'on a reconnu
sa nécessité et entrepris d'y conformer sa vie, on ne doit
plus se détourner de la pénitence, ni renoncer à son propos
en revenant à une vie de péché. La place de ce développement mérite d'être soulignée : Tertullien l'intègre aux

---

26. *Paen.*, 6, 1; même image chez CICÉRON, *Fin.*, 3, 48; 4, 64.
27. *Paen.*, 6, 2.
28. *Paen.*, 6, 20-24.
29. *Conf.*, V, 10, 18.
30. Les conceptions stoïciennes n'ont pu que renforcer l'idée biblique
d'une conversion brutale et totale. S'il est vrai que la vertu une fois
acquise ne se perd plus, on conçoit aussi à quel point l'idée d'une rechute
dans le péché devient difficile à admettre; voir SPANNEUT, p. 242.

questions qui traitent de la pénitence en général[31]. Cela signifie qu'il concerne non seulement le temps qui suivra le baptême, mais déjà celui qui le précède. On ne saurait mieux faire ressortir le lien étroit qui rattache la pénitence à la conversion : l'existence chrétienne s'inaugure par la foi; ce n'est pas seulement au moment du baptême, mais dès qu'il se trouve confronté à la vérité chrétienne, que l'homme doit renoncer au péché, une fois pour toutes. Dès qu'il rencontre le Christ, il s'engage résolument dans la *militia Christi*. Le baptême viendra, en présence de l'assemblée chrétienne, consacrer cet engagement : le catéchumène donne sa parole d'homme; il engage sa foi[32]. Au nom du Seigneur, l'Église appose le sceau officiel à cet engagement et fait du baptême l'*obsignatio fidei*[33].

Tertullien conduit sa démonstration selon les procédés les plus scolaires de la rhétorique : un avocat désireux de faire ressortir la gravité d'une faute de récidive pourrait la reprendre à son compte. Conformément aux règles du *genus legale,* on examinera successivement le *status qualitatis* (quelle est la nature de la faute?) et le *status quantitatis* (la faute comporte-t-elle des circonstances atténuantes?), comme le prévoient les manuels[34]. L'orateur africain entend bien s'y soumettre, mais il est trop persuadé que la rechute dans le péché constitue une faute inexcusable pour suivre aveuglément le plan habituel. C'est pourquoi il affirme, d'entrée de jeu, que le pécheur qui récidive ne

---

31. Les chapitres I-V de *Paen.* traitent de ce que les rhéteurs appellent les *quaestiones infinitae* relatives à la pénitence; celles-ci sont donc, par définition, communes à la pénitence prébaptismale et à la pénitence postbaptismale. Sur la notion de *quaestio infinita,* voir LAUSBERG, p. 61 s.

32. *Bapt.,* 6, 2 : *testatio fidei et sponsio salutis; Cor.,* 13, 7 : *sacramenti testatio; An.,* 35, 3 : *conuentio fidei; Pud.,* 9, 16 : *pactio fidei.*

33. *Paen.,* 6, 16; cf. F. J. DÖLGER, *Sphragis. Eine altchristliche Taufbezeichnung,* Paderborn 1911; A. BENOÎT, *Le baptême chrétien au second siècle,* Paris 1953.

34. LAUSBERG, p. 82, 106.

saurait alléguer aucune excuse valable : il a appris à connaître le Seigneur et à le craindre ; il a été instruit de ses commandements ; il a fait pénitence de ses péchés – et, par conséquent, les a reconnus comme tels[35]. Sa conduite est donc contraire à la raison, au *logos ;* et c'est bien là une faute impardonnable, en bonne logique stoïcienne.

Toute rechute dans le péché comporte un double aspect, précise Tertullien. D'une part, elle constitue un acte de contumace, d'obstination coupable ; d'autre part, tout péché est entaché d'ingratitude, dans la mesure où l'on ne tient aucun compte des bienfaits de Dieu. Or le premier de ces bienfaits n'est-il pas qu'en lui donnant accès à la vérité chrétienne, le Seigneur avait enseigné à l'homme l'intelligence du bien et du mal ? Fouler aux pieds ce bienfait, mépriser cette intelligence et la lumière de la vérité, n'est-ce pas une faute impardonnable[36] ? Une fois encore, la rigueur de la logique stoïcienne impose la conclusion, inéluctablement.

Mais le didascale chrétien s'est réservé, pour conclure, un argument qu'il juge encore plus efficace. Pour apprécier toute la gravité de la rechute dans le péché, il faut mais il suffit de l'envisager dans la perspective du combat que les forces du mal livrent à celles du bien. Elle équivaut à une désertion, à une trahison, à un changement de camp, en pleine bataille[37]. Comment qualifier un tel geste ? Comment lui trouver la moindre excuse ? Après avoir commencé à satisfaire au Seigneur, en faisant pénitence de ses péchés, ira-t-on satisfaire au démon, en accomplissant une autre pénitence, celle de sa première pénitence[38] ? Mais donner à

---

35. *Paen.,* 5, 3.

36. *Paen.,* 5, 4-6.

37. *Paen.,* 5, 7-8 ; Tertullien fait jouer ici les harmoniques du thème de la *militia Christi.*

38. *Paen.,* 5, 9 ; Tertullien a-t-il emprunté la formule à PLINE LE JEUNE, *Ep.,* VII, 10.

Satan l'occasion de se réjouir à la face du Seigneur, n'est-ce pas un moyen infaillible d'être en abomination devant Dieu?

Il reste à l'orateur à écarter une objection plus délicate. Assurément, disent certains, la pénitence est utile, voire nécessaire. Mais il suffit, au regard de Dieu – qui sonde les reins et les cœurs (*Ps.* 7, 10) –, de l'assumer de cœur et d'esprit[39]; bien qu'il n'y paraisse pas toujours de manière évidente dans la conduite de l'homme, rien n'empêche que celui-ci conserve la foi et la crainte de Dieu, même s'il lui arrive de pécher. Tertullien tourne en dérision cette opinion, où il ne voit que vaine élucubration d'hypocrites, qui ont partie liée avec Satan. En vertu du même principe, rétorque-t-il, on affirmera que l'on peut commettre un adultère, tout en gardant la chasteté, commettre un parricide, tout en gardant la piété filiale, mais aussi que l'on peut être précipité dans la géhenne sans perdre le bénéfice du pardon divin[40]. La manière cavalière dont l'orateur se débarrasse de l'opinion adverse ne saurait masquer l'enjeu du débat. En réalité, c'est toute la problématique – combien difficile! – du péché grave, qui s'y trouve posée. Dans ses premiers écrits, Tertullien ne semble pas en percevoir l'importance et il ne l'aborde jamais franchement. Son équipement conceptuel, dominé par les catégories stoïciennes, sa mentalité de converti, sa logique du tout ou rien, lui interdisent d'envisager des degrés dans la faute morale[41]. La coexistence du bien et du mal dans l'âme de l'homme lui semble un défi au bon sens. Il est impossible, à ses yeux, d'éprouver à la fois la crainte de Dieu et l'attrait du péché. Et quiconque retourne au péché après sa

---

39. *Paen.*, 5, 10 : il convient de remarquer que le sujet de *suscipiatur* est *paenitentia* et non point *Dominus*.

40. *Paen.*, 5, 11-13.

41. B. NISTERS, *Tertullian, Seine Persönlichkeit und sein Schicksal*, Munster 1950, p. 67-107; KLEIN, p. 179-188.

conversion, prouve, du même coup, que celle-ci n'a pas été sincère.

La réplique de Tertullien atteste le sérieux avec lequel la moraliste africain a vécu sa propre conversion et compris l'existence chrétienne[42], mais il est permis de se demander si l'auteur traduit exactement la pensée de ses prétendus contradicteurs. N'a-t-il pas, à son habitude, préféré la durcir, voire la travestir, afin de pouvoir la réfuter plus facilement? Et d'abord, contre quoi s'élève-t-il au juste? Contre le refus de certains d'offrir à Dieu une satisfaction visible pour leurs péchés? Contre les hésitations de certains pécheurs d'entrer dans les rangs de la pénitence ecclésiastique et d'en assumer les obligations? La place assignée par l'écrivain à la prétendue objection et les termes généraux dans lesquels Tertullien la formule ne facilitent pas la tâche de l'interprète. Du fait que le passage appartient aux questions générales, valables pour la pénitence en général, il peut s'agir d'une difficulté théorique concernant la théologie de la pénitence, aussi bien que d'un problème pratique relatif à la discipline pénitentielle vécue dans les communautés. Il nous semble difficile de préciser davantage. On conviendra toutefois que, loin d'être des élucubrations d'hypocrites, les doutes exprimés pouvaient être émis par des esprits sincèrement religieux, désireux d'apporter une réponse aux consciences inquiètes. Ce qui est en cause, en effet, c'est la nécessité et la fonction respectives de la pénitence intérieure et de la pénitence extérieure dans le processus qui conduit au pardon; mais c'est aussi, et surtout, la nécessité d'accomplir les actes de la pénitence extérieure, publiquement, sous le contrôle de l'Église. Cette nécessité s'impose-t-elle dans tous les cas, ou bien y a-t-il lieu, à côté de l'*ordo paenitentium* réservé à certaines catégories de pécheurs, de prévoir d'autres formes de pénitence ecclésiastique, moins ostentatoires,

---

42. KLEIN, p. 102-117.

mieux adaptées à la sensibilité religieuse et aux exigences de la pastorale? Du reste, le problème peut se poser déjà pour les exercices pénitentiels imposés aux catéchumènes au cours de la préparation ultime qui les conduit au sacrement. Ces exercices sont-ils indispensables? La foi du candidat, sa contrition ne sont-elles pas aussi nécessaires? Et quelle peut bien être la valeur d'actes pénitentiels publics, qui ne seraient pas animés par une pénitence intérieure sincère?

Tertullien ne traite pas explicitement des œuvres pénitentielles préalables au baptême dans le présent traité. Il l'a fait dans le *De baptismo,* en soulignant la valeur satisfactoire et pédagogique de ces exercices. «Ceux qui vont accéder au baptême doivent invoquer Dieu par des prières ferventes, des jeûnes, des agenouillements et des veilles. Ils s'y prépareront aussi par la confession de tous leurs péchés passés, en souvenir du baptême de Jean, dont il est dit qu'on le recevait en confessant ses péchés... En affligeant la chair et l'esprit, nous satisfaisons pour le péché et en même temps nous nous munissons par avance contre les tentations à venir[43].» Mais ni dans ce traité, ni dans celui qu'il a consacré à la pénitence, il n'a été capable de formuler nettement la question sous-jacente à l'objection qu'il écarte en un tournemain, celle de la part respective de la pénitence intérieure et des actes extérieures de la pénitence[44]. Il lui suffit d'affirmer avec force la nécessité de ceux-ci, avant le baptême, tout comme après.

---

43. *Bapt.,* 20, 1; cf. ALÈS, p. 332.

44. La confiance que Tertullien place dans la vertu de foi ne lui fait-elle pas sous-estimer la nécessité du baptême? En *Bapt.,* 18, 6, il conseille de le différer en certains cas; ce délai lui semble sans conséquence puisque, de toute façon, *fides integra secura est de salute.* — Même flou, quand il s'agit de distinguer adéquatement les deux éléments de la justification effective : la conversion actuelle de la volonté, qui dépend du pénitent, et l'action opérée par le sacrement dans l'âme bien disposée; voir ALÈS, p. 338.

IV

LA DISCIPLINE PÉNITENTIELLE

La pénitence constitue un élément nécessaire et occupe une part importante dans la préparation au baptême. Mais qu'adviendra-t-il si le fidèle commet un péché grave, après avoir reçu ce sacrement, qui remet tous les péchés antérieurs? Au moment d'aborder ce sujet, Tertullien s'entoure de toute sorte de précautions oratoires, comme si le seul fait d'évoquer la possibilité de pécher gravement de la part d'un chrétien était quelque chose d'inouï. Pour rien au monde il ne voudrait donner l'impression qu'en mentionnant l'existence d'une pénitence postbaptismale, il accorde une prime au péché[1]. En prenant tous ces ménagements, l'orateur ne fait que sacrifier à la loi du genre, qui lui est imposée par la tradition parénétique pénitentielle : sa dépendance littéraire, sur ce point précis, est étroite à l'égard du *Pasteur* d'Hermas[2]. Ce faisant, il maintient, au niveau du discours, l'affirmation dogmatique d'une Église sainte, attestant par sa conduite exemplaire l'irruption de l'ère eschatologique et le triomphe de Jésus-Christ sur les puissances du mal. Mais comment aurait-il pu ignorer la situation réelle des églises de son temps et passer sous silence les modalités de l'institution péntitentielle qui

---

1. *Paen.*, 7, 1-3.
2. HERMAS, 31, 3; comparer aussi HERMAS, 31, 4-5, avec *Paen.*, 7, 7-9.

tâchait, vaille que vaille, de panser les blessures infligées au Corps du Christ?

1. La réalité du péché

S'il rappelle aux chrétiens l'obligation qui leur incombe de mener une vie sainte[3], Tertullien n'a jamais cru à l'impeccance du peuple fidèle; s'il exalte les vertus du baptême, sa puissance de régénération, il sait aussi que les forces du mal, toujours à l'œuvre, ne manquent pas de compromettre le salut de l'homme et de faire échec à la grâce de Dieu. Les écrits du moraliste africain multiplient les mises en garde contre les séductions du Malin, acharné à perdre ceux qui ont échappé par le baptême à sa domination[4]; ils tracent aussi des Églises chrétiennes un tableau peu flatteur. Sans doute faut-il faire la part de la polémique dans sa période montaniste. A l'en croire, les églises seraient devenues des lieux de débauche et de gloutonnerie[5]. Mais dès sa période catholique, l'orateur avait relevé, sans animosité particulière, de nombreuses défaillances de tout ordre : dissensions, mésintelligence, même parmi les confesseurs de la foi[6], goût excessif du luxe et des spectacles profanes[7], coquetterie et gloriole des dames chrétiennes[8]. Il y avait plus grave : une foi «frivole et froide[9]», prête à de lâches compromis aux heures de l'épreuve[10]; une indifférence inquiétante à l'égard de l'ido-

---

3. *Paen.*, 7, 5.
4. *Paen.*, 7, 7-9.
5. *Pud.*, 1, 5; *Iei.*, 16, 8; 17, 2.
6. *Mart.*, 1, 3.
7. *Spect.*, 1, 2; *Paen.*, 11, 2-3.
8. *Cult.*, I, 1-2; *Virg.*, 16-17.
9. *Fug.*, 3.
10. *Fug.*, 13; cf. EUSÈBE, *H.E.*, VI, 41, 10, et *Mart. Palest.*, I, 3.12.

lâtrie[11] et même, parfois, un clergé hésitant sur les applications de la discipline[12]. Les observations de Tertullien ne sont pas exceptionnelles. Elles s'inscrivent dans un large courant de critiques diverses, formulées par les Pères, et remontent au Nouveau Testament[13].

Certes, les apologistes du IIe et du IIIe siècle, désireux d'impressionner favorablement les païens, ont tendance à tracer une image idyllique des communautés et à parer les chrétiens de toutes les vertus[14]. Mais quand ils s'adressent aux fidèles, les Pères ne sont pas tenus à de tels ménagements. Aussi dévoilent-ils sans complaisance les faiblesses et les transgressions et dénoncent-ils les péchés des chrétiens comme la véritable cause des maux qui les affligent[15]. Ils multiplient les appels à la conversion et à la pénitence et engagent les Églises déchirées à rétablir la paix et à faire preuve d'indulgence envers les pécheurs. «Là où il y a division et colère, Dieu n'habite pas, écrit Ignace d'Antioche aux chrétiens de Philadelphie. Mais à tous ceux qui se repentent, le Seigneur pardonne; si ce repentir les amène à l'unité avec Dieu et au sénat de l'évêque[16].»

L'Église paléochrétienne ne s'est pas bornée à constater et à déplorer la réalité du péché[17]. Elle s'est efforcée d'y porter remède, en déployant toutes les ressources d'une pastorale attentive et diversifiée. Il fallait d'abord arracher les frères égarés à la solitude de leur confusion et de leur découragement, aviver en eux la nostalgie de l'innocence

---

11. *Vx.*, II, 6, 1-2.

12. *Vx.*, II, 2, 1; *Pud.*, 1, 5.

13. *I Cor.* 11, 17-22; *Éphés.* 4, 17-31; *Apoc.* 1-2; cf. *II[a] Clem.*, 13, 4; CLÉMENT D'ALEXANDRIE, *Paed.*, III, 80, 1.

14. On trouvera les textes illustrant la parénèse pénitentielle commodément réunis dans les ouvrages de DASSMAN (p. 103-153), KARPP, WATKINS, *A History of Penance* (p. 27-130), POSCHMANN (p. 85-370).

15. EUSÈBE, *H.E.*, III, 32, 7; IV, 23, 2; V, 1, 11; *Acta Pionii*, 12, 8-16; ORIGÈNE, *C. Celsum*, VIII, 1, 17, etc.

16. *Philad.*, 8, 1.

17. *II[a] Clem.*, 18, 2; et TERTULLIEN, *Bapt.*, 20, 5; *Paen.*, 4, 2; 12, 9.

baptismale perdue, les persuader que la miséricorde divine est toujours prête à pardonner au pécheur repentant. Il fallait aussi encourager et guider les initiatives des fidèles disposées à faire pénitence, proposer des moyens adaptés à leur sensibilité religieuse, organiser des procédures juridiques et liturgiques traduisant concrètement les étapes du retour du pécheur au bercail. Il fallait enfin élaborer une théologie de la pénitence qui, fondée sur l'Écriture et sur la Tradition, fût en mesure de justifier la *praxis* des Églises contre les objections des adversaires et certaines pratiques aberrantes. Point n'est besoin de dire que le *De paenitentia* de Tertullien constitue une pièce maîtresse de notre documentation. Non seulement il reprend les thèmes essentiels de la parénèse pénitentielle postbaptismale, mais il est le premier à fournir une description détaillée du processus pénitentiel en usage dans les communautés; il contient aussi en germe une théologie de la pénitence, qui servira à la réflexion ultérieure et tiendra une grande place dans la tradition chrétienne.

2. Le remède de la pénitence

Que les baptisés demeurent sous la menace constante du péché et qu'il leur arrive d'y succomber, est donc un fait d'expérience, que les Pères reconnaissent loyalement[18]. Ils répondent à cette situation, en appelant tous les chrétiens à la pénitence, qui efface le péché, et en déployant tous leurs efforts en vue de raffermir la confiance de ceux qui doutent de son efficacité ou hésitent à s'y engager[19]. Pour inciter les pécheurs à faire pénitence, ils rappellent les funestes

---

18. *Didachè*, 4, 14a; *Barn.*, 19, 12b; CLÉMENT D'ALEXANDRIE, *Strom.*, IV, 107, 2-4; ORIGÈNE, *In Is. hom.*, 4, 3; *Comm. in Ioann.*, 10, 23, etc.

19. *Iᵃ Clem.*, 51, 1, citant *Ps.* 94, 8; *Barn.*, 4, 6.

conséquences du péché, qui endurcit le cœur de l'homme et le mène à la mort éternelle[20]. Personne n'est exclu de ce divin remède, rappellent-ils sans cesse, puisqu'il est accordé au pécheur repentant par le Seigneur de toute miséricorde; du reste, l'incarnation et la résurrection de Jésus ne sont-elles pas les preuves tangibles de la volonté salvifique de Dieu[21]?

Tertullien démarque de près le *Pasteur* d'Hermas dans sa parénèse pénitentielle. Il voit, comme lui, dans les embûches du démon jaloux, l'origine lointaine mais combien pernicieuse des péchés auxquels tant de chrétiens succombent[22]. Mais surtout il lui emprunte l'idée de la seconde pénitence, accordée au fidèle qui a péché, mais une seule fois cependant[23]. Comme Hermas, il affirme l'efficacité admirable de cet unique recours. Mais il souligne aussi que le remède offert par la miséricorde divine ne peut être galvaudé. S'il rend au pécheur ce qu'il a perdu, c'est une seule fois[24]. Mais cette seule fois n'est-elle pas suffisante? Dieu lui-même offre la guérison; ne serait-ce pas de l'ingratitude que de refuser son offre[25]?

---

20. THÉOPHILE D'ANTIOCHE, *Ad Autol.*, III, 11, citant *Is.* 55, 6; *Éz.* 18, 21-23; *Is.* 31, 6; 45, 22; *Jér.* 6, 9; cf. IRÉNÉE, *Adu. haer.*, IV, 39, 3.

21. POLYCARPE, *Phil.*, 1, 2; THÉOPHILE D'ANTIOCHE, *Ad Autol.*, II, 14; *A Diognète*, 9, 2. Les Pères alexandrins sont les prédicateurs par excellence de la miséricorde divine; cf. DASSMAN, p. 134-136.

22. *Paen.*, 7, 7-10; cf. HERMAS, 31, 4-5.

23. *Paen.*, 7, 10 : *iam semel, quia secundo, sed amplius numquam* (cf. HERMAS, 31, 5).

24. On observe toutefois le glissement qui s'opère de l'un à l'autre : Hermas avait exhorté les pécheurs à saisir la chance unique d'une pénitence qui serait aussi la dernière, puisque la fin du monde allait survenir incessamment; Tertullien et ses contemporains parlent d'une unique possibilité de faire pénitence, offerte aux pécheurs, leur vie durant; cf. CLÉMENT D'ALEXANDRIE, *Strom.*, II, 55; ORIGÈNE, *In Lev. hom.*, XV, 2.

25. *Paen.*, 7, 14.

La volonté salvifique de Dieu s'étend à tous les pécheurs sans exception et elle produit son effet dès lors que le pécheur se détourne de son péché pour faire pénitence[26]. A qui voudrait douter de la volonté miséricordieuse du Seigneur, universelle et prévenante, Tertullien rappelle les maux dont souffraient les Églises d'Asie : divisions, fautes de la chair, actes d'idolâtrie, relâchement, hérésies, matérialisme[27]. Or l'Esprit exhorte tous les pécheurs à faire pénitence; il emploie même les menaces pour les y décider. S'il menace en cas de non-pénitence, n'est-ce pas qu'il est disposé à pardonner en cas de pénitence[28]?

Les Écritures abondent en témoignages de la miséricorde divine, dès l'Ancien Testament[29]. Mais nous avons surtout les paraboles de Jésus, pour nous en convaincre : la drachme perdue, la brebis égarée, l'enfant prodigue[30]. N'est-ce pas là l'image même du pécheur rétabli dans la grâce de Dieu *(exemplum restituti peccatoris)*[31]? Bien qu'il ait gaspillé sa part de l'héritage, bien qu'il revienne au Seigneur, dépouillé de tout, le pécheur sera accueilli avec joie; il lui suffit de «faire pénitence du fond du cœur[32]», de

---

26. Il suit de là que Tertullien, avant de passer au montanisme, ne connaît pas de péché «irrémissible». D'autres témoignages du IIe siècle peuvent être allégués en ce sens, prouvant qu'on ne refuse la pénitence et le pardon ni aux trublions (*I[a] Clem.*, 57, 1), ni aux adultères (HERMAS, 29, 4-11), ni aux hérétiques (IRÉNÉE, *Adu. haer.*, IV, praef.; EUSÈBE, *H.E.*, V, 28, 8-12; IV, 11, 1; 23, 6), ni aux chefs de bande et aux voleurs de grand chemin (CLÉMENT D'ALEXANDRIE, *Quis diues*, 42); au sujet de ce dernier texte, voir É. JUNOD, «Un écho d'une controverse autour de la pénitence», *Revue d'Histoire et de Philosophie religieuse* 60, 1980, p. 153-160. Mais qu'en était-il des apostats? cf. HERMAS, 6, 8; 96, 1; 103, 5. Et comment évaluer l'importance des courants rigoristes, hostiles à l'absolution des adultères? cf. CYPRIEN, *Ep.*, 55, 21.
27. *Paen.*, 8, 1, commentant *Apoc.* 2-3.
28. *Paen.*, 8, 2.
29. Tertullien cite *Jér.* 8, 14; *Os.* 6, 6; *Matth.* 9, 13; 12, 7; *Lc* 15, 10.
30. *Paen.*, 8, 4-8.
31. *Paen.*, 8, 4.
32. L'expression est chère à HERMAS, 3, 2; 6, 4; 21, 4; 23, 5; etc. Elle

retourner auprès de Dieu son Père et de lui dire : «Père, j'ai
péché, je ne suis plus digne d'être appelé ton fils[33].» Tout
ce passage est empreint d'une chaleur communicative, à
laquelle on ne saurait demeurer insensible. L'orateur, de
toute évidence, se soucie bien moins de prouver une thèse
que de toucher le cœur; n'a-t-il pas connu, lui aussi, la paix
et la joie de l'âme pardonnée? N'a-t-il pas éprouvé au plus
profond de son être toute l'étendue de la divine bonté?

Il convient de prêter une attention extrême à ces
confidences voilées d'une personnalité secrète et vulné-
rable, lors même qu'elles semblent commandées par une
tradition littéraire. Déjà l'auteur de l'homélie pénitentielle,
connue sous le titre de la Seconde Épître de Clément aux
Corinthiens, avait reconnu être pécheur «en toute sa
personne» et avoué : «Loin d'être déjà à l'abri de la
tentation, je suis en plein dans les filets du diable et je
m'efforce de poursuivre la justice, en tâchant de pouvoir au
moins m'en approcher, car je crains le jugement à venir[34].»
Mais il est aisé d'évaluer ici la part de la rhétorique,
dans l'exagération même de l'aveu. Chez Tertullien, au
contraire, l'aveu demeure humble, pudique, sans rien
d'ostentatoire, tout au service de la parénèse. Il s'efface, en
effet, devant la gratitude d'avoir obtenu miséricorde et
voudrait communiquer à tous les pécheurs cette confiance
en Dieu sans laquelle il n'est point de conversion véritable[35], ni de pénitence fructueuse.

---

est d'origine biblique : *Deut.* 30, 2; *I Sam.* 7, 3; *Ps.* 9, 2; *Jér.* 24, 7;
Joël 2, 12.

33. *Paen.,* 8, 8.

34. *II^a Clem.,* 18, 2; cf. CLÉMENT D'ALEXANDRIE, *Strom.,* VII, 79, 1;
ORIGÈNE, *In. Num. hom.,* 3, 1.

35. *Paen.,* 4, 2; 12, 9; cf. *Bapt.,* 20, 5.

36. Voir à ce propos POSCHMANN, p. 289-346; G. D'ERCOLE, *Peni-
tenza canonico-sacramentale;* K. RAHNER, «Frühe Bussgeschichte»,
Schriften zur Theologie XI, Zurich 1973, J.N. BAKHUIZEN VAN DEN
BRINK, «Reconciliation in the Early Fathers», *Studia patristica* 13, 1975,

3. Le processus pénitentiel

Tertullien est le premier auteur de l'Antiquité chrétienne qui nous permette d'entrevoir quelque peu les modalités concrètes de la pénitence ecclésiastique[36]. Certes, bien des détails de son déroulement nous échappent, malgré tout, car le propos du didascale de Carthage n'était pas tant de décrire l'institution, connue de ses auditeurs et vécue dans la communauté, que de rappeler son utilité, voire sa nécessité, afin d'inviter tous ceux qui en avaient besoin à y recourir, sans crainte ni retard.

Un passage du *De paenitentia* décrit la fonction de la pénitence canonique en ces termes : « Prévoyant ces assauts de sa virulence (= celle du démon), Dieu a permis que fût ouverte encore un peu la porte du pardon, bien qu'elle eût été fermée et barrée par le verrou du baptême : il a placé dans le vestibule la seconde pénitence, afin d'ouvrir à ceux qui frapperaient, mais une fois seulement, car c'est déjà la seconde fois, et jamais plus par la suite, car la fois précédente a été inutile[37]. » Pour qui se souvient de la disposition de la maison-type romaine ou italique, le langage figuré de Tertullien est des plus expressifs. En effet, il est hautement vraisemblable qu'à l'aube du IIIe siècle, la *domus ecclesiae* africaine est encore, le plus souvent, la demeure d'un chrétien, plus ou moins spacieuse, utilisée aux fins du culte et des assemblées communautaires[38]. Lors même que des aménagements internes y ont été effectués à

---

p. 90-106; M.F. BERROUARD, « La pénitence publique durant les six premiers siècles », *La Maison-Dieu* 118, 1974, p. 92-130.

37. *Paen.*, 7, 10.

38. H. LECLERCQ, *Manuel d'archéologie chrétienne*, I, Paris 1907, p. 361-378, observe qu'il n'est pas resté trace de lieux de culte chrétiens antérieurs à Constantin. La disposition des basiliques chrétiennes du IVe au VIe siècle n'a rien de commun avec la *domus ecclesiae* à laquelle fait allusion ce passage de Tertullien; voir L. LESCHI, « La basilique chrétienne en Algérie », *Atti del IV congresso di Archeologia cristiana*, I,

cette fin, elle conserve le plan général de la maison du
pourtour méditerranéen; les descriptions des écrivains de
l'époque impériale et les fouilles, anciennes ou récentes,
nous la font connaître, jusque dans les moindres détails.

Généralement occupée tout entière par une seule famille,
la *domus* diffère de l'habitation moderne de nos pays par les
caractéristiques suivantes : elle est tournée vers le dedans,
non vers le dehors; elle n'a normalement qu'un seul étage;
chaque pièce est destinée à un seul usage[39]. On ne pénétrait
pas dans la *domus* comme dans la nôtre, par une porte située
directement sur la rue. L'habitude était de placer la porte
au milieu, sinon au bout du couloir, qui conduisait de la
rue au cœur de la maison. Ce couloir était ainsi divisé en
deux parties : le *uestibulum,* avant la porte *(ianua),* les *fauces,*
après celle-ci. Par les *fauces* on débouchait sur l'*atrium,*
l'espace central autour duquel s'ouvraient les *cubicula,* des
deux côtés de l'*atrium,* et les pièces plus vastes, notamment
le *triclinium* et le *tablinum,* à l'extrémité de l'*atrium.* Tel était,
du moins, le plan habituel de la maison italique, qui ne
comportait qu'un seul espace central, celui de l'*atrium;* à
partir du Ier siècle de notre ère, les demeures romaines
luxueuses reproduisent plus fréquemment la disposition
de la maison grecque, avec ses deux espaces centraux :
le premier reste fidèle à l'ordonnance italique, mais le
deuxième est le jardin du péristyle, plus lumineux que
l'*atrium* et d'ordinaire plus vaste[40]. Tertullien parle de la
domus simplex de l'Église de Carthage[41]. S'il n'a pas été

Rome 1940, p. 145-167; P.G. LAPEYRE, «La basilique chrétienne de
Tunisie», *ibid.,* p. 169-244.

39. U.E. PAOLI, *Vita romana. La vie quotidienne dans la Rome antique,*
Paris 1960², p. 141-159.

40. ID., *ibid.,* p. 142. L'auteur propose un plan-type, établi sur la base
de nombreux exemples, de Pompéi et d'ailleurs; cf. *infra,* p. 75, I.

41. *Val.,* 3, 1; pour le commentaire de ce texte, voir F.J. DÖLGER,
«Unserer Taube Haus. Die Lage des christlichen Kultes bei Tertullian»
Antike u. Christentum 2, 1930, p. 41-56.

possible d'identifier de lieu de culte chrétien antérieur à l'ère constantinienne, en Afrique du Nord, les ruines des demeures contemporaines de l'écrivain de Carthage suffisent à illustrer le passage en question du *De paenitentia*[42].

Personnifiée par Tertullien, la pénitence canonique, se tient dans le *uestibulum* de la *domus ecclesiae*. Elle est chargée d'ouvrir la porte d'entrée (*ianua*) à ceux qui y frappent et implorent la faveur d'être admis derechef à entrer dans

---

42. Parmi une documentation abondante, nous proposons (cf. *infra*, p. 75, II), le plan d'une maison relativement simple de Bulla Regia en Proconsulaire (actuellement Hamman Daradji en Tunisie); voir A. BES-CHAOUCH-R. HANOUNE-Y. THÉBERT, *Les ruines de Bulla Regia*, Rome 1977, p. 80. La maison des fresques, de Tipasa [dont le plan a été dressé par J. BARADEZ, «Nouvelles fouilles à Tipasa», *Libyca* (Archéologie-épigraphie) 9, 1961, p. 49-152], offre un aperçu de ce qu'était une vaste demeure de la seconde moitié du IIe siècle : un vaste couloir d'accès, avec cloison séparant l'entrée normale de l'entrée de service, conduit au centre de la *domus*, occupé par une cour à ciel ouvert avec portique. On pourrait aussi illustrer le passage de *Paen.*, 7, 10, à partir d'exemples empruntés aux fouilles de Djemila (Cuicul); voir notamment M. BLAN-CHARD-LEMCÉ, *Maisons à mosaïques du quartier central de Djemila (Cuicul)*, Paris 1975 : les vestibules des maisons de l'Ane (p. 24), de Castorius (p. 151), de la maison aux stucs (p. 182) sont de longs couloirs relativement étroits, à ciel découvert, qui conduisent au cœur de la *domus*, généralement un péristyle; mais ces maisons sont plus récentes (IV-Ve s.). – P.-A. FÉVRIER a bien voulu nous préciser à ce propos (lettre du 23 janvier 1980) : «L'archéologie nous renseigne très mal sur l'habitat urbain. Nous connaissons bien les maisons à péristyle : répertoire donné par R. REBUFFAT, "Maisons à péristyle d'Afrique du Nord", *MEFR* 81, 1969, p. 659-724, et 86, 1974, p. 445-499. Mais rien ne nous dit que toutes les maisons importantes avaient ce plan, surtout dans une grande ville comme Carthage. Nous le savons bien par Ostie. De la *domus* de Doura-Europos, nous ne pouvons rien induire pour l'Afrique. Qu'il y ait des entrées en chicane, cela est sûr. Je pense à une maison de Dougga, inédite, de petite taille. Ou à Volubilis 3. Ou à la maison de l'Ane de Djemila. Le couloir peut s'allonger en profondeur face à l'entrée comme dans ce dernier cas. Il peut aussi bien être peu profond mais très large comme dans la maison de la Cascade à Utique. Dans certains cas, on passe de la rue directement dans un espace couvert et un porche dallé; et c'est au-delà seulement qu'est la porte proprement dite. C'est le cas de la maison de Bacchus à Djemila. En fait quantité de solutions sont possibles dans les maisons à péristyle elles-mêmes.»

la maison. Ces images ne sont pas prises au hasard. Elles signifient, à n'en pas douter, que les pécheurs coupables de manquements graves et, dès lors, astreints à la pénitence canonique, sont exclus de l'assemblée chrétienne; de même, certains pécheurs, conscients de la gravité de leurs manquements, peuvent spontanément s'en exclure[43]. Pour les uns et les autres, la porte de l'Église se trouve fermée, cette porte qui s'était ouverte à eux, une première fois, au baptême. Admis à l'assemblée des saints, fidèle à ses engagements, le chrétien ne devait plus commettre le péché, qui lui fait perdre la vie de la grâce. Mais Dieu a voulu offrir un moyen de salut à ceux qui seraient victimes des embûches du démon. Il a préposé la Pénitence à leur réadmission dans l'Église. En d'autres termes, l'institution de la pénitence canonique est, aux yeux de Tertullien, le processus obligatoire auquel doivent se soumettre tous les chrétiens coupables de fautes graves après leur baptême, s'ils veulent obtenir leur réadmission dans l'assemblée chrétienne, signe et gage du pardon divin.

La pénitence canonique suppose la prestation d'un certain nombre d'actes destinés à traduire de manière expressive les sentiments de repentir du pécheur et à offrir à Dieu une juste satisfaction pour l'offense commise. Tertullien explique longuement comment ces actes opèrent la réconciliation du pénitent auprès de Dieu : celui-ci accepte de voir dans l'exomologèse une compensation satisfactoire pour les péchés commis, et cela malgré la disproportion qui demeure entre les faibles efforts du pécheur repentant et la gravité indicible de ses offenses. Dieu fait apparaître ainsi toute l'étendue de sa miséricorde[44].

---

43. On pourrait citer ici une abondante littérature concernant le but et les modalités de l'exclusion des pécheurs dans l'Église primitive; pour la problématique générale, voir VORGRIMLER, p. 30-32; KARPP, p. XV-XVI. Voir aussi C. CHARTIER, «L'excommunication ecclésiastique».

44. *Paen.*, 8, 5; cf. 4, 1.7; 9, 2.

Conscient de son indignité, touché par la miséricorde divine, le pécheur mettra tout en œuvre afin de prouver la sincérité de son repentir. Il ne suffit pas de nourrir des sentiments de componction, observe Tertullien. Toute pénitence sincère aspire à s'exprimer en des actes extérieurs. Si la conversion des catéchumènes se révèle dans un changement de vie radical et définitif, la pénitence que l'on assume après le baptême requiert une preuve non moins éclatante et sévère, *operosior probatio*[45]. Tertullien est l'un des premiers auteurs chrétiens qui nous livre le terme technique réservé à la pénitence antique, l'exomologèse[46]. Il rappelle que ce mot grec, consacré par l'usage, désigne l'ensemble des actes de la pénitence; celle-ci se présente donc comme une institution bien établie, qualifiée déjà par un vocable approprié. Il convient de remarquer que ce terme fait ressortir l'un des éléments du processus pénitentiel, l'aveu que le pécheur fait de sa condition pécheresse, sa confession. Mais que l'on y prenne garde : cette confession diffère grandement de celle de la pénitence privée sacramentelle, réitérable, instaurée au Moyen Age. A l'époque de Tertullien, c'est publiquement que le pécheur confesse son péché : en se soumettant librement, spontanément, aux exigences de la discipline pénitentielle, il se reconnaît pécheur, non seulement devant Dieu, mais devant la communauté chrétienne tout entière.

Cela ne signifie pas que tous les actes de la pénitence canonique soient publics. Nombre d'entre eux, en effet, s'accomplissent en privé. En s'engageant dans cet état, le pénitent s'impose une discipline rigoureuse, un mode de vie de nature à susciter la pitié. Il couche désormais sous le sac et la cendre, néglige les soins corporels, multiplie les jeûnes et les privations; il abîme son âme dans la douleur et

---

45. *Paen.,* 9, 1.
46. *Paen.,* 9, 2.

assiège le ciel de ses larmes et de ses prières[47]. Jusqu'ici la description de Tertullien n'offre aucun élément spécifique : jeûnes, mortifications, prières et supplications forment les composantes habituelles de la pénitence, dès l'Ancien Testament[48]. Mais voici d'autres traits, propres à l'exomologèse.

Il ne suffit pas que les pénitents se mortifient en leur for privé; la discipline à laquelle l'Église les soumet comporte une dimension publique, communautaire, sur laquelle le moraliste africain insiste tout particulièrement. Il évoque la triste cohorte des pénitents publics, «se prosternant aux pieds des prêtres, s'agenouillant devant les autels de Dieu[49]». Un passage parallèle du *De pudicitia* reprend cette description, haute en couleurs, dont plusieurs détails peuvent heurter notre sensibilité. Mais l'homme antique n'avait pas nos inhibitions et il n'hésitait pas à se livrer à la démonstration, parfois spectaculaire, de ses sentiments. «... Tu introduis dans l'église, pour supplier ses frères, l'adultère pénitent; tu l'agenouilles en public, couvert d'un cilice, souillé de cendres, dans une attitude humiliée, et propre à inspirer l'épouvante, devant les veuves et les prêtres. Il cherche à attirer sur soi les larmes de tous, il lèche la trace de leurs pas, il embrasse leurs genoux[50].»

Tertullien ne précise pas la durée du stage pénitentiel. Ce qu'il tient à souligner, c'est la nécessité de la médiation

---

47. *Paen.*, 9, 3-4.
48. H. EMONDS-B. POSCHMANN, art. «Busse», *RAC* 2, 1954, c. 806. Le rôle du jeûne était considérable dans ce processus; voir R. ARBESMANN, art. «Fasten», *RAC* 7, 1969, c. 454 s., citant *III Rois* 21, 27; *Esd.* 9, 3; *Néh.* 1, 4; 9, 1; *Judith* 4, 11; *Ps.* 34, 13; *Is.* 58, 5; *Dan.* 9, 3; *Jonas* 3, 6. On remarquera que Tertullien ne mentionne pas l'aumône parmi les œuvres pénitentielles; pourtant sa valeur expiatoire était reconnue dès l'époque postexilique : *Tob.* 12, 9; *Sir.* 3, 30; cf. E. WÜRTHWEIN, art. *«Métanoéo, métanoia»*, *ThWBNT* 4.B., 1942, c. 976-978.
49. *Paen.*, 9, 4; cf. 10, 6; *Pud.*, 3, 4-5.
50. *Pud.*, 13, 7.

ecclésiale en vue du pardon divin. Il n'assigne pas non plus
– du moins dans le *De paenitentia* – une efficacité particulière aux prières du clergé dans le cadre de l'exomologèse,
mais il montre l'Église tout entière à l'œuvre, clergé et
fidèles, soutenant de leur intercession la pénitence des
frères tombés[51]. Et, rappelant la promesse du Seigneur, il
conclut : «Là où sont ensemble un ou deux fidèles. là est
l'Église; mais l'Église, c'est le Christ. Par conséquent,
lorsque tu tends les mains vers les genoux de tes frères,
c'est le Christ que tu touches, c'est le Christ que tu
implores. Pareillement quand ils versent des larmes sur toi,
c'est le Christ qui compatit, c'est le Christ qui supplie son
Père. Ce qu'un fils demande, il l'obtient toujours, facilement[52].»

Le pécheur au repentir sincère, qui assume humblement
les rudes obligations de la pénitence canonique et dont
l'Église entière soutient l'effort par ses prières et ses
sacrifices, peut être assuré du pardon divin. Tertullien
est tellement préoccupé d'établir cette vérité et d'en
convaincre son auditoire, qu'il passe sous silence les
modalités concrètes par lesquelles l'Église signifie ce
pardon au pécheur qui s'est dûment acquitté des devoirs de
l'exomologèse. En revanche, il y fait plusieurs allusions
dans le *De pudicitia,* où il conteste à l'Église catholique
le droit de conférer la *pax* à certaines catégories de
pécheurs[53]. Il ne met pas en cause le droit lui-même de
réconcilier les pénitents, au terme de leur stage, mais
voudrait en restreindre l'exercice et exclure de la *pax
ecclesiastica* ceux qui se sont rendus coupables de ce qu'il
appelle les péchés «irrémissibles».

A la suite de Gerhard Esser, Pierre de Labriolle et Paul

---

51. *Paen.,* 10, 5.
52. *Paen.,* 10, 6.
53. *Pud.,* 12, 11; 22, 11. Les catholiques lui rétorquent : *frustra agetur paenitentia, si caret uenia* (*Pud.,* 3, 2).

Galtier, Bernard Poschmann a définitivement prouvé que le *De paenitentia* suppose, lui aussi, l'existence d'un rite de réconciliation, réintégrant les pénitents dans l'Église visible[54]. Le symbolisme de la porte, à laquelle ils frappent et que la Pénitence leur ouvre pour qu'ils aient à nouveau accès à la *domus ecclesiae,* était remarquablement apte à signifier la promesse de cette réconciliation[55]. Les écrits du IVe et du Ve siècle permettront de mieux distinguer les diverses étapes du processus pénitentiel, depuis l'entrée en pénitence jusqu'à la cérémonie finale de la réconciliation *in quinta feria.*

Telles sont les rares indications concrètes sur la discipline pénitentielle que l'on peut glaner dans le présent traité de Tertullien. Elles suffisent toutefois à faire saisir l'importance de cette institution dans la vie des communautés et deviner l'impression profonde que son déroulement opérait sur les esprits. Assurément, l'Église ancienne ne prenait pas à la légère le fait du péché, mais il ne lui était pas possible non plus de rester insensible à la détresse du pécheur. C'est pourquoi elle n'a point hésité, chaque fois que le besoin s'en est fait sentir, à encourager l'effort de conversion du pécheur repentant et l'a assuré de la volonté toujours miséricordieuse de Dieu à son égard. On remarquera aussi que, chez Tertullien, l'accent demeure encore placé sur la fonction expiatoire et satisfactoire de la pénitence, au regard de l'offense faite à Dieu. Dans les siècles suivants, sans perdre de vue cet aspect, l'Église tendra à mettre davantage en relief la fonction sociale de la discipline pénitentielle, en vue d'obtenir réparation du

---

54. POSCHMANN, p. 290-295 et 310-320.

55. On pourrait reconnaître ici, avec POSCHMANN, p. 316-317, un premier rite, se déroulant *in uestibulo, ad ianuam,* et destiné à agréger les pécheurs repentants à l'*ordo* des pénitents. La description de *Pud.,* 13, 7 semble correspondre à une autre étape du processus, puisque le pénitent se trouve à l'intérieur de la *domus ecclesiae.*

dommage et du scandale causés par le pécheur au sein de la communauté[56].

Nombre de détails de la pénitence canonique à l'époque de Tertullien nous échappent, faute de documents suffisamment explicites. Qu'il soit permis, au terme de cette analyse, d'évoquer plusieurs des questions auxquelles les écrits de l'écrivain de Carthage ne permettent pas de répondre, du moins de manière sûre. Et d'abord, dans quelles conditions le pécheur repentant s'engageait-il dans les rangs des pénitents « publics » ? Prenait-il conseil auprès de l'évêque, ou d'un prêtre ? Ou bien agissait-il de sa seule et propre initiative ? Si les scrupules d'une conscience délicate pouvaient inciter certains fidèles à recourir spontanément au remède de l'exomologèse, fût-ce pour des péchés dont leur jugement personnel pouvait surestimer la gravité, la discrétion, le respect humain, les rigueurs de la discipline pénitentielle ne conduisaient-ils pas la plupart des pécheurs à vouloir se contenter d'exercices privés de mortification et de pénitence, sans être agrégés à l'ordre des pénitents « publics »[57] ? Tertullien fait allusion à ces réticences, mais il ne dit pas qui était chargé de les lever. La décision était-elle entre les mains des intéressés, ou bien, en certains cas, les chefs de la communauté intervenaient-ils directement, auprès des coupables, afin de les inviter à assumer l'exomologèse ? Ou bien encore une telle invitation relevait-elle de la correction fraternelle, d'un sentiment de coresponsabilité partagé par tous les chrétiens ?

Tertullien ne donne aucune indication sur la durée du stage pénitentiel, mais il est loisible de penser que, dès son époque, un traitement variable pouvait être appliqué, non

---

56. Voir C. MUNIER, « Discipline pénitentielle et droit pénal ecclésial », *Concilium* 107, 1975, p. 23-32.

57. On touche ici le difficile problème de la « pénitence privée », débattu par GALTIER, *L'Église et la rémission des péchés,* p. 217-486, et AMANN, « Pénitence-Sacrement », c. 783-784.

seulement aux diverses catégories de pécheurs, mais également aux pécheurs appartenant à une même catégorie[58].
Dans le *De pudicitia,* le rhéteur africain reconnaît qu'il
appartient à l'évêque de réconcilier les pénitents[59], mais on
aimerait savoir si cette décision était prise par l'évêque seul,
ou bien s'il sollicitait l'avis de son clergé, ou même celui de
certains fidèles à ce sujet.

Un point, du moins, paraît assuré. La pénitence canonique opère la rémission des péchés; elle rétablit le pécheur
en grâce auprès de Dieu et le réconcilie avec l'Église.
Tertullien a décrit, de manière admirable, ce rôle de la
Pénitence, placée par Dieu dans le vestibule de la *domus
ecclesiae,* afin de réintégrer au sein de l'assemblée chrétienne
le pécheur repentant. A cet égard, le témoignage du *De
paenitentia* est on ne peut plus explicite : lorsque s'ouvrait
sur eux la porte du pardon, les pénitents étaient assurés que
la réconciliation ecclésiastique leur serait accordée, au
terme de leur stage. Il n'y avait donc pas, à proprement
parler, de péché «irrémissible».

4. Les péchés soumis à l'exomologèse

Puisque la pénitence canonique est une seconde planche
de salut, puisqu'elle rétablit le pécheur dans l'état de
l'innocence baptismale et le réconcilie avec Dieu, elle a
pour objet premier et nécessaire les péchés graves – ceux
que la théologie classique appelle «mortels» –, ceux qui
détruisent la vie de la grâce, reçue au baptême. Telle est la
conclusion logique qui se dégage de la doctrine sous-
jacente au *De paenitentia* et aux autres écrits de Tertullien en

---

58. POSCHMANN, p. 290-292; V. SAXER, *Vie liturgique et quotidienne à
Carthage vers le milieu du IIIe siècle,* Rome 1969, p. 168; KARPP, p. XIV.
59. *Pud.,* 18, 18.

sa période catholique[60]. Lorsqu'il passera au montanisme, le moraliste africain créera une terminologie nouvelle pour les besoins de sa cause : il opposera aux péchés capitaux, qu'il déclare «irrémissibles», d'une part les *leuiora delicta,* péchés graves mais susceptibles de la réconciliation ecclésiastique[61], d'autre part les *delicta quotidianae incursionis,* les fautes mineures quotidiennes, expiées par la prière et les mortifications privées[62].

Lorsqu'on procède à l'inventaire des passages où Tertullien, catholique, énumère les péchés qu'il regarde comme graves – et qui, comme tels, doivent être soumis à la pénitence canonique –, on constate qu'il ne s'est jamais préoccupé d'en dresser une liste détaillée et complète. Il est, du reste relativement facile de discerner les intentions qui ont poussé notre auteur à procéder à certaines énumérations.

Dès l'*Apologeticum,* nous trouvons deux listes de *scelera* incompatibles avec la profession de la foi chrétienne. La première mentionne l'homicide, l'adultère, la *fraus,* la *perfidia,* et les autres forfaits[63]. La seconde condamne aux peines de l'enfer ceux qui commettent un péché «d'impiété» ou d'impureté, ainsi que ceux qui agissent par violence ou par fraude[64]. Dans le premier passage, Tertullien commente librement la lettre de Pline à Trajan ; dans le second, de facture très soignée, les péchés sont répartis en deux groupes de cinq membres ; le premier rassemble cinq adjectifs substantivés, illustrant les exploits amoureux de

---

60. Tertullien enseigne clairement que certains péchés sont «mortels», puisqu'ils font perdre l'Esprit-Saint, reçu au baptême, avec tous ses dons : *Paen.,* 6, 13 ; *Pud.,* 2, 7.12 ; 5, 12 ; 9, 11. Voir à ce propos les études de K. RAHNER, «Sünde als Gnadenverlust», p. 491-507 ; «Zur Theologie der Busse bei Tertullian», p. 141-144.

61. *Pud.,* 18, 18 ; cf. VOGEL, «Le péché et la pénitence», p. 169.

62. *Pud.,* 19, 23.

63. *Apol.,* 2, 6.

64. *Apol.,* 11, 12.

Jupiter; le second regroupe cinq verbes, qui donnent un échantillonnage des vices et crimes dont les dieux païens se sont rendus coupables. De toute évidence, l'intention polémique commande ici la présentation.

Dans les traités qu'il destine aux chrétiens, Tertullien offre plusieurs listes de péchés graves; aucune d'entre elles ne prétend être exhaustive. Dans le *De baptismo,* nous rencontrons la triade : *idololatria, stuprum, fraus*[65], reprise et amplifiée dans le traité *Des spectacles*[66]. Il s'agit là d'une citation implicite du Décalogue[67]. Si Tertullien se fonde sur le texte sacré, pour esquisser une énumération des péchés graves, il remontre aussitôt aux chrétiens qu'ils ne sauraient se contenter d'éviter les fautes expressément condamnées par les Livres saints. Leur conscience devrait les éloigner des spectacles sanglants du cirque, des représentations obscènes du théâtre et du mime. Et le moraliste n'hésite pas à déclarer qu'enfreindre cette règle constitue une faute grave[68].

Dans le traité *De la patience,* Tertullien tente de démontrer que l'*impatientia* est la source de tous les péchés. A cette fin, il allègue divers exemples, plus ou moins probants, montrant que ce défaut conduit aux fautes les plus graves, l'homicide, la haine, la cupidité, l'adultère, l'idolâtrie[69]. Dans le *De paenitentia* lui-même, l'orateur chrétien dresse deux listes de péchés graves, qui ne coïncident nullement. La première énumère quatre voies sur lesquelles le démon s'efforce de faire chuter les serviteurs de Dieu, que le baptême a soustraits à son emprise : l'impureté, les séductions d'une vie toute païenne, la crainte des sanctions séculières frappant la profession de la foi chrétienne et

---

65. *Bapt.,* 4, 5.
66. *Spect.,* 3, 2.
67. *Ex.* 20, 13.
68. *Spect.,* 8, 9-10.
69. *Pat.,* 4, 5; 5, 21; cf. *Orat.,* 13, 1; *Praes.,* 16, 2; *Marc.,* IV, 9, 6.

conduisant à l'apostasie, l'erreur doctrinale[70]. La seconde liste reprend les admonestations adressées aux Églises d'Asie par l'Esprit les conviant à faire pénitence. Qu'elles aient péché par manque de charité, par impureté, manducation des idolothytes, «œuvres» défectueuses, doctrines erronées, ou par une confiance exagérée dans les richesses de ce monde, toutes obtiendront le pardon, si elles se décident à faire pénitence[71]. Cette fois encore, le moraliste ne prétend pas fournir une liste complète de tous les péchés graves. Il donne plutôt un exemple des fautes à éviter, soit à la lumière du texte sacré, soit à l'épreuve de l'expérience concrète.

Un esprit aussi exigeant que Tertullien ne pouvait se limiter aux interdictions formulées par l'Écriture. Certes, le Décalogue lui fournit les éléments de base pour ses nomenclatures, mais le moraliste se mue volontiers en casuiste, pour dénoncer tout ce qui, de près ou de loin, évoque les manquements à la Loi. C'est ainsi qu'il condamne sans ambages l'assistance aux spectacles des païens, comme entachés de violence, de luxure ou d'idolâtrie. En ce domaine, son esprit rigoriste devait s'employer résolument. On connaît les passages du traité *De idololatria*, où le rhéteur de Carthage poursuit impitoyablement toutes les formes de contamination idolâtrique, liées aux professions usuelles[72] ou aux obligations publiques ou privées[73]. Le traité appartient aux dernières années de la période catholique de Tertullien. Une intransigeance abrupte s'est emparée de l'auteur. Les révélations de la nouvelle Prophétie n'ajouteront à sa farouche détermination que la certitude d'avoir raison envers et contre tous. Il est notable

---

70. *Paen.*, 7, 9.

71. *Paen.*, 8, 1; cf. *Apoc.* 2, 1-3, 14.

72. *Idol.*, 11; cf. HIPPOLYTE, *Tradition apostolique 16* (éd. Botte, Münster 1963, p. 35-39).

73. *Idol.*, 13-17.

aussi que sa polémique avec la grande Église se polarise de
plus en plus sur des problèmes de morale sexuelle.

Déjà l'*Ad uxorem* marquait une vive désapprobation à
l'égard des secondes noces et condamnait comme une
faute grave tout mariage mixte[74]. Le pas est franchi avec le
De exhortatione castitatis et le *De monogamia*. De licites
qu'elles étaient aux yeux de Tertullien, en sa période
catholique, les secondes noces lui apparaissent dorénavant
comme inadmissibles[75]. Quant au pardon que la grande
Église accorde aux fautes de la chair, il provoque la
violente réaction du *De pudicitia*.

La terminologie à laquelle Tertullien recourt dans ce
traité marque une absolue nouveauté. L'on ne saurait assez
insister sur ce fait : avant de passer au montanisme,
Tertullien lui-même ignorait qu'il y eût des fautes «irrémissibles», et d'autres qui ne l'étaient pas[76]. Remarquons aussi
que, pour le docteur montaniste, ce n'est pas seulement la
fameuse triade (idolâtrie, meurtre et adultère) qui est
irrémissible, mais tous les manquements graves[77]. L'on ne
saurait donc alléguer son témoignage pour affirmer qu'il a
existé, à l'époque paléochrétienne, une triade de péchés
mortels, que même l'Église catholique ne se reconnaissait
pas le droit de remettre[78].

Du reste, l'embarras de Tertullien est visible, tout au

---

74. *Vx.*, II, 2, 2; *Mon.*, 11, 10.

75. *Pud.*, 1, 20.

76. POSCHMANN, p. 300-310; VORGRIMLER, p. 47-50.

77. *Pud.*, 19, 25 : *homicidium, idololatria, fraus, negatio, blasphemia, utique
et moechia et fornicatio*; cf. *Marc*. IV, 9, 6 : *idololatria, blasphemia, homicidio,
adulterio, stupro, falso testimonio, fraude.*

78. E. PREUSCHEN, *Tertullians Schriften De paenitentia und De pudicitia*,
Diss. Giessen 1890, p. 33, rapproche de la triade de Tertullien plusieurs
textes du Talmud, notamment : *Scheb.*, 4, 38a; *Arachin*, 15b; *Sanh.(b)*,
74a, aux termes desquels un Juif, mis en demeure de transgresser un
commandement de la Loi, doit accepter la mort plutôt que de commettre un acte d'idolâtrie, un adultère ou un meurtre. Il y a là une
approche analogue à celle de Tertullien, dans le but de cerner la notion

long du traité. S'il lui est relativement facile de dénoncer son erreur d'antan, à l'époque où il partageait l'indulgence de la grande Église à l'égard des pécheurs[79], les efforts qu'il déploie pour dévier de leur sens les paraboles évangéliques de la miséricorde cachent mal une obstination sur la défensive[80]. Mais c'est au plan même de la discipline pénitentielle que l'écrivain s'empêtre dans les contradictions les plus voyantes. Pour être efficace, la suggestion de Tertullien de soumettre certaines catégories de pécheurs à la discipline pénitentielle pendant toute leur existence, de leur refuser la réconciliation ecclésiastique et de les remettre à la miséricorde divine au moment de leur mort, devait être restreinte au maximum et être acceptée par les intéressés. Tertullien ne semble pas avoir soupçonné le caractère outrancier de ses propositions ni les conséquences désastreuses qu'une telle pratique aurait entraînées dans les communautés chrétiennes. Si la grande Église n'a pas cru devoir suivre le mouvement montaniste, c'est qu'elle a voulu répondre à l'aspiration des pécheurs désireux de pardon, en leur signifiant dès ici-bas les bienfaits de la miséricorde divine. Tertullien, au contraire, faisait fi des données les plus élémentaires de la psychologie; il supposait chez tous un héroïsme hors du commun.

Du reste, la distinction que Tertullien montaniste voudrait instaurer entre certains péchés, déclarés irrémissibles, et d'autres qu'il déclare *leuiora, mediocria,* est non seulement intenable en pratique, mais théologiquement fausse. D'une part, elle vide l'institution pénitentielle de toute signification, car les pénitents qui s'y engagent pour expier un péché irrémissible n'obtiendront pas leur pardon ici-bas, et l'on ne voit pas pourquoi ceux qui ne sont coupables que

---

de péché «mortel»; on pouvait donner une interprétation plus ou moins large de chacun de ces péchés, surtout du premier.

79. *Pud.,* 2, 10-12.
80. *Pud.,* 7, 9.

de péchés *leuiora* s'y engageraient, puisque leurs péchés ne
sont pas véritablement «mortels», aux yeux du moraliste[81].
D'autre part, l'attitude intransigeante de Tertullien est
difficilement conciliable avec les textes de l'Écriture, qui
proclament à l'envi la volonté salvifique de Dieu et
promettent le pardon au pécheur «qui fait pénitence[82]». La
grande Église a cru qu'il était de son devoir d'attester cette
miséricorde divine au pécheur repentant, en faisant usage
des pouvoirs que le Seigneur lui a confiés de «remettre les
péchés». Il lui a fallu, à cet effet, préciser la gravité
respective de ceux-ci et définir les conditions auxquelles le
pardon pouvait leur être conféré[83]. Malgré ses défauts et
ses outrances, l'œuvre du polémiste africain n'en a pas
moins contribué à faire progresser la doctrine en cette
matière délicate.

---

81. Voir RAHNER, «Sünde als Gnadenverlust», p. 495-505.

82. C'est l'objection majeure que les catholiques font aux thèses
montanistes : *Pud.,* 2, 1 ; 7, 8 ; 11, 1 ; 18, 12 ; 19, 1.10 ; voir POSCHMANN,
p. 332-335.

83. Voir la synthèse de C. VOGEL, *Le pécheur et la pénitence,* p. 13-53.

I

MAISON ROMAINE – ITALIQUE
(PAOLI, p. 142)

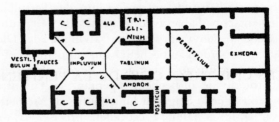

II

LES RUINES DE BULLA REGIA
«INSULA» DE LA PÊCHE
(A. BESCHAOUCH, R. HANOUNE, Y. THÉBERT, p. 80)

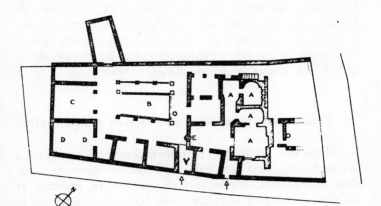

A - thermes; B - péristyle; C - *triclinium*?; D - salle avec *opus sectile*;
E - puits; V - vestibule.
La maison est longée à l'Est par une rue, au Sud et à l'Ouest par une
impasse.

V

VERS UNE THÉOLOGIE DE LA PÉNITENCE

Pas plus qu'il n'offre une description complète du processus pénitentiel, Tertullien ne cherche à justifier théologiquement la pratique de l'Église. Cependant, certaines idées commandent déjà cette pratique et l'orateur chrétien se fait tout naturellement leur interprète. Indistinctes encore, elles peuvent être regroupées autour de deux centres d'intérêt : d'une part, l'Église préconstantinienne affirme la nécessité d'unir aux sentiments de la pénitence intérieure une satisfaction pénitentielle, sur laquelle elle a un droit de regard; par ailleurs, elle affirme l'existence d'un lien organique entre la réconciliation qu'elle accorde et le pardon divin.

1. Pénitence intérieure et satisfaction pénitentielle

S'il est une vérité que Tertullien cherche à inculquer à ses auditeurs, c'est bien celle de l'absolue nécessité, dans l'ordre du salut, d'une conversion sincère, radicale et définitive, exerçant ses effets aussi bien avant qu'après le baptême. Cette conception ne lui est pas propre; il l'a héritée de ses devanciers, notamment du Pasteur d'Hermas, son maître en matière de doctrine pénitentielle, à une époque où il était encore extrêmement tributaire de la tradition.

L'appel à la conversion a formé, depuis les origines du christianisme, l'un des sujets essentiels de l'exhortation missionnaire[1]. Il comporte obligatoirement deux thèmes, étroitement liés : celui du repentir des fautes passées, celui d'une vie nouvelle conforme aux exigences de la foi chrétienne. Après avoir nourri la catéchèse missionnaire, ces thèmes, dont les racines puisent largement dans la tradition prophétique vétéro-testamentaire, viennent alimenter la parénèse pénitentielle, adressée aux auditoires chrétiens. Nous les trouvons amplement développés chez Hermas, à Rome, vers le milieu du IIe siècle. La Deuxième Lettre de Clément[2], sensiblement contemporaine, insiste à son tour sur la nécessité pour tout chrétien de se reconnaître pécheur[3], de faire pénitence toute la vie durant[4] et d'accomplir toute espèce d'œuvres de miséricorde[5], en expiation des péchés commis.

Pour obtenir le pardon, le pécheur doit «faire pénitence du fond du cœur», rappelle le Pasteur, à mainte reprise[6]. Il ne suffit pas, pour cela, de se repentir promptement[7], de confesser à Dieu ses péchés[8] — encore que ce soit indispensable. Il faut encore servir le Seigneur le reste de sa vie, avec un cœur pur[9], observer ses commandements[10] et marcher dans leur voie[11], s'abstenir désormais des vices et

---

1. Voir plus haut, p. 17.
2. L'écrit est de provenance inconnue : Égypte? Syrie? cf. Ph. VIEL-HAUER, *Geschichte der urchristlichen Literatur,* Berlin-New York 1975, p. 737-743.
3. *II[a] Clem.,* 13, 1; 16, 1; 18, 1.
4. *Ibid.,* 8, 1-2; 9, 7; 17, 1.
5. *Ibid.,* 3, 3-4; 4, 3; 5, 6; 9, 8; 11, 1-2; 19, 3.
6. HERMAS, 3, 3; 6, 4; 21, 4; 23, 5; 33, 7; 49, 1; 66, 4; 110, 3.
7. ID., 39, 7; 48, 3; 73, 4; 74, 3; 76, 1; 96, 1; 98, 4; 100, 2.
8. ID., 1, 3; 9, 5; 42, 2; 100, 4.
9. ID., 23, 5; 38, 5; 49, 2; 50, 7; 53, 2.5-7; 54, 5; 63, 7; 65, 2; 72, 2; etc.
10. ID., 30, 4; 32, 4; 34, 8; 37, 1; 38, 12; 46, 4; etc.
11. ID., 46, 2; 61, 1; 66, 7; 77, 4; etc.

des actions mauvaises[12], renoncer aux plaisirs coupables[13], pratiquer les vertus[14], tenir bon dans l'épreuve[15], s'attacher à faire «quelque bien»[16], éviter de se laisser absorber par les soucis et les occupations du siècle[17]. Dieu donnera la guérison au pécheur qui se repent, s'il voit son cœur pur de toute action mauvaise[18]. Aux yeux d'Hermas, qui ne fait que reprendre en cela les conceptions du judaïsme tardif, certaines œuvres ont une valeur expiatrice et purificatrice éprouvée : l'aumône[19], le jeûne[20], la prière[21]. La charité sait se faire inventive; elle vise à rendre plus effectives les œuvres sociales dont la communauté chrétienne a la charge[22].

Hermas n'a pas entrepris de préciser la fonction respective du repentir et des actes qui en prouvent la sincérité, en vue de la rémission des péchés. Il lui suffit de dire qu'une pénitence fructueuse requiert la présence conjointe de ces dispositions intérieures et d'actes appropriés, qui les explicitent. Il ne se préoccupe pas non plus de déterminer le moment auquel Dieu accorde le pardon : est-ce dès qu'il y a une vraie pénitence, ou bien après que le pénitent a accompli certains actes destinés à expier sa faute[23]? D'autre

---

12. ID., 38, 1-7; 54, 5.

13. ID., 74, 5; 75, 5.

14. ID., 49, 2 : pratiquer la justice; cf. *Ps.* 14, 2; *Act.* 10, 35; 7, 2; 16, 2-8; 35, 1; 38, 10; 92, 2; etc.

15. HERMAS, 66, 4-7; 98, 3.

16. ID., 97, 4; 114, 2-4.

17. ID., 53, 5; cf. 50, 1-11.

18. ID., 49, 2; 60, 4; 66, 4; 100, 5; 105, 5.

19. ID., 27, 4-7; voir le commentaire de S. GIET, *Hermas et les Pasteurs,* Paris 1963, p. 90-96.

20. HERMAS, 6, 1; 9, 2; 18, 6; 54, 1-4; 55, 1; 56, 5-8.

21. ID., 1, 9; allusion à *Deut.* 30, 3.

22. HERMAS, 54, 2-5; 56, 7; cf. *II[a] Clem.,* 16, 4.

23. VORGRIMLER, p. 33-36, souligne aussi la dimension ecclésiale du salut chez Hermas; même si l'organisation concrète de la discipline pénitentielle n'apparaît pas nettement chez lui, elle ne saurait avoir fait défaut. Dans le système de la pénitence antique, le rôle de la «satisfac-

part, ces actes doivent-ils être accomplis sous la direction et le contrôle de l'Église? Hermas est extrêmement discret sur ce point. Ce qui lui importe au premier chef, c'est d'annoncer son message de pénitence[24], mais l'on imagine mal comment les pécheurs officiellement exclus de la communauté pourraient être réconciliés avec l'Église sans un acte positif de celle-ci. On ne voit pas non plus comment ceux qui se sont exclus eux-mêmes, sans avoir fait l'objet d'une sentence d'exclusion, pourraient reprendre leur place dans l'assemblée chrétienne sans une intervention ecclésiastique[25].

Bien qu'il ait emprunté à Hermas les éléments essentiels de sa doctrine pénitentielle, Tertullien la précise sur plusieurs point d'importance; c'est qu'il a sous les yeux l'institution pénitentielle vécue dans les communautés. Comme son prédécesseur et modèle, le moraliste africain souligne l'absolue nécessité de la pénitence intérieure et son efficacité pour réconcilier les âmes avec Dieu[26]. Mais son insistance sur la nécessité conjointe d'actes extérieurs, prouvant la sincérité de la vertu du repentir, n'est pas qu'un lieu commun de la parénèse. Elle correspond, à n'en pas douter, à une discipline pénitentielle précise, vivante, comportant un ensemble de prestations appropriées. Ce processus possède déjà un nom spécial, de consonance grecque; est-ce à dire que l'institution, en Afrique du moins, est de provenance étrangère (Asie Mineure? Rome?) et a été ordonnée à partir d'usages plus largement répandus?

---

tion» pénitentielle est particulièrement décisif; il en sera ainsi jusqu'à l'époque où il fut possible d'être réconcilié avant d'avoir accompli toute la pénitence, c'est-à-dire jusqu'aux XIe-XIIe siècles; cf. É. AMANN, art. «Pénitence-Sacrement. II : La pénitence privée, son organisation; premières spéculations à son sujet», *DTC* 12, 1933, c. 932-933.

24. HERMAS, 6, 4.

25. AMANN, «Pénitence-Sacrement», c. 759-763.

26. *Paen.*, 2, 6; 5, 10; 9, 1.

Quoi qu'il en soit, quand on passe d'Hermas à Tertullien, on peut observer que l'exomologèse a pris, en quelques décennies, une dimension ecclésiale très marquée. S'il doit prouver la sincérité de son repentir par une conduite morale renouvelée, désormais sans défaillance, le pénitent est astreint aussi, dès qu'il manifeste son intention de rentrer au bercail de l'Église, à un stage pénitentiel intensif, dont les composantes essentielles sont arrêtées par l'usage. Dans un tel système, l'idée d'expiation ne manquera pas de prendre une place déterminante. Certes, on n'y perd pas de vue la nécessité et l'efficacité de la repentance ; il n'en demeure pas moins que l'accomplissement de «la pénitence» devient un rouage essentiel de l'institution et que tout le rite pénitentiel se trouve ainsi placé sous le signe de la satisfaction et de l'expiation, imposées par l'Église.

La théologie ultérieure cherchera à préciser la valeur respective du repentir et de la satisfaction pénitentielle dans la rémission du péché. Mais ce n'est guère qu'au XIIe siècle que se dessinent les solutions, devenues classiques. Chez Tertullien, les expiations entreprises par le pénitent apparaissent, d'une manière très approximative, comme une condition indispensable de la remise du péché, par Dieu et par l'Église[27]. Les théologiens expliqueront que «la pénitence», la satisfaction imposée par l'Église, fait partie intégrante du signe sacramentel lui-même et, comme telle, participe à sa causalité sacramentelle[28]. Quant à saint Thomas, il rappelle que la passion de notre Seigneur est de soi suffisante pour ôter toute obligation de satisfaire à l'homme pécheur, «mais l'homme obtient dans la pénitence le bénéfice de la vertu de la passion du Christ, selon la

---

27. *Paen.*, 7, 14.
28. P. ANCIAUX, *La théologie du sacrement de pénitence au XIIe siècle*, Louvain-Gembloux 1949, p. 223.

mesure de ses actes propres, qui sont la matière de la pénitence[29]».

2. Réconciliation ecclésiastique et pardon divin

Bien que le traité *De la pénitence* ne mentionne explicitement l'intervention de l'Église ni au début ni au terme du stage pénitentiel, les historiens admettent communément qu'elle n'a pu faire défaut dès cette date et ils ne manquent pas de tirer du *De pudicitia* les indications propres à illustrer dans ce sens les données par trop laconiques du *De paenitentia*. Ce recours est parfaitement légitime, est-il besoin de le souligner? Si l'écrivain montaniste conteste la légitimité et l'étendue du pardon ecclésial, n'est-ce-pas, de toute évidence, que celui-ci était accordé? Et Tertullien n'avoue-t-il pas lui-même qu'il avait approuvé la pratique de la grande Église, avant de rejoindre la secte?

Si sommaires soient-elles dans ces deux traités, les descriptions de Tertullien permettent, semble-t-il, de distinguer plusieurs étapes dans le processus pénitentiel. La première se déroule devant le seuil de l'église, lorsque les fidèles coupables de fautes graves manifestent leur intention de recourir au remède de la pénitence canonique et sollicitent ainsi la faveur d'être admis dans les rangs de l'*ordo paenitentium*. Dans les textes grecs du IVe siècle, les candidats à la pénitence, qui appartiennent à ce premier degré, portent le nom de *prosklaiontes*[30]. Bien que le système complexe des degrés pénitentiels orientaux ne se soit pas imposé en Occident, cependant, l'étape prélimi-

29. IIIa, q. 86, a. 4; cf. A. MICHEL, art. «Pénitence-Sacrement III : Pénitence du IVe Concile du Latran à la Réforme», *DTC* 12, 1933, c. 984.

30. BASILE, *Ep.*, 199, 22; 217, 56-57; *Const. apost.*, II, 10, 4; 18, 17; GRÉGOIRE LE THAUMATURGE, *Ep. can.*, 11 *(prosklausis)*.

naire du processus paraît ressortir des écrits de Tertullien;
il était difficile, du reste, d'en faire abstraction[31].

Une deuxième étape semble intervenir au moment où
la porte de l'église s'ouvre pour la première fois sur
les postulants à la pénitence canonique. Introduits dans
l'église, ils y manifestent à nouveau leur volonté de faire
pénitence pour leurs péchés, moyennant force larmes et
supplications, et la prière de la communauté chrétienne
tout entière s'élève en leur faveur. Si le sens général de ce
rite ne saurait faire de doute, nombre de détails des plus
importants nous échappent et il paraît difficile, dès lors, de
dégager de données aussi fragmentaires et imprécises une
théologie de la pénitence incontestable.

On peut se demander, en effet, si, dès cette deuxième
étape, le chef de la communauté chrétienne intervenait,
avec quel rite, et dans quel but. La signification essentielle
de cette réadmission dans l'église était d'agréger officiellement les postulants à l'ordre des pénitents, mais ceux-ci
pouvaient-ils désormais assister à tout ou partie du culte
eucharistique? Une place spéciale leur était-elle réservée au
sein de l'assemblée chrétienne, quelque part au fond de
l'enceinte ou près de la porte, ou bien les pénitents
devaient-ils retourner dans le vestibule, pour y effectuer
toute la durée du stage pénitentiel proprement dit[32]?
Aucun élément, dans les passages de Tertullien que l'on
vient de mentionner, ne permet de répondre à ces questions et l'on ne dispose que de témoignages épars, du IIIe au
VIe siècle, pour retracer les origines d'une institution, dont
les traits primitifs demeurent difficiles à cerner[33]. Du reste,
la pratique était-elle uniforme, dès l'époque de Tertullien?

Ces réserves faites, il peut être intéressant de rapprocher

---

31. POSCHMANN, p. 315.
32. ID., p. 319, n. 3.
33. AMANN, «Pénitence-Sacrement», c. 757 s.; VORGRIMLER, p. 28-
69.

des descriptions de Tertullien un texte du Ve siècle, qui permet de saisir la pratique pénitentielle romaine à cette époque. «Il y a là un lieu distinct pour les pénitents, écrit Sozomène; ils s'y tiennent dans la honte et les larmes. Puis, une fois achevée la liturgie divine, à laquelle ils n'ont pas le droit de participer, ils se prosternent à terre avec des lamentations et des gémissements. L'évêque tout en larmes vient à leur rencontre; lui aussi se prosterne en gémissant, pendant que le peuple qui est dans l'église éclate en lamentations. Puis l'évêque se relève et fait se relever les (pénitents qui étaient) prosternés. Après avoir récité l'oraison convenable sur les pécheurs repentants, il les renvoie. Désormais chacun fait pénitence en son particulier, par le jeûne, la privation des bains, l'abstinence, ou toutes les autres œuvres qui lui ont été imposées, et cela pendant tout le temps que l'évêque le lui a prescrit. Au jour marqué, le pénitent qui a accompli sa peine est absous de son péché et il reçoit de nouveau sa place dans la communauté des fidèles. Ainsi agissent les évêques de Rome depuis les origines et cela jusqu'aujourd'hui[34].»

Quoi qu'il en soit de la dernière affirmation, le caractère traditionnel de la pratique romaine est confirmé par les traits communs qu'elle présente avec celle que nous discernons sous les écrits de Tertullien, Cyprien[35] et Augustin[36], pour l'Afrique chrétienne. Deux points méritent d'être soulignés. D'une part, il ressort que non seulement la première cérémonie (l'admission dans l'*ordo paenitentium*)

---

34. SOZOMÈNE, *H.E.*, VII, 16; voir le commentaire par J.A. JUNGMANN, *Die lateinischen Bussriten*, p. 48-51; cf. AMANN, «Pénitence-Sacrement», c. 798.

35. Bonne synthèse de la discipline pénitentielle chez Cyprien, par V. SAXER, *Vie liturgique et quotidienne à Carthage vers le milieu du IIIe siècle*, Rome 1969, p. 145-188.

36. Voir les études de B. POSCHMANN, «Die kirchliche Vermittlung der Sündenvergebung bei Augustinus», *ZKTh* 45, 1921, p. 208-228; 405-432; 497-526.

mais toute la durée du stage pénitentiel sont jalonnées de prières à l'intention des pénitents. D'autre part, Sozomène affirme nettement qu'il appartient à l'évêque de déterminer la durée de ce stage en fonction de chaque cas particulier – ce qui présuppose, à n'en pas douter, qu'il a reçu l'aveu du pécheur et qu'il tient compte des dispositions personnelles du pénitent, ainsi que de toutes les circonstances de temps et de lieu. Dans un tel système, le pouvoir de décision de l'évêque apparaît, sinon absolument discrétionnaire, du moins revêtu d'une extrême liberté. Et l'on conçoit, à la limite, qu'une même faute ait pu être l'objet de sanctions assez différentes, suivant les tendances personnelles des chefs d'église à la rigueur ou à l'indulgence. Le traité *De pudicitia* de Tertullien nous met en présence d'une crise de cet ordre, provoquée par les différences de traitement réservées aux adultères. A la même époque, Hippolyte à Rome, Origène à Alexandrie, attestent l'existence d'un courant rigoriste analogue dans les deux plus grandes métropoles de la chrétienté[37]. Au milieu du IIIe siècle, Cyprien témoigne de la persistance de ces opinions sévères.

Cyprien de Carthage, qui s'était montré plutôt enclin à la sévérité au début de son épiscopat, évolua vers l'indulgence et admit la possibilité du pardon, non seulement à l'égard des *lapsi,* mais aussi à l'égard des adultères. Dans sa lettre 55, qui date des premiers mois de l'année 252, il rapporte comme un usage généralement admis par les évêques catholiques celui de réadmettre à la communion ecclésiastique les adultères qui ont fait pénitence : «Parmi

---

37. POSCHMANN, p. 348-367 (Hippolyte); 425-480 (Origène). La question de l'Édit d'indulgence n'a guère progressé depuis trois décennies; V. SAXER adopte une position nuancée (*o.c.,* p. 150) : le *summus pontifex,* coupable de laxisme aux yeux de Tertullien était peut-être réellement l'évêque de Rome – mais l'innovation disciplinaire en faveur des chrétiens coupables d'adultère a pu passer la mer, de Rome à Carthage. Dans ces conditions, l'auteur de l'Édit d'indulgence, fustigé par Tertullien est sans doute Agrippinus de Carthage.

nos prédécesseurs, ajoute-t-il, certains évêques de cette province ont pensé qu'il ne fallait pas donner la paix aux adultères et que l'on devait complètement exclure de la pénitence ceux qui avaient commis de genre de fautes. Ils ne se sont cependant pas séparés du collège de leurs frères dans l'épiscopat.» Et Cyprien de conclure : «Pourvu que le lien de la concorde subsiste, et que persévère la fidélité indissoluble à l'unité de l'Église catholique, chaque évêque règle lui-même ses actes et son administration comme il l'entend, sauf à en rendre compte au Seigneur[38].»

Lorsqu'il accepte de réconcilier un coupable qui a fait pénitence, l'évêque lui signifie que son péché lui est remis. Mais cette expression est susceptible de plusieurs interprétations. Dans une perspective qui tend à valoriser les prestations du pénitent, on dira que celui-ci est réadmis à la communion ecclésiale et eucharistique, parce que son repentir et ses actes de pénitence lui ont valu le pardon divin : puisqu'il est rentré en grâce avec Dieu, rien ne s'oppose plus désormais à ce qu'il retrouve sa place et ses droits dans l'Église. Dans une perspective qui tend à valoriser l'acte de la réconciliation et le pouvoir ministériel du sacerdoce chrétien, on dira que le pardon ecclésial opère directement la réadmission du pénitent, mais, puisque l'Église est la communauté de salut par excellence et que l'appartenance à l'Église est indispensable pour obtenir le salut, on soulignera aussi que l'efficacité de ce pardon s'étend jusque dans l'au-delà.

Tertullien, dans le *De pudicitia,* prête aux catholiques cette vision des choses, en la caricaturant quelque peu, comme si l'intervention humaine entendait se substituer au jugement de Dieu[39]. Le pamphlétaire montaniste a bien conscience qu'il n'en est rien, mais il ne supporte pas que l'Église fasse usage de son pouvoir de lier et de délier, à

---

38. CYPRIEN, *Ep.,* 55, 20-21.
39. *Pud.,* 1, 6; 3, 3; 19, 6; 21, 2.6.

propos de certains péchés qu'il voudrait voir durablement exclus de la réconciliation ecclésiastique[40]. Ses interlocuteurs n'eurent aucune peine à relever les contradictions dans lesquelles notre homme s'empêtrait et ils lui opposèrent toute sorte d'arguments, pour légitimer leur discipline pénitentielle et décrire les effets et le sens du pardon ecclésial[41].

Les discussions provoquées par l'opposition rigoriste ont contribué à l'intelligence de la pratique pénitentielle. Dès l'époque de Tertullien, l'Église a pris conscience que son pouvoir sur le péché n'est pas restreint à son absolution. Il se manifeste aussi à propos de tous les actes qui visent à obtenir du pécheur «qu'il se convertisse et fasse pénitence». Il y a, tout d'abord, l'aveu du coupable, spontané ou provoqué; il y a ensuite, pour les fautes «graves», l'exclusion publique de la communion ecclésiale; il y a notamment, appropriée à chaque procédure pénitentielle, l'imposition d'œuvres satisfactoires. Pendant toute la durée du stage pénitentiel, l'intercession de l'Église est censée communiquer à ces œuvres une efficacité particulière, jusqu'au jour où l'évêque signifie au pénitent le pardon divin et la paix de l'Église.

La théologie ultérieure s'est efforcée de définir le rapport qui existe entre ces deux éléments. Pour les uns, la valeur propre de l'absolution consiste à accorder au nom de Dieu, le pardon de la peine éternelle due au péché : dès lors qu'apparaît le repentir du pécheur, le prêtre peut et doit accorder l'absolution, quitte, bien entendu, à déterminer les modalités de la pénitence à accomplir[42]. Pour d'autres,

---

40. POSCHMANN, p. 331, n. 3, suggère que la nouveauté, entérinée par l'Édit d'indulgence, aurait été d'accorder aux adultères la réconciliation en dehors de l'article de la mort; cf. VORGRIMLER, p. 49.

41. POSCHMANN, p. 333-335; VORGRIMLER, p. 47-50; ALÈS, p. 478-491; AMANN, «Pénitence-Sacrement», c. 779-782.

42. P. GALTIER, *L'Église et la rémission des péchés,* p. 3-7.

la valeur propre de cette absolution est de remettre les peines ecclésiastiques encourues par le coupable; son effet immédiat est de le rétablir dans la paix de l'Église, mais cette paix est la condition préalable au pardon divin[43].

Plutôt que d'opposer ces deux points de vue, qui ne sont du reste nullement contradictoires, il convient peut-être d'observer que la pénitence canonique de l'Antiquité chrétienne rassemble des éléments que l'avenir apprendra à mieux distinguer[44]. Elle se place, en effet, aux confins du droit pénal ecclésial et du sacrement de pénitence proprement dit, dont la réflexion théologique ne dégagera les composantes qu'au Moyen Age. Il faudra, en effet, des siècles pour reconnaître que le droit pénal de l'Église et la discipline pénitentielle sont deux aspects complémentaires du pouvoir des clés et pour tracer une ligne de partage claire et nette entre les procédures canoniques, limitées au for externe, et le domaine de la conscience ou du for interne, où se nouent les relations directes avec Dieu[45].

---

43. *Ibid.*, p. 8-21.
44. RAHNER, «Zur Theologie der Busse bei Tertullian», p. 185-192.
45. C. MUNIER, «Discipline pénitentielle et droit pénal ecclésial», *Concilium* 107, 1975, p. 23-32.

VI

L'ORIGINALITÉ DE TERTULLIEN

Depuis les origines chrétiennes, l'évolution de la discipline pénitentielle constitue l'un des chapitres les plus mouvementés de l'histoire de l'Église. De nombreuses étapes jalonnent un parcours deux fois millénaire, et notre époque s'efforce, à son tour, de ranimer cette institution, toujours nécessaire, afin de l'adapter à une sensibilité religieuse nouvelle. D'un régime à l'autre, les principaux éléments du processus ont connu des variations, parfois considérables, qu'il s'agisse de l'aveu des fautes, de la nature des prestations, de la durée de l'expiation, du moment et des formes de la réconciliation ou de l'absolution. Compte tenu de l'importance du témoignage de Tertullien, il convient de situer le *De paenitentia,* non seulement à l'égard de la tradition paléochrétienne, dans laquelle il s'inscrit, mais aussi à l'égard de l'évolution personnelle de l'auteur.

1. Le traité *De la Pénitence* et la tradition paléochrétienne

Tertullien est redevable au *Pasteur* d'Hermas des notions essentielles de sa doctrine pénitentielle, nous avons pu le constater à mainte reprise[1]. Comme lui, il souligne l'effica-

---

1. Voir plus haut, p. 54, 56.

cité du baptême pour la rémission des péchés et l'exigence de vivre saintement, qui incombe à tous les baptisés[2]. Comme lui, il reconnaît la réalité dévastatrice du péché dans la communauté chrétienne et il en impute la responsabilité d'abord à la jalousie du démon[3]. C'est encore au *Pasteur* qu'il emprunte l'affirmation fondamentale du présent traité : pour les péchés commis après le baptême il existe une possibilité de pardon, une pénitence, mais une seule[4]. Pour les chrétiens qui ont fait naufrage, c'est là une planche de salut inespérée, que leur destine la miséricorde divine.

Comme Hermas, Tertullien tient fermement le principe, affirmé dans les saintes Écritures et chez les Pères apostoliques, que Dieu ne veut pas la mort du pécheur mais qu'il se repente de son péché et fasse pénitence[5]. Tous voient dans cette conversion un don de Dieu et la décrivent sous son double aspect d'aversion du péché et d'instauration d'une vie nouvelle, conforme aux exigences du Dieu très saint[6]. Tertullien souligne la nécessité de la pénitence intérieure pour les catéchumènes : c'est là un trait original de son exposé, significatif d'une situation ecclésiologique nouvelle. Les aspirants au baptême se font plus nombreux et se préoccupent moins de changer de vie, assurés qu'ils sont de recevoir, dans les eaux du baptême, le pardon de tous leurs péchés antérieurs[7].

Le *De paenitentia* témoigne aussi de l'affermissement de l'institution pénitentielle, qui s'est opéré tout au long du IIe siècle. Alors que les auteurs de l'époque apostolique ne fournissent que de rares indications sur l'existence et les

---

2. *Paen.,* 7, 1-3 = HERMAS, 31, 3.
3. *Paen.,* 7, 7-9 = HERMAS, 31, 4-5.
4. *Paen.,* 7, 10 = HERMAS, 31, 6.
5. *Paen.,* 4, 1-2 ; 8, 1-8.
6. VORGRIMLER, p. 29-43.
7. *Paen.,* 6, 3-24.

modalités concrètes d'une pénitence ecclésiastique[8], alors qu'Hermas lui-même, si attentif à décrire les dispositions subjectives nécessaires pour une pénitence fructueuse, n'est guère explicite sur le déroulement de la procédure pénitentielle[9], Tertullien offre, pour la première fois, une description précise de l'état de pénitent et des expiations qu'il comporte[10]. C'est pourquoi nombre d'historiens interprètent les données fragmentaires antérieures à la lumière du présent traité ; cette opération est légitime, à condition que l'on prenne garde au caractère limité du témoignage de Tertullien.

Certes, le docteur africain fournit des indications précieuses sur les éléments essentiels de l'exomologèse, qui désigne ici l'ensemble du processus de la pénitence ecclésiastique[11], mais il ne répond pas à nombre de questions fondamentales de la doctrine pénitentielle. Il nous apprend, du moins, que la pénitence antique était unique, et publique en tout son déroulement. Elle était instaurée par une démarche humiliante, qui équivalait, pour le pénitent, à un aveu de sa condition pécheresse devant toute la communauté chrétienne[12]. Pendant tout le temps du stage pénitentiel, un habit spécial, des exercices expiatoires rudes et humiliants signalent le pénitent, qui se trouve exclu aussi de l'Eucharistie[13]. Publique enfin est la réconciliation qui, au terme de ce stage, le rétablit dans la paix de l'Église et lui signifie le pardon divin[14], obtenu par l'intercession de la fraternité chrétienne, unie en Jésus-Christ[15].

---

8. VORGRIMLER, p. 23-27.

9. ID., p. 33-36 ; l'auteur rappelle aussi les témoignages du IIᵉ siècle, qui semblent impliquer l'existence d'une discipline pénitentielle organisée dès cette époque (p. 40-42) ; cf. KARPP, p. IX-XIX.

10. *Paen.*, 9, 3-4 ; cf. *Pud.*, 3, 5 ; 5, 16 ; 13, 7.

11. *Paen.*, 9, 2.5.

12. *Paen.*, 10, 1 : *publicationem sui*.

13. *Paen.*, 9, 3-4 ; 7, 10 ; cf. *Apol.*, 39, 4.

14. *Pud.*, 13, 7 ; 18, 18.

15. *Paen.*, 10, 5-6.

Si le *De paenitentia* n'offre pas de réflexion très poussée sur la nature du péché ni sur les degrés de la culpabilité subjective[16], en revanche il atteste clairement que tous les péchés graves commis après le baptême, notoires ou non, sont passibles de la pénitence ecclésiale[17]. Il atteste surtout que nul d'entre eux n'est exclu de cette procédure de pardon[18]. Point n'est besoin d'insister sur l'importance de ce fait : il réduit à néant toutes les théories qui, se fondant sur la notion de «péchés irrémissibles», élaborée par Tertullien dans sa période montaniste[19], interprètent rétrospectivement, dans un sens rigoriste, les témoignages moins explicites de l'Église primitive, comme si, dans une quête inexorable de sa propre sainteté, elle avait exclu strictement, une fois pour toutes, certaines catégories de pécheurs, comme si, mère sans entrailles, elle leur avait refusé de manière implacable toute perspective de réconciliation[20].

Pas plus que ses devanciers, Tertullien n'envisage le rapport qu'entretient avec le pardon divin la réconciliation ecclésiastique obtenue au terme du stage pénitentiel[21]. Il lui suffit d'affirmer l'efficacité immanquable auprès de Dieu de la prière de l'Église, quand elle intercède en faveur du

---

16. Voir plus haut, p. 27.

17. Ceci ressort nettement de l'énumération des péchés faite en *Paen.*, 7, 9 et 11. Les péchés en question, soumis à la pénitence ecclésiastique, font perdre la grâce baptismale : *amisisti quod acceperas;* cf. *Paen.*, 8, 8 : *nudus redieris;* 12, 9 : *restitutus in paradisum; Pud.*, 7, 15 : *perit.*

18. *Paen.*, 8, 1 mentionne expressément les fautes de la chair *(stuprum),* l'idolâtrie, l'hérésie, l'amour immodéré des biens de ce monde (cf. *Paen.*, 7, 9). Au sujet des textes de l'époque apostolique qui semblent nier toute possibilité de pardon en certains cas *(Mc* 3, 28-29 : péché contre le Saint-Esprit; *I Jn* 5, 16-17 : péché qui conduit à la mort; *Hébr.* 6, 1-8; 10, 26-31), voir KARPP, p. XIV.

19. VORGRIMLER, p. 49, reprenant les conclusions de B. Poschmann, H. von Campenhausen et K. Rahner.

20. De toute évidence, l'innovation se trouve du côté de Tertullien, et non du côté de l'Église; voir VORGRIMLER, p. 21-23 et 48.

21. Voir plus haut, p. 81-87.

pécheur qui fait pénitence[22]. Dans le *De paenitentia* il ne cherche pas non plus à fonder sur les textes scripturaires le pouvoir exercé par l'Église; c'est seulement dans le *De pudicitia* qu'il opposera aux arguments des catholiques la conception montaniste réservant ce pouvoir à «l'Église de l'Esprit», agissant par un homme spirituel[23].

S'il est un aspect de la pénitence antique au sujet duquel Tertullien recueille fidèlement l'héritage de la tradition, c'est bien celui de la dimension ecclésiale de cette institution. Les épîtres pauliniennes et les textes évangéliques illustrent déjà la signification sociale du péché[24], les démarches fraternelles entreprises en vue de ramener le pécheur à résipiscence[25], la responsabilité assumée par la communauté dans l'exclusion du coupable obstiné, la joie de tous quand la brebis égarée revient au bercail[26]. Les Pères du IIᵉ siècle soulignent, à leur tour, le rôle essentiel qui incombe à la fraternité chrétienne vis-à-vis des pécheurs : si l'Église est sainte, elle compte pourtant dans ses rangs des justes et des pécheurs[27]. Et s'il lui faut écarter les pécheurs obstinés et rebelles, afin de ne point se rendre complice de leurs crimes, elle doit demeurer accueillante à tous ceux que la grâce de Dieu a

---

22. *Paen.*, 10, 5-6.

23. *Pud.*, 21, 17; simultanément, Tertullien accuse la grande Église d'avoir indûment élargi aux martyrs le droit de remettre les péchés : *Pud.*, 22, 1-9. Cette accusation porte à faux, dans la mesure où la participation de toute la communauté et le rôle des individus charismatiques dans le retour du pécheur ont précédé la prise en charge de tout l'ordre pénitentiel par l'épiscopat monarchique; cf. KARPP, p. XVI; VORGRIMLER, p. 49; B. KÖTTING, «Die Stellung des Konfessors in der Alten Kirche», *JbAC* 19, 1976, p. 7-23.

24. Sur 173 péchés, énumérés dans les catalogues du Nouveau Testament, 38 seulement sont dirigés directement contre Dieu, tandis que 140 sont de caractère social ou ecclésial; voir VORGRIMLER, p. 7.

25. *Matth.* 18, 15-18; *II Cor.* 2, 6-10; *II Thess.* 3, 14-17.

26. *Lc* 15, 6-7.

27. Voir plus haut, p. 54.

touchés et qui se déclarent disposés à faire pénitence[28]. Tertullien évoque en termes chaleureux les supplications des pénitents, pressant les fidèles de se faire, auprès du Seigneur, les avocats de leur requête en grâce : «... lorsque tu tends les mains vers les genoux de tes frères, c'est le Christ que tu touches, c'est le Christ que tu implores, leur dit-il. Pareillement, quand ils versent des larmes sur toi, c'est le Christ qui compatit, c'est le Christ qui supplie son Père. Ce qu'un fils demande, il l'obtient toujours, facilement[29]. »

2. L'évolution de Tertullien en matière pénitentielle

Passé au montanisme, aux alentours de l'année 207, Tertullien se fit le champion inflexible du rigorisme moral et de la justice divine. Ce n'est point ici le lieu de rechercher les causes ni de décrire les multiples aspects de cette conversion du docteur de Carthage à la religion de l'Esprit-Paraclet. Il importe, cependant, de souligner le rôle prépondérant qu'à ses yeux, la discipline pénitentielle est appelée à jouer désormais pour la sauvegarde d'une Église vraiment sainte. Il va sans dire que, pour le sévère moraliste, les menaces les plus redoutables à la sainteté de l'Église proviennent des péchés de la chair non moins que de ceux de l'esprit, de l'impureté sous toutes ses formes non moins que des contaminations de l'idolâtrie.

Tertullien a toujours été persuadé de l'importance de la crainte de Dieu comme ressort de la moralité. Dans le traité *De la Pénitence,* il y voit le rempart le plus solide contre le péché, le stimulant le plus efficace pour susciter une pénitence sincère et durable. Toutefois, en bon disciple des

---

28. Bon aperçu des témoignages du IIᵉ siècle chez DASSMANN, p. 103-153, et VORGRIMLER, p. 33-43.

29. *Paen.,* 10, 6.

stoïciens, il se préoccupe moins de déterminer les degrés de la faute morale que de détourner ses auditeurs du péché sous toutes ses formes. Quant à la discipline de l'exomologèse, il lui importe davantage de lever les réticences des pécheurs à s'engager dans cette voie salutaire que d'en réserver les bienfaits à certaines catégories de coupables.

Les traits majeurs de cette doctrine sont repris dans le traité montaniste *De pudicitia* : gravité du péché, nécessité de la pénitence, crainte de la majesté divine. Mais ces éléments s'intègrent cette fois à une œuvre de combat, dirigée contre l'Église catholique, dont Tertullien juge la discipline pénitentielle inadmissible, ruineuse de toute pudeur. Le porte-parole du montanisme se croit investi d'une mission capitale : celle de lutter de toutes ses forces contre le déferlement des péchés de la chair[30]. Et il croit avoir découvert le moyen infaillible de rendre à l'Église la sainteté, que l'indulgence de la hiérarchie lui semble mettre en péril : c'est d'exclure à jamais de sa communion les fornicateurs et les adultères.

Le souverain Pontife, l'évêque des évêques, prétend remettre les péchés de la chair à ceux qui ont fait pénitence[31]; Tertullien rétorque que Dieu seul peut remettre les péchés et que, de toute façon, certains péchés sont à exclure de la réconciliation ecclésiastique. Celle-ci ne peut avoir pour objet que certaines fautes, *mediocria* ou *leuiora delicta,* telles l'assistance aux spectacles du cirque ou du théâtre, la participation aux banquets et aux fêtes mondaines, la consultation d'astrologues[32]. La discipline pénitentielle à leur appliquer consistera en une exclusion temporaire de la communion ecclésiastique et eucharis-

---

30. *Pud.,* 1, 1-5.

31. *Pud.,* 1, 6; il est permis de se demander si l'objet de la controverse n'est pas déjà le lancinant problème de l'accès aux sacrements de la part des divorcés remariés; voir notre article : «Divorce, remariage et pénitence dans l'Église primitive», *RevSR* 52, 1978, p. 97-117.

32. *Pud.,* 7, 15-16.

tique, suivie de la réconciliation accordée par l'évêque au terme du stage pénitentiel[33].

En revanche, le pardon ecclésial ne saurait être conféré à ceux qui se sont rendus coupables de certains péchés, qui sont «irrémissibles» par définition, Tertullien dresse une liste de ces péchés, dont il déclare toutefois qu'elle n'est pas exhaustive : en font partie l'homicide, l'idolâtrie, la *fraus,* le reniement, le blasphème, bien entendu l'adultère et la fornication, mais aussi «toute violation du temple de Dieu[34]». C'est dire qu'elle ne se limite pas à la trop célèbre triade : homicide, adultère, idolâtrie, dont on lui attribue la paternité[35]. Tertullien n'exclut pas les péchés irrémissibles de la discipline pénitentielle; il entend seulement que celle-ci ne s'achève pas, en ces cas, par la réconciliation ecclésiastique, fût-ce à l'article de la mort[36]. Que ces pécheurs attendent leur pardon non de l'Église, mais de Dieu seul[37]. Aux catholiques qui lui objectent que c'est là une attitude trop sévère et une pratique inconséquente (car une pénitence qui, d'emblée, se voit refuser son fruit, n'a plus de sens), Tertullien répond qu'elle n'est pas inefficace[38], et il s'efforce longuement de prouver que ce traitement n'a rien de cruel[39]. Il rejette sur ses adversaires

---

33. *Pud.,* 18, 17-18. Tertullien ne semble pas exiger de stage pénitentiel pour les fautes quotidiennes, *delicta cotidianae incursionis* (*Pud.,* 19, 23-25). D'autre part, avec les montanistes, il entend écarter définitivement de l'Église les auteurs d'actes sexuels contre nature *(monstra)*; c'est dire qu'il ne les admet plus, même au premier stade de la discipline pénitentielle qui se déroule *in uestibulo, in limine ecclesiae* (*Pud.,* 4, 5; cf. *Paen.,* 7, 10).

34. *Pud.,* 19, 25.

35. *Pud.,* 5, 6 s.

36. A la différence des catholiques, qui admettent les adultères «dans l'assemblée chrétienne» (*Pud.,* 13, 7), Tertullien voudrait les cantonner *pro foribus* (*Pud.,* 3, 5), toute leur vie durant, une fois pour toutes : *semel* (*Pud.,* 5, 15).

37. *Pud.,* 3, 4-5.

38. *Pud.,* 3, 5-6.

39. *Pud.,* 3, 6.

l'accusation d'inconséquence : s'ils accordent le pardon aux adultères, pourquoi ne le font-ils pas aussi à l'égard des homicides et des apostats[40] ?

La violence de l'invective et les artifices rhétoriques de Tertullien n'ont pas manqué d'impressionner : d'aucuns ont vu dans l'Édit d'indulgence dénoncé par le docteur de Carthage une innovation arbitraire, et attribué à l'auteur du traité *De la pudicité* le mérite de défendre la tradition. Le fait est, tout au contraire, que Tertullien a changé d'avis en matière pénitentielle, en passant au montanisme[41]. Lorsqu'il rédigeait le *De paenitentia,* il ne refusait le pardon ecclésial à aucune catégorie de pécheurs, fût-ce aux adultères et aux fornicateurs[42]. Pour justifier son changement d'attitude à l'égard du péché charnel, il allègue maintenant qu'il est devenu plus chaste[43] et il se réfugie derrière le patronnage de saint Paul : à sa conversion, l'Apôtre n'a-t-il pas sacrifié les traditions de ses pères, pour se faire le défenseur de la tradition chrétienne authentique[44] ? Et si on lui objecte le petit nombre de ses partisans, il réplique sans complexe : «Le fait d'abandonner un groupe ne comporte aucune présomption de culpabilité. Comme s'il n'était pas plus facile de se tromper avec la multitude, alors que la vérité est aimée avec le petit nombre[45] !»

Tertullien ne s'est pas contenté de recommander une autre stratégie pénitentielle, dans la conviction que la sainteté de l'Église était à ce prix. Il a violemment mis en

---

40. *Pud.,* 5, 15; 6, 8-9; il n'y a pas lieu de mettre en question l'exactitude de l'affirmation de Tertullien concernant la pratique plus sévère de certaines Églises à l'égard des péchés les plus graves, comme l'apostasie, l'homicide – et l'adultère , jusqu'au début du IIIe siècle. Autre chose est d'ériger en principe le caractère irrémissible de ces péchés; voir VORGRIMLER, p. 49.

41. Il le reconnaît lui-même : *Pud.,* 1, 10-13.

42. *Paen.,* 7, 9; 8, 1.

43. *Pud.,* 1, 11.

44. *Pud.,* 1, 13.

45. *Pud.,* 1, 10.

cause la pratique en usage dans les communautés catholiques, dont l'indulgence envers certains pécheurs lui paraissait pernicieuse. Il a multiplié les arguments bibliques et théologiques, afin de contester à la hiérarchie le droit de remettre certains péchés. Certes, il ne va pas jusqu'à mettre en cause ce droit, comme tel, mais il se réclame de la nouvelle Prophétie pour exiger que l'on refuse le pardon ecclésial aux adultères et aux fornicateurs[46].

Les catholiques ne manquaient pas d'arguments pour légitimer leur discipline pénitentielle : au devoir de veiller à la discipline des Églises s'ajoute celui de témoigner de la miséricorde de Dieu[47], qui est infinie, en accordant aux pécheurs le pardon après une pénitence convenable[48]. Tertullien, pour les réfuter, n'hésite pas à infléchir le sens des paraboles lucaniennes de la miséricorde, qu'il avait si chaleureusement commentées dans le traité De paenitentia[49]. Et puisque ses adversaires font découler le pouvoir ecclésial de pardonner les péchés du pouvoir de lier et de délier conféré à Pierre et transmis par son intermédiaire à toute l'Église proche de Pierre, Tertullien affirme que le pouvoir des clés n'a été donné qu'à Pierre personnellement[50]. Il s'agit là d'un pouvoir personnel et spirituel qui, dès lors, n'a pu être communiqué qu'à des hommes spirituels, apôtres ou prophètes[51].

Point n'est besoin de commenter longuement les contra-

---

46. *Pud.*, 21, 7.

47. *Pud.*, 2, 1-3 ; 18, 12.

48. *Pud.*, 3, 1-3.

49. *Pud.*, 7, 3 ; 7, 10 (il prétend ici qu'elles ne concernent que les païens, et ne peuvent s'appliquer à la pénitence des fidèles) ; cf. *Paen.*, 8, 4-8.

50. *Pud.*, 21, 9-15.

51. *Pud.*, 21, 16. En conséquence, Tertullien demande à l'homme apostolique, auteur de l'Édit d'indulgence, de démontrer l'origine divine de son pouvoir spirituel de remettre les péchés en produisant des échantillons de sa puissance prophétique : *Pud.*, 21, 5.

dictions dans lesquelles notre homme s'empêtre : la volte-
face qu'il a opérée entre la rédaction du traité *De la pénitence*
et celle du *De pudicitia* est manifeste. Elle n'est pas moins
évidente à l'égard des positions ecclésiologiques qu'il avait
professées. Dans le *Scorpiace,* Tertullien reconnaissait clairement à l'Église le pouvoir des clés[52]; dans le *De
praescriptione haereticorum,* il déclarait non moins nettement
que la succession des évêques est la marque distinctive de la
véritable Église et que l'origine de toute autorité ecclésiastique découle des apôtres[53]. Or, pour faire triompher la
cause montaniste et son rigorisme moral, il n'a pas hésité à
ébranler les fondements de la fonction épiscopale, sinon à
mettre en cause la nature même de l'Église. En effet, si
l'évêque est le représentant de l'Église, le pouvoir (de
remettre les péchés), que Tertullien lui refuse, ne le
refuse-t-il pas du même coup à l'Église[54]? En réduisant la
fonction épiscopale à la *disciplina,* en réservant la *potestas* de
remettre les péchés graves à l'Esprit de vérité, agissant par
les spirituels, ne met-il pas en question le ministère dans
l'Église[55]? Il y a plus grave encore : en niant que le rôle de
l'Église soit de pardonner tous les péchés sans exception,
en niant même que la mort du Christ puisse être
efficace pour la rémission de certains péchés[56], Tertullien
ne ruine-t-il pas inexorablement l'institution pénitentielle
elle-même, qu'il prétendait restaurer pour purifier l'Église?
Et en multipliant les interdits et les anathèmes, au nom de
l'Esprit de vérité, ne revient-il pas, en réalité, à une religion
rigoriste et légaliste, aux antipodes du message chrétien de
pardon et de charité[57]?

---

52. *Scorp.,* 10.
53. *Praes.,* 32.
54. POSCHMANN, p. 341-342.
55. La remarque est de H. VON CAMPENHAUSEN, p. 252; cf. ALÈS,
p. 492.
56. *Pud.,* 18, 12; 19, 26.
57. Plusieurs auteurs ont relevé ce durcissement juridique des notions

3. L'expression et le style

Le *De paenitentia* est l'un des premiers traités parénétiques de Tertullien. L'auteur y témoigne «d'une recherche anxieuse de l'éloquence[58]»; il s'applique, d'une manière touchante, voire quelque peu scolaire, à mettre en œuvre toute la gamme des procédés de la rhétorique à la mode; du moins évite-t-il les défauts qui marqueront fâcheusement la production littéraire de sa période montaniste : l'abus des formules tranchantes ou paradoxales, l'ironie sarcastique, la dialectique à outrance. Ici le ton est généralement mesuré, naturel, bien que l'écrivain ne s'interdise ni les images ni les sentences.

L'ordonnance générale est d'une extrême simplicité, les divisions nettes, la progression rigoureuse. Après avoir rassemblé, dans une première partie (I-V), les questions générales relatives à la pénitence, l'auteur réserve une seconde partie (VI-XII) à l'examen des questions particulières : la pénitence prébaptismale (VI), la pénitence postbaptismale (VII-XII). Pour la première partie, il a choisi de

---

doctrinales de la part de Tertullien passé au montanisme, entre autres, VORGRIMLER, p. 47; CAMPENHAUSEN, p. 256; et plus spécialement M. MÜGGE, «Der Einfluss des juridischen Denkens auf die Busstheologie Tertullians», p. 426-450.

58. L'expression est d'ÉRASME, qui porte ce jugement général sur le style des Africains Apulée et Tertullien : Lettre du 5.1.1522/23 à Jean Carondelet, trad. par M.A. NAUVELAERTS, *Correspondance d'Érasme*, V, Bruxelles 1970, p. 223. De son côté, BEATUS RHENANUS avait noté en marge de son exemplaire personnel de l'*editio princeps* des œuvres de Tertullien, au sujet du présent traité : *Stilus nonnihil differt a Tertullianino* (*Bibliothèque humanistique de Sélestat,* vol. 944, p. 435). Érasme, Daillé et Hoffmann ont élevé des doutes sur l'authenticité du *De paenitentià* pour des motifs stylistiques (cf. *PL* I, c. 214). En revanche, É. DUPIN estimait que le traité *De la Pénitence* était *omnium elegantissimus* (*Bibliothèque des auteurs ecclésiastiques,* I, Cologne 1703, p. 165). Les auteurs modernes n'ont abordé que rarement les aspects proprement stylistiques de *Paen.;* voir cependant SCIUTO, p. LVII.

traiter son sujet selon le mode démonstratif[59] (ou épidic-
tique), en examinant successivement la nature de la pénitence (I-II : *ratio*), son objet (III, 1 – IV, 4 : *causa*), ses
effets (IV, 5-8 : *fructus*), ses modalités (V : *disciplina*). La
deuxième partie relève davantage du genre démonstratif et
délibératif. Chacune des sections constitue un traité particulier, dans lequel la matière est répartie avec la même
rigueur que dans une composition plus vaste. Il est aisé de
constater que l'écrivain a su donner à son exposé sur la
pénitence postbaptismale un plan strictement symétrique à
celui de la première partie : nécessité de la pénitence après
le baptême (VII, 7-9), sa nature (VII, 11-14), ses effets
(VIII), ses modalités (IX). Comme dans la première partie
aussi, la *confirmatio,* la démonstration positive précède la
refutatio, la réfutation des objections des adversaires. Au
préambule (I) répond la péroraison (XII). L'architecture de
l'ensemble apparaît ainsi savamment équilibrée : l'édifice
central comporte deux parties de volume égal, encadrées
par deux corps annexes, de même grandeur.

   L'art de la composition, sensible dans l'ordonnance
générale, n'est pas moins évident dans celle des différentes
parties de l'œuvre. Parfois, cependant, l'orateur s'ingénie à
le dissimuler[60], mais une mise apparemment négligée ne
cache-t-elle pas, chez certains, quelque raffinement d'élé-
gance ?

   Le propos de l'orateur est d'instruire et de plaire.
Tertullien applique soigneusement les préceptes de la
rhétorique, à cet égard. C'est avec une rigueur extrême
qu'il procède dans l'analyse de la notion de la pénitence et

---

   59. Pour l'exposé des règles relatives aux genres judiciaire, délibératif, démonstratif, voir LAUSBERG, p. 86-139; MARTIN, p. 15-120;
R. VOLKMANN, *Die Rhetorik der Griechen und der Römer,* Leipzig 1885[2]
(repr. anast., Hildesheim 1963), p. 33-361.

   60. Relevons plus spécialement la *captatio beneuolentiae* en *Paen.,* 1, 1;
les protestations d'humilité de 4, 2; 6, 1; 7, 2; 12, 9; l'excuse du manque
de temps, qui permet d'abréger telle partie du discours : 3, 1.

dans celle du péché. Il met son point d'honneur à les fonder en raison, au niveau le plus élevé qui soit, en les examinant à la lumière de la *ratio* divine elle-même[61]. Comme un jurisconsulte attentif à dégager la volonté du législateur, Tertullien veille à rendre compte de la *ratio* de la discipline chrétienne, avant même d'exhorter ses auditeurs à l'embrasser généreusement[62]. Il ne lui suffit pas d'exhorter; il veut surtout convaincre.

Peu rompu aux techniques de la rhétorique des Anciens, le lecteur moderne ne sera guère sensible au métier, dont témoigne le présent traité. Il trouvera, peut-être, que plusieurs développements, trop abstraits[63], n'ont pas leur place dans une homélie sur la pénitence – même s'il veut bien reconnaître le zèle de l'orateur et la sincérité de son rigorisme moral. Il est vrai que Tertullien n'a pas maintenu son discours à ces hauteurs arides : s'il désire, plus que tout, instruire ses auditeurs des vérités de la foi et des exigences de la discipline chrétienne, il sait aussi que son enseignement sera mieux reçu, s'il est présenté sous une forme qui plaise.

Aux passages consacrés aux questions de la morale théorique succèdent bientôt les considérations plus familières, monnayant, pour la vie de tous les jours, les notions générales. L'auteur quitte le domaine théorique pour évoquer les tergiversations des catéchumènes, encore attachés aux séductions du siècle[64]. Il commente avec une sorte

---

61. *Paen.*, 1, 2; 2, 1-2; 2, 8-9, 3, 2.
62. Voir G. BRAY, «The Legal Concept of *ratio* in Tertullian».
63. C'est le cas, notamment, pour *Paen.*, 1, 2; 2, 8-14, où la pensée paraît piétiner; cf. 3, 2; 3, 4-7. Il est permis aussi de ne point être sensible aux dilemmes forgés par l'auteur (*Paen.*, 3, 15-16), à ses réductions par l'absurde (5, 10-12; 6, 19-20), à ses raisonnements analogiques (6, 4; 6, 9), à certains paradoxes (6, 17) ou comparaisons (6, 21-24); du moins, peut-on reconnaître à l'orateur le souci de varier ses effets.
64. *Paen.*, 6, 1-2, aux images expressives.

de tendresse les paraboles de la miséricorde[65]. Il oppose, en un contraste saisissant, les efforts du pécheur admis à l'exomologèse[66] et l'existence relâchée des chrétiens médiocres, peu convaincus de la nécessité de faire pénitence[67]. Les comparaisons bibliques[68], les *exempla* profanes[69] s'accumulent; le style se fait plus pressant[70]; le vocabulaire s'enrichit d'emprunts à la langue des métiers, du commerce, de l'armée[71]. Antithèses vigoureuses[72], alliance de mots surprenantes[73], sentences[74] graves et fortes retiennent l'attention, tandis que les périodes[75],

---

65. *Paen.*, 8, 4-9.

66. *Paen.*, 9, 1-4.

67. *Paen.*, 11, 1-3.

68. En guise de *narratio,* Tertullien expose la préhistoire et l'histoire de la pénitence, depuis le dessein salvifique de Dieu : *Paen.*, 2, 2-5. Il suit ainsi les règles de la rhétorique contemporaine, recommandant d'ouvrir l'éloge d'un personnage illustre par le rappel de ses origines; cf. QUINTILIEN, *Inst.*, 3, 7, 10-25.

69. *Paen.*, 6, 7; 10, 1; 11, 4; 12, 6.

70. Tertullien use et abuse de l'interrogation; il multiplie les dialogues fictifs (*Paen.*, 4, 7; 6, 6-8.18; 10, 9; 11, 2-3); il recourt à l'invective et à l'apostrophe (3, 6.15-16; 4, 2-3.7; 5, 3; 6, 9.15; 8, 1.3.8; 10, 2.4.5; 11, 3; 12, 1).

71. Le monde du commerce est évoqué en *Paen.*, 6, 4-5; 2, 11. Les termes médicaux ne manquent pas non plus : 7, 3.13; 10, 1.10; ni les termes de la chasse : 7, 9; ni les images militaires : 6, 7; 12, 5; ou maritimes : 1, 4; 4, 3; 7, 5.

72. Parmi les antithèses les plus élaborées, notons : *Paen.*, 6, 17.20; 7, 7; 9, 6; 10, 8.

73. Les païens prennent prétexte de la pénitence *ad augmentum peruersae emendationis* (*Paen.*, 2, 1); les chrétiens négligents font pénitence de leur première pénitence (5, 9); la métaphore de la planche de salut (4, 3; 7, 4-5; 12, 9) est classique.

74. Les commentateurs ont signalé, de longue date, les sentences les mieux frappées du présent traité, ainsi que ses images les plus expressives; relevons, entre autres : *Paen.*, 1, 3; 2, 7; 6, 1.2.5; 7, 10; 12, 2.6; etc.

75. Tertullien offre une grande variété de périodes; il joue savamment des oppositions entre *commata* et *cola*. Citons, parmi les passages les plus travaillés de ce point de vue : *Paen.*, 1, 4-5; 2, 1-6; 3, 3-4; 4, 3-4; 5, 3.7; 6, 1; 7, 7-9; 8, 5-6.8; 9, 3-5; 10, 1.4.10; 11, 1.4-6; 12, 2-4.6-9.

balancées avec soin et rythmées avec art, charment l'auditeur.

Tertullien sait toucher la sensibilité : il ne dédaigne aucun des artifices d'une prose raffinée, qui vise à la virtuosité par l'invention verbale, les jeux de mots, les figures et tropes, le rythme et la mélodie de la phrase[76]. Il sait aussi frapper l'imagination en intégrant à l'argumentation les narrations, auxquelles il apporte tous ses soins, mais aussi les scènes de la vie quotidienne : croquis prestement enlevés, caricatures amusées ou cruelles, descriptions minutieuses[77]. Tertullien possède à la perfection l'art, combien difficile, de produire à point nommé les citations de l'Écriture, qu'il s'agisse d'illustrer un argument, d'animer le débat ou de conférer au style une vigueur nouvelle[78]. On observera, toutefois, que l'un ou l'autre passage révèle déjà, chez le rhéteur africain, une propension fâcheuse à se servir de l'Écriture[79] ; ce qui n'est encore ici qu'un simple jeu littéraire deviendra, plus tard, prétexte aux paralogismes les plus douteux.

Le commentaire signale les passages les plus remarquables du traité, du point de vue formel. Le lecteur averti saura, du reste, faire abstraction de l'appareil parfois

---

76. Parmi les figures et tropes les plus marquants du style recherché de Tertullien, on se doit de relever : Allitérations : *Paen.*, 1, 1.2; 2, 9; 8, 6; 9, 2.4; 10, 4.10; 11, 3. – Anaphores : 2, 10; 3, 5.7; 4, 8; 5, 5.7. – Apostrophes : 2, 10-11; 3, 6.11.15; 4, 2-4; 5, 3; 6, 9.15.22; 7, 11.14; etc. – Asyndètes : 1, 2.4; 7, 9; 8, 7; 11, 3.5. – Métaphores : 1, 3; 4, 3; 7, 5-6; 12, 9. – Parallèles : 6, 22-24. – Parenthèses : 3, 3; 4, 2; 5, 8; 12, 3. – Prosopopée : 10, 2.

77. Le pénitent zélé : *Paen.*, 9, 3; les candidats aux magistratures publiques : 11, 4-5 ; les chrétiens allergiques à l'exomologèse : 11, 2-3.

78. Il faudrait distinguer les citations explicites, les arguments scripturaires plus ou moins élaborés (*Paen.*, 2, 2-5; 3, 13; 4, 8; 5, 4; 7, 8; 8, 1-8) et les ornements littéraires d'origine biblique (2, 2.5; 4, 3; 6, 13; 12, 7-8).

79. Le lecteur moderne peut-il faire ses délices d'un centon scripturaire aussi contourné que *Paen.*, 4, 3?

encombrant des procédés rhétoriques et des prestiges d'une écriture trop soucieuse d'expressivité, pour apprécier les multiples facettes du talent de Tertullien. Pierre de Labriolle résumait son impression en ces termes : «... c'est Tertullien prêtre qui parle et qui, avec plus d'onction qu'on n'en attendrait d'un pareil homme, prêche, exhorte, instruit[80].» Ce n'est certes pas le trait le moins touchant de ce modeste traité *De paenitentia* que la modestie même de son auteur. Celui-ci n'hésite pas à confesser publiquement sa condition pécheresse[81], car il voudrait que tous embrassent avec générosité le parti de la pénitence. L'humilité chrétienne se met ainsi au service de l'éloquence sacrée, mais les orateurs attiques n'ouvraient-ils pas aussi leurs *enkômia* par une profession de modestie[82]?

---

80. P. DE LABRIOLLE, Introd. à TERTULLIEN, *De Paenitentia, De Pudicitia,* Paris 1906, p. x.

81. *Paen.,* 4, 2; 12, 9.

82. R. VOLKMANN, *Die Rhetorik der Griechen und der Römer,* Leipzig 1885[2] (repr. anast. Hildesheim 1963), p. 319, citant ISOCRATE, *Or.,* 4, 1.

VII

MANUSCRITS ET ÉDITIONS

1. Présentation des manuscrits

Le texte du *De paenitentia* est transmis par trois témoins :
un corpus et deux manuscrits isolés.

1. θ : le corpus dit «de Cluny» La plupart des témoins qui contiennent notre traité appartiennent à une collection attestée à Cluny au XIIᵉ siècle, d'où son nom moderne de *corpus Cluniacense*[1]. Il n'est pas facile de préciser la date et le lieu où furent rassemblés les 21 traités dont elle se compose, mais en revanche on connaît mieux aujourd'hui les vicissitudes récentes de cette collection. Les témoins se répartissent en deux groupes :

la branche α

Les deux plus anciens manuscrits, le *Paterniacensis* (*P* = Sélestat, Bibliothèque humaniste, Ms. 88) et le *Montepessulanus* (*M* = Montpellier, Bibliothèque de la Faculté de

---

1. Présentations détaillées par H. TRÄNKLE dans les Prolégomènes à son édition de l'*Aduersus Iudaeos,* p. LXXXIX-XCIV, et par J.-Cl. FRE-DOUILLE dans l'introduction à son édition du *Contre les Valentiniens, SC* 280, p. 48-58. D'après Tränkle, la composition de θ, l'ancêtre commun aux deux familles α et β, serait à placer entre 800 et 950.

Médecine, H. 54), l'un et l'autre du XIe siècle, ne contiennent pas le *De paenitentia*.

Heureusement on a transcrit au XVe siècle le *Montepessulanus* et un deuxième tome *(M')* qui devait contenir le reste du corpus de Cluny[2]. Une copie complète est entrée dans la bibliothèque de l'humaniste florentin Niccolò Niccoli († 1437), et elle est toujours restée à Florence (*N* = Bibliothèque nationale centrale, Conventi soppressi, I, VI, 9). On connaît, du moins partiellement, deux autres copies de M + M' qui ont été utilisées au XVIe et au XVIIe siècles : le *Gorziensis (G)*, un manuscrit de l'abbaye de Gorze, en Lorraine, dont Claude Chansonnette procura une collation à Beatus Rhenanus — il l'utilisa pour son édition de 1539[3] — et un *Divionensis (D)*, qui a été collationné par Pierre Pithou, Théodore de Bèze et Claude de Saumaise[4].

la branche β

À sa source se trouve un autre manuscrit connu au XVIe siècle et disparu depuis, l'*Hirsaugiensis (H)* que Beatus Rhenanus avait emprunté à l'abbaye bénédictine d'Hirsau, en Forêt Noire. Dans le cas du *De paenitentia*, c'est la source unique de l'édition princeps, que l'érudit alsacien donna en 1521.

---

2. Étude de *N G D* par FREDOUILLE, *op. cit.*, p. 54-58. Nous adoptons dans le stemma de la p. 117 les filiations qu'il a établies à partir des variantes conservées de *Val.;* celles de *Paen.* ne s'y opposent pas.

3. Nous avons découvert dans un exemplaire de la deuxième édition de Tertullien (Bâle, 1528), conservé à la Bibliothèque humaniste de Sélestat sous la cote 1040a, des notes autographes de Beatus Rhenanus. Ces leçons, que nous indiquons dans l'apparat critique sous le sigle R^m, sont soit tirées du *Gorziensis,* soit le fruit des conjectures de l'éditeur.

4. Nous devons à l'amitié de P. Petitmengin de pouvoir faire état de ces collations avant même la publication de sa thèse sur «La transmission et l'étude de Tertullien». Il est aisé de constater que, pour le *De paenitentia, D* coïncide presque toujours avec *N;* il ne s'en distingue que sur des points très mineurs, tels : *auertens* (2, l. 29), *restitues* (5, l. 7), *rennuo* (6, l. 38), *sed* (11, l. 7), etc.

On peut aussi remonter à l'*Hirsaugiensis* grâce à deux copies qui en ont été faites au XVe siècle :

F = Florence, Bibliothèque nationale centrale, Conventi soppressi, I, VI, 10, copié à Pforzheim, en 1426, par deux franciscains, Jean de Lauterbach pour la première partie, qui contient le *De paenitentia,* et Thomas de Lymphen pour la suite[5];

X = Luxembourg, Bibliothèque nationale, 75, un manuscrit de la fin du XVe siècle, qui a appartenu à l'abbaye de Munster à Luxembourg[6].

On s'accorde maintenant à penser que *F* et *X* n'ont pas été copiés directement sur l'*Hirsaugiensis,* mais sur une copie de celui-ci (γ), également perdue, que l'on baptise *Pforzhinensis* d'après le lieu où *F* fut transcrit[7].

Tous les manuscrits copiés en Italie au XVe siècle dépendent, directement ou non, de *F,* qui était entré lui aussi dans les collections de Niccolò Niccoli. Il n'y a donc pas lieu d'en tenir compte. En particulier on pourra négliger *V* (Naples, Bibliothèque nationale, Viennese 55) et sa copie *L* (*Leidensis latinus* 2), que Borleffs avait utilisée dans son édition de 1957[8].

2. T = Troyes, Bibliothèque municipale, 523

Ce manuscrit provient de Clairvaux, où il fut copié au XIIe siècle. Il figure dans l'inventaire de 1472[9]. A la Révolution française, il fut trans-

---

5. La description la plus précise reste celle d'E. KROYMANN, «Die Tertullian-Ueberlieferung in Italien», *SAWW* 138, 1897, 3. Abh., p. 13-14.

6. J.W. BORLEFFS, «Zur Luxemburger Tertullianhandschrift», *Mnemosyne* III, 2, 1935, p. 299-308, voyait dans *X* une copie directe de *H.*

7. Voir C. MORESCHINI, «*Prolegomena* ad una futura edizione dell'*Aduersus Marcionem*», *Annali della Scuola Normale Superiore di Pisa* II, 35, 1966, p. 295-303; FREDOUILLE, *op. cit.,* p. 52-54.

8. Cf. FREDOUILLE, *op. cit., p. 50-51.*

9. Voir A. VERNET, *La bibliothèque de l'abbaye de Clairvaux du XIIe au XVIIIe siècle,* t. I, *Catalogues et répertoires,* Paris 1979, p. 199.

féré à la Bibliothèque de la Ville de Troyes. Entre une collection de sermons d'Eusèbe d'Emèse traduits en latin[10], et un opuscule de Maxime le Pontique (*Clauis Patrum Latinorum,* n. 2277), il comprend un petit corpus d'œuvres de Tertullien, à savoir *Aduersus Iudaeos, De carne Christi, De resurrectione mortuorum, De baptismo* et *De paenitentia.* Le texte de notre traité est incomplet : une importante lacune, due à l'état défectueux du modèle, nous prive d'environ un quart du texte, du chapitre VIII (§ 8 *uel offensum //...*) au chapitre XIII (§ 9 *...// facile possum*). Le *Trecensis* a été découvert en 1916 par Dom A. Wilmart et utilisé par Borleffs dès son édition de 1932.

3. O = Rome, Bibliothèque Vaticane. Ottobonianus latinus 25

Ce manuscrit[11] d'origine inconnue mais probablement française a été écrit au XIIIe siècle[12]. C'est un *codex miscellaneus* qui contient un recueil de sermons, pour la plupart de Pierre le Mangeur (f. 3-186), puis des extraits de Lactance (f. 187-241v), de Tertullien (f. 241v-255), tirés de *Pud., Paen., Pat.,* et *Spect.,* et de Cyprien (f. 255-261). Les extraits du *De paenitentia* comprennent un peu plus de la moitié du traité. L'*Ottobonianus* a été découvert en 1946 par le regretté Gösta Claesson; Borleffs l'a utilisé dans ses deux dernières éditions du *De paenitentia* (1954 et 1957).

---

10. Description détaillée du manuscrit par E.M. BUYTAERT, en tête de son édition d'EUSÈBE D'ÉMÈSE, *Discours conservés en latin,* t. I (La collection de Troyes), Louvain 1953, p. XIV-XXVII. Étude philologique par TRÄNKLE, p. CII-CXXI.

11. Cf. J.W. BORLEFFS, «Un nouveau manuscrit de Tertullien», *Vigiliae Christianae* 5, 1951, p. 65-79 (article repris en partie dans le *CSEL* 76, 1957, p. 129-137.

12. Datation proposée par P. Petitmengin, qui nous signale que le manuscrit a appartenu à la reine Christine de Suède; cf. *Les manuscrits de la Reine de Suède au Vatican,* Réédition du catalogue de Montfaucon et cotes actuelles, Cité du Vatican 1964, p. 84 (n. 1479).

2. Évaluation des manuscrits

Il ressort de notre présentation que certaines parties du traité ne sont transmises que par le corpus de Cluny (θ), tandis que d'autres sont attestées par deux témoins (θ*T*; θ*O*), ou même trois (θ*TO*). Est-il possible d'établir une hiérarchie entre ces diverses sources, ou, mieux encore, une relation généalogique?

Après avoir bénéficié d'un préjugé extrêmement favorable, le *Trecensis* a vu son prestige s'amoindrir de manière sensible à la suite des observations de G. Thörnell, B. Luiselli et H. Tränkle[13]. Son texte du *De paenitentia,* incomplet nous l'avons vu, présente un grand nombre de passages manifestement corrompus, voire inintelligibles. Son modèle était mutilé et sans doute par endroits peu lisible; de plus le copiste de *T* ou son réviseur ne se sont pas interdit de corriger arbitrairement le texte[14]. Malgré ces défauts, le *Trecensis* demeure un témoin de valeur, qui est parfois le seul à transmettre la bonne leçon[15]; plus souvent il la possède en commun avec *O* ou avec les manuscrits du *corpus Cluniacense,* pris ensemble ou isolément.

L'*Ottobonianus* est, lui aussi, très précieux. Si le copiste a choisi ses extraits de manière à former un texte continu, il s'est généralement abstenu d'apporter à l'original des modifications rédactionnelles; cependant sa fidélité à son modèle ne devait pas être scrupuleuse. Ce manuscrit, qui est seul en plusieurs endroits à offrir la bonne leçon[16],

---

13. TRÄNKLE, p. CII-CIV, qui cite les travaux de ses devanciers.

14. TRÄNKLE, p. CXV-CXVIII; quelques exemples suffiront ici pour confirmer nos observations : 3, l. 3 *de nature;* 3, l. 48 *excusatur;* 7, l. 24-25 *illum... otiosum;* 7, l. 51 *iterandae;* 8, l. 1 *dubitare uolueris,* etc.

15. Bonnes leçons de *T* contre *O* θ, voir tableau p. 111; contre θ (*O* manquant) : 2, l. 39 *habet;* 3, l. 37 *solummodo;* 3, l. 58 *nos solatio;* 3, l. 64 *crimini;* 4, l. 12 *tu;* 5, l. 13 *autem;* 6, l. 22 *addicere;* 6, l. 25 *ne uersus.*

16. Bonnes leçons de *O* contre l'accord de *T* θ, voir tableau p. 111.

permet de confirmer le témoignage de T ou de θ en cas de divergence des lignées[17]. Toutefois l'incertitude qui règne actuellement sur l'âge du corpus attesté par O (sa formation date-t-elle de l'Antiquité, de l'époque carolingienne ou de la Renaissance du XIIᵉ siècle?) fait qu'on hésite sur la valeur et l'originalité à reconnaître à ce témoin.

Pour le *De paenitentia* la tradition du corpus dit de Cluny n'est malheureusement conservée que par des manuscrits tardifs. La branche α est moins corrompue que celle dépendant de l'*Hirsaugiensis*. N offre quelques bonnes leçons, confirmées par T et par $O,$ contre les témoins de β[18]. Il conviendra donc, pour les passages où le texte n'est conservé que par θ, d'accorder à N un préjugé favorable; mais là encore chaque leçon mérite d'être examinée pour elle-même.

Le texte de l'*Hirsaugiensis* est garanti par l'accord de l'édition princeps avec F et $X,$ ou avec l'un de ces deux témoins; l'accord XR est d'ailleurs beaucoup plus régulier que l'autre[19]. En cas d'opposition entre FX ($= γ$) et R, une certitude est difficile.

Les trois témoins $T O$ θ présentent des fautes soit communes à toute la tradition (on en conclura qu'elles remontent à un archétype ω), soit propres à chaque branche, soit partagées par deux d'entre elles. Les schémas possibles sont les suivants :

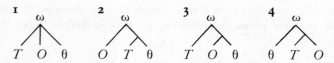

17. Borleffs, «Un nouveau manuscrit de Tertullien», p. 66-74, donne des exemples caractéristiques.

18. Qu'il suffise de citer quelques exemples tirés du chapitre I : l. 4 *prioris (OTN)*; l. 17 *semetipsos execrantur (OTNR)*; l. 18 *paenitentiae (OTNG)*; l. 21 *malorum (OTNG)*.

19. Accord XR : 3, l. 9 *perstringere;* 4, l. 10 *proleuabit;* 4, l. 38 *perma-*

Deux autres traités transmis par T apparaissent également dans θ et dans un troisième témoin, le *Fuldensis* dans le cas de l'*Aduersus Iudaeos,* et l'*Agobardinus* dans celui du *De carne Christi.* Les derniers éditeurs de ces traités, H. Tränkle et J.-P. Mahé[20], ont l'un et l'autre établi un stemma bifide avec d'un côté un hyparchétype Θ, qui regroupe T et θ, et de l'autre le témoin isolé.

Pour savoir si cette solution est valable aussi pour le *De paenitentia,* nous avons dressé le tableau des fautes qui unissent deux témoins :

– Fautes de $T\,\theta$ contre O (schéma 2)

1, 4 (14)	deuersentur O *(Pam)*	:	diuersentur $T\,\theta$
3, 16 (61)	confessionem O	:	confessione $T\,\theta$
4, 5 (24)	praecipit. Iam nunc cum quid deus praecipit O	:	praecipit β praecepit TN
7, 4 (12)	et O	:	*om.* $T\,\theta$
8, 4 (16)	perdit O	:	perdidit $T\,\theta$
8, 6 (23)	paenitentem O (R^3)	:	paenitentiae θ paenitentiam T'
8, 6 (24)	praeopimum O (R^1)	:	praeoptimum θ pro eo optimum T
8, 7 (31)	paeniteas O	:	paeniteat $T\,\theta$

– fautes de $O\,\theta$ contre T (schéma 3)

1, 1 (3)	obueniat T''	:	ueniat $O\,\theta$
1, 3 (10)	nullius T	:	nullus $O\,\theta$
1, 5 (17)	in ingratiam T (R^3)	:	in gratiam $O\,\theta$
3, 3 (11)	spiritalia T	:	spiritualia $O\,\theta$

nentes; 6, l. 55 *collocant;* 6, l. 67 *desiimus;* 8, l. 3 *sardos,* etc. – Accord *FR* : 5, l. 39 *suscipiatur;* 6, l. 3 *deditos.*

20. TRÄNKLE, p. CXIII; J.-P. MAHÉ, introd. au *De carne Christi,* *SC* 216, p. 174-176.

4, 2 (6)	quae *T*	: cum *O* θ
6, 10 (44)	sinet *T*	: sinit *O* θ
7, 1 (3)	et *T*	: *om.* *O* θ
8, 6 (24)	immolans *T*	: immolat *O* θ

— fautes de *OT* contre θ (schéma 4)

| 5, 13 (46) | offendendi θ | : offendi *TO* |
| 5, 13 (48) | indiuidua θ | : inuidia *TO* |

Chacun des témoins présente donc, à l'occasion, la bonne leçon contre l'accord des deux autres ; ce qui exclut le schéma 1 et doit inviter l'éditeur à la prudence et à un examen attentif de chaque cas. Les fautes propres à *T O* sont rares et semblent explicables par un phénomène de polygénèse. Certaines bonnes leçons de *T* sont peut-être dues à une activité conjecturale qui améliore le texte de l'archétype (*O* θ). Finalement le lien *T* θ paraît être le plus solide – et *O* s'en trouve favorisé, élevé au rang de témoin primaire. Nous accepterions donc l'existence d'un hyparchétype Θ, qui figurera sur le stemma de la page 117.

Les citations de notre traité par plusieurs auteurs de l'Antiquité chrétienne, notamment par Pacien, Jérôme et Isidore (on les trouvera indiqués dans un apparat des *testimonia*) apportent peu à l'établissement du texte, et n'attestent malheureusement aucune des variantes caractéristiques de l'une ou l'autre des lignées médiévales.

3. Les éditions

Nous donnons dans la bibliographie la liste des éditions du *De paenitentia,* depuis l'édition princeps publiée à Bâle en 1521 par les soins de Beatus Rhenanus[21]. On a vu

---

21. Sur la fabrication matérielle, on pourra voir P. PETITMENGIN, « A propos du Tertullien de Beatus Rhenanus. Comment on imprimait à

que sa seule source était l'*Hirsaugiensis,* souvent défectueux. L'érudit alsacien s'efforça d'amender de nombreux passages par des conjectures de valeur diverse, mais généralement fort judicieuses. Plusieurs corrections, simplement notées dans les marges, sont passées dans le texte de la deuxième édition (1528). Pour la troisième (1539), Rhenanus put, nous le savons, tirer parti des leçons du *Gorziensis,* qui lui donnaient accès à l'autre branche du corpus de Cluny. Le texte du *De paenitentia* est resté sensiblement le même depuis cette date, jusqu'à la découverte du *Trecensis* et de l'*Ottobonianus.* Aussi n'avons-nous pas cru nécessaire de reproduire en détail les conjectures des humanistes et des éditeurs qui se sont efforcés de l'amender.

J.C. Borleffs n'a pas donné moins de quatre éditions de notre traité; il a longuement discuté la valeur des manuscrits récemment découverts et justifié le choix des leçons qu'il leur a empruntées. Si nous reprenons le texte de la quatrième édition de Borleffs, publiée au *CSEL* en 1957, nous n'avons pas hésité à nous en écarter, quand il apparaissait que l'auteur demeurait sous le préjugé favorable au *Trecensis,* au détriment des leçons correctes conservées par *O* et θ. Par ailleurs nous avons voulu simplifier l'apparat critique de Borleffs, en distinguant les lignées de la tradition manuscrite et en négligeant les épigones du corpus de Cluny; nous n'avons pas non plus reproduit les passages manifestement corrompus de *T,* qui ne sont d'aucune utilité pour l'établissement du texte.

Voici la liste des passages où nous avons adopté une autre leçon que Borleffs :

1, l. 7   nihil R *Brf*[3] *Mun* : nihilque OND *Brf*[4]   nihil enim
     T   nihil quod γ

2, l. 29 uerrens R³ *Mun* : auerrens *Iun Brf³·⁴* auertens
          TOD β R¹·²   aduertens N
—   radens T R¹ᵐᵍ R²·³ *Mun* : eradens O *Brf* tradens
          N γ R¹
3, l. 65 quia O θ *Mun* : qua T *Brf*
4, l. 24 praecipit. Iam nunc cum quid Deus praecipit O
          Mun : praecipit γ R¹ ᵐᵍ R²·³ *Brf*   praecepit T N R¹
4, l. 30 praecipit O θ *Mun* : praecepit T *Brf*
5, l. 36 domino OT *Brf³ Mun* : deo θ *Brf⁴*
6, l. 3   deditos NFR *Mun* : dedito X   debitos T *Brf*
6, l. 19 iniustum *Mun* : ineptum *Brf* iniquum *Vrs om.*
          T θ
6, l. 52 permittet *Mun* : promittet T   permittit θ promit-
          tit *Iun Vrs Brf*
—   id quod θ *Mun* : et quod T *Brf*
6, l. 77 deditus T'' θ *Mun* : debitus T' *Brf*
7, l. 30 Christi O θ T'' *Mun* : Christo T' *Brf*
7, l. 51 iteratae O θ *Mun* : iterandae T *Brf*

Pour le passage de *Paen.*, 10, l. 32 qui est resté une *crux
interpretum* jusqu'à nos jours, nous proposons une conjecture très simple, qui correspond, semble-t-il, et à l'image
graphique des manuscrits et au mouvement de la phrase[22].
Les adversaires de l'exomologèse objectent : *Miserum est sic
ad exomologesim peruenire* (il est pénible d'en arriver ainsi à
l'exomologèse). Tertullien leur répond : *Malo tamen, si
peruenitur* (à mon sens, cependant, le parti préférable est
d'en arriver là); et il précise aussitôt le motif de son
affirmation, balayant toutes les objections, à son habitude
(mais, quand il faut faire pénitence, la peine disparaît, car
c'est un acte qui confère le salut).

Il va sans dire que nous avons consulté assidûment les

_____

22. Le *t* de *tamen* a été transcrit par *enim* (cf. G. BATTELLI, Lezioni di
Paleografia, Città del Vaticano 1949³, p. 114). Le reste du mot, devenu
inintelligible, a cependant été conservé dans les manuscrits *NFX :
amens (amans FX)*. Pour le mouvement de la phrase : *Malo tamen...*, voir
Fug., 10, 2; *Herm.* 16, 4; *Spect.*, 19, 5; *Val.*, 35, 2, etc.

traductions de nos devanciers, en particulier celles de H. Kellner (1912), de W.P. Le Saint (1959) et de F. Sciuto (1961); nous nous sommes inspiré à mainte reprise de celle de P. de Labriolle (1906) : c'était faire hommage à ses éminentes qualités. Si nous avons risqué une nouvelle traduction, nous sommes bien conscient de ses imperfections. Quiconque s'est essayé à la tâche, combien redoutable, de traduire Tertullien, sait les difficultés qu'il s'agit de surmonter. Comment restituer les effets d'un texte fait pour être déclamé, surchargé de rimes et d'assonances, construit selon une alternance subtile et recherchée de rythmes et de périodes? Parfois Tertullien joue de manière habile sur les diverses significations d'un même mot, dont la langue française n'offre que des équivalents sans force[23]. Ailleurs encore, le rhéteur de Carthage multiplie les synonymes, sans que l'on puisse toujours discerner les nuances qu'il leur attribue[24]. Souvent aussi il aurait fallu expliciter la pensée, ramassée à l'extrême : nous avons cherché à serrer le texte au plus près, quitte à donner une paraphrase plus large dans l'analyse détaillée du traité[25].

Le commentaire a été délibérément réduit à l'essentiel du point de vue philologique; nous relevons cependant les particularités les plus importantes de la langue et du style de Tertullien. Nous avons privilégié les allusions de l'auteur aux institutions de son temps, ainsi que les

---

23. C'est le cas de *Paen.*, 1, 2-4, pour *ratio,* et d'une manière plus générale, pour le terme-clé du traité : *paenitentia.* Plutôt que de vouloir préciser les diverses acceptions possibles : repentir, pénitence, conversion, regret, etc., nous avons pris le parti de traduire uniformément par pénitence.

24. Voir, par exemple, *Paen.*, 10, 1-2, pour les termes : *pudor, erubescentia, uerecundia, rubor.*

25. Ainsi en *Paen.*, 2, 8-10, à propos de la *forma* de la pénitence; 3, 4-6, au sujet de la distinction des péchés, extérieurs et intérieurs; 5, 1-9, pour le *modus* (les conditions d'exercice) de la pénitence.

citations ou réminiscences bibliques qui nourrissent sa pensée.

Au moment où s'achève cette édition, nous tenons à exprimer notre reconnaissance à tous ceux qui nous ont aidé, d'une manière ou d'une autre, à la mener à bonne fin. Nous voudrions remercier en particulier M. Meyer et le personnel de la Bibliothèque humaniste de Sélestat, qui nous ont facilité l'accès aux ouvrages de Beatus Rhenanus; P. A. Février, qui a bien voulu nous guider dans les méandres de la documentation archéologique africaine; P. Petitmengin, qui nous a généreusement communiqué les leçons du *Codex Divionensis,* qui a contribué largement à la rédaction du présent chapitre consacré aux manuscrits et aux éditions du *De paenitentia,* et qui a eu l'obligeance de revoir tout notre travail, afin de nous aider à le rendre moins indigne de Tertullien.

Strasbourg, mai 1984

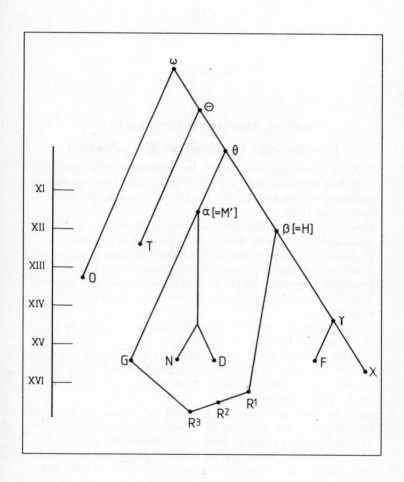

Stemma

VIII

ANALYSE

1re PARTIE : QUESTIONS GÉNÉRALES (I-V)

Introduction : La pénitence des païens (I)

Captatio beneuolentiae. Avant de les entretenir de la pénitence, Tertulien reconnaît qu'il a été lui-même jadis, tout comme ses auditeurs, catéchumène (cf. VI, 1), un aveugle, privé de la lumière de Dieu.

Concessio. Certes, grâce aux lumières de la nature, les païens possèdent une certaine notion de la pénitence, à savoir :

Definitio. La pénitence est une affliction de l'âme qui provient d'une offense causée par une décision antérieure (I, 1).

Propositio. Cependant les païens sont loin de posséder la véritable *ratio* de la pénitence et d'y conformer leur conduite.

Adprobatio.

1. *Generalis :* Pour posséder la véritable *ratio* des choses, il faut connaître Dieu qui les a créées.

En effet, la *ratio* est la chose de Dieu; c'est lui qui a prévu, disposé, ordonné toutes choses selon la *ratio;* aussi faut-il examiner et comprendre chaque chose selon sa *ratio* (I, 2);

or, les païens ignorent Dieu;

dès lors, nécessairement, ils ignorent les choses de Dieu et, ballottés toute leur vie, de ci de là, sans le gouvernail de la *ratio,* ils vont à leur perte, qui est inévitable et imminente (I, 3).

2. *Specialis :* En ce qui concerne la pénitence, la conduite des païens est absolument contraire à toute *ratio;* il suffit d'une preuve pour illustrer cette affirmation :

— ils font pénitence de leurs bonnes actions (fidélité, amour, loyauté, générosité, patience, pitié),

— mais ils ne se soucient guère de faire pénitence de leurs mauvaises actions.

Conclusion partielle. Autant dire que la pénitence leur sert plutôt à commettre le mal qu'à faire le bien (I, 4-5).

Développement : la pénitence des chrétiens (II-V)

Transition. Si les non-croyants connaissaient Dieu et agissaient conformément à la *ratio,* ils s'interrogeraient d'abord sur les *merita* de la pénitence et ils s'abstiendraient d'y recourir à contresens ;

— au contraire, ils sauraient la mettre en œuvre correctement, car ils posséderaient aussi le moyen de supprimer le péché, à savoir *la crainte de Dieu* (II, 1) ;

— mais, ne possédant pas la crainte de Dieu, ils ne peuvent pas non plus se corriger ; et puisqu'ils ne se corrigent pas, leur pénitence est vaine,

— car elle ne peut produire le fruit auquel Dieu l'a destinée, à savoir *le salut de l'homme* (II, 2).

Propositio. Dieu a institué la pénitence, pour le salut de l'homme, moyennant l'abolition du péché.

Adprobatio.

NARRATIO (II, 3-5)
Les étapes de la pénitence

A) Dieu a institué la pénitence :

Depuis le péché d'Adam, le chef du *genre humain,* l'homme est pécheur et mérite le châtiment : il a été expulsé du paradis et soumis à la mort ;

— mais Dieu a décidé de lui faire miséricorde : il a, en quelque sorte, consacré la pénitence en sa propre personne, déchiré la sentence de condamnation et promis d'accorder son pardon à l'homme, sa créature, son image (II, 3) ;

B) Pour le salut de l'homme :

1. A l'intention du *peuple élu,* qu'il a comblé de ses dons mais qui, si souvent, s'est montré d'une ingratitude extrême :

a) il a confié aux *prophètes* de lui annoncer sans cesse la pénitence.

b) il a institué le baptême de pénitence, proclamé par *Jean.*

2. Le baptême de Jean annonce et prépare le salut destiné aux

nations païennes; il était réservé au Seigneur *Jésus* de l'apporter, selon la promesse de Dieu (II, 4-5);

PARTITIO (II, 6-7)
Les effets de la pénitence
C) moyennant l'abolition du péché :

Conformément aux déclarations de Jean, le serviteur et précurseur du Seigneur Jésus, la pénitence opère le salut de l'homme :

a) négativement : elle détruit en l'homme tout ce qui est péché;

b) positivement : elle prépare le cœur de l'homme à devenir la demeure de l'Esprit-Saint, qui le comblera des dons célestes (II, 6).

Conclusion partielle et transition : Les bienfaits de la pénitence peuvent donc se résumer en un seul :

— elle opère le salut de l'homme, moyennant l'abolition de ses péchés; c'est à cela que tendent : a) sa *causa,* la crainte de Dieu (cf. II, 3); b) son opération (*opera :* II, 6).

Elle réalise ainsi l'œuvre de la miséricorde divine, pour le bien de l'homme, au service de Dieu (II, 7).

ARGUMENTATIO (II, 8 - V, 10)
I. *Forma paenitentiae* (II, 8-14)

Propositio. La *ratio* de la pénitence, que nous apprenons quand nous parvenons à la connaissance de Dieu, comporte une règle bien déterminée *(forma) :* elle ne doit jamais s'appliquer à des actions ou des pensées qui sont bonnes en soi (II, 8).

Adprobatio.

1. *Ex causa :* l'ordre divin.

Ce serait aller à l'encontre de l'ordre divin lui-même :

— en effet, tout ce qui est bon appartient à Dieu : il est à l'origine (instigateur) et au terme (garant et rémunérateur) de tout ce qui est bien; il y trouve sa complaisance et le sanctionne (II, 9).

2. *A contrario :* la conduite des hommes.

Il est impossible de la fonder sur la conduite des hommes (cf. I, 5);

— en effet, tantôt ils se laissent influencer par l'ingratitude, au point de faire pénitence même de leurs bonnes actions (cf. I, 4);

— tantôt ils comptent sur l'approbation de leurs semblables pour faire le bien;

dans les deux cas, ce sont des attitudes terrestres et transitoires
(II, 10).

Confirmatio. On gagne peu à faire du bien à un homme, s'il se
montre reconnaissant ; on perd peu, si c'est un ingrat ;
— en revanche, tout action bonne fait de Dieu lui-même le
débiteur de l'homme ; toute action mauvaise aussi sera prise en
compte par lui, car il est le juge suprême, qui juge de toutes
choses selon leur mérite (II, 11).

Conclusion. Puisque Dieu est le juge suprême, qui veille à faire
respecter la justice en toutes choses,
puisque tous ses préceptes sont réglés selon la justice,
en matière de pénitence aussi, la règle à suivre *(forma)* est de
nous en acquitter en toute justice, c'est-à-dire :
de faire pénitence de nos péchés seulement, (II, 12),
car seules les actions mauvaises méritent le nom de péchés
et l'on ne peut commettre de péché en faisant le bien (II, 13).
Telle est la seule attitude juste, correcte et raisonnable (II, 14).

II. *Causa paenitentiae* (III, 1 - IV, 4)

Transition. Le développement du discours inviterait Tertullien à
décrire ici, longuement, les diverses catégories de péchés, pour
lesquels il convient chaque fois d'accomplir une pénitence juste
et convenable,
mais cela peut paraître superflu (III, 1) ;
— en effet, quand elle apprend à connaître Dieu, l'âme humaine,
éclairée par son Créateur, s'élève à la connnaissance de la vérité
et, initiée aux commandements de Dieu, elle apprend aussi, à leur
école, que :

Propositio (et *definitio*). Il faut tenir pour péché tout ce que Dieu
interdit.

Adprobatio. Puisque Dieu est le Bien par excellence,
— puisqu'il n'est pas d'accord possible entre les contraires,
tout ce qui déplaît à Dieu est mal (III, 2),
et le chrétien doit s'en abstenir, sans aucune exception.

Transition. Cependant, il peut être utile de rappeler qu'il existe
diverses espèces de péchés :

Divisio. Si l'on examine l'*origine* du péché, on peut distinguer
entre péchés charnels ou corporels d'une part, et péchés spirituels
d'autre part ; cette distinction repose sur les éléments dont

l'homme est composé; par conséquent, les péchés ne peuvent provenir que de ces deux éléments (III, 3). (La division est donc adéquate).

Praemunitio. Examen du paradoxe stoïcien : Tous les péchés sont-ils donc égaux *(paria) ?*

Réponse de Tertullien. D'une certaine manière, ils le sont; encore faut-il bien s'entendre sur cette égalité. Celle-ci concerne non point tous les péchés, pris individuellement, mais la commune responsabilité de l'homme, corps et âme, à l'occasion de chaque péché.

Propositio. Les péchés qui résultent des deux éléments dont l'homme est composé ne sont pas affectés d'une gravité différente, les uns étant toujours plus graves, les autres toujours moins graves; au contraire, les uns et les autres sont à mettre sur le même plan (III, 4).

Adprobatio (III, 5-6)

— 1re preuve, l'unité du composé humain :

En effet, le corps et l'esprit forment une unité; ces deux substances ont été créées par Dieu (III, 5 début).

— 2e preuve, la personne offensée :

Puisqu'elles lui appartiennent toutes deux également, tous les péchés qui en proviennent offensent également Dieu leur Créateur et (souverain) Seigneur (III, 5).

— 3e preuve, les fins dernières :

Enfin, l'union de la chair et de l'esprit est si étroite que tous deux ressusciteront ensemble, au jour du jugement, pour la vie (éternelle) ou le châtiment, suivant qu'ils auront vécu ensemble dans le péché ou l'innocence (III, 6).

Conclusion partielle. En cas de péché, l'obligation de la pénitence incombe non moins à chacune des parties considérée isolément qu'à toutes les deux ensemble; en effet, leur culpabilité est commune;

— leur juge est commun, Dieu;

donc leur remède doit être commun, à savoir la pénitence (III, 7).

Transition. La distinction entre péchés corporels et péchés spirituels repose sur le fait que tout péché est commis soit en acte, soit en pensée :

— sera corporel un péché réalisé dans une action et, dès lors, devenu susceptible d'être observé, constaté;

– sera spirituel un péché demeuré dans l'âme (III, 8).

Propositio : Tous les péchés (corporels ou spirituels) doivent être évités, et il faut s'en purifier par la pénitence.

Adprobatio (III, 9 -IV, 4)

1. *Preuves de raison* (III, 9-12).

a) du point de vue de Dieu :

Que l'on aille pas croire que les péchés purement intérieurs sont dépourvus de gravité; il n'en est rien.

Au contraire, tous les péchés peuvent revêtir une égale gravité, car ils sont commis les uns et les autres sous *le regard de Dieu* (III, 9).

En effet,

la puissance de Dieu s'exerce sur toute chose, et rien ne peut se soustraire à sa vue;

– d'autre part, Dieu se doit de sanctionner tout ce qui est péché : il ne saurait rien oublier; il ne saurait davantage dissimuler ni transiger (III, 10).

b) du point de vue de l'homme :

La gravité respective des péchés est à évaluer en fonction de *la volonté* de l'homme, qui est à leur origine.

Si l'on excepte les cas qui peuvent être imputés à la nécessité et au hasard (cas où la volonté de l'homme n'est pas impliquée et où il ne peut être tenu pour responsable),

il n'est point de péché qui ne tire son origine de la volonté (III, 11). Par conséquent, un acte sera d'autant plus passible de sanction, que la volonté aura pris une part plus grande à sa culpabilité.

Réfutation d'une objection : Lors même qu'un obstacle quelconque a empêché l'agent de mettre à exécution l'acte projeté,

la volonté (partant, la responsabilité) demeure impliquée, car elle s'était, pour sa part, déterminée à commettre le péché (III, 12).

2.*Preuve scripturaire* (III, 13).

Si le Seigneur porte la loi à son achèvement, c'est précisément en interdisant les péchés de la volonté (purement intérieurs) :

il appelle adultère non seulement celui qui le commet extérieurement, mais aussi celui qui souille la femme d'autrui par un regard chargé de concupiscence (allusion à *Matth.* 5, 28) (III, 13).

Conclusion partielle. Par conséquent, l'homme doit s'interdire non seulement de commettre le péché extérieurement, mais même de se le représenter;

fût-il posé par la volonté seulement, le péché peut être parfaitement accompli. En effet, la volonté se substitue à l'acte extérieur, par le plaisir qu'elle procure; elle mérite donc aussi d'être punie pour celui-ci, en son lieu et place (III, 14).

Refutatio (III, 15-16).

1. *Objection*. Mais dira-t-on : Si j'ai voulu commettre telle action, du moins ne l'ai-je pas accomplie (donc je ne mérite pas d'être puni...).

2. *Réponse* (sous forme de dilemme) : Si l'action a été voulue, il fallait la réaliser, ou bien ne pas la vouloir, puisqu'elle n'a pas été accomplie (III, 15).

En toute hypothèse, l'on ne saurait éviter la condamnation que prononce la conscience, car

— ou bien on avait voulu quelque chose de bien et l'on aurait pas dû négliger de le faire;

— ou bien on s'est abstenu de commettre telle action, parce qu'elle était mauvaise, et l'on aurait dû aussi s'abstenir de la vouloir;

dans chacun des cas, on est coupable,

soit parce que l'on a voulu ce qui est mal,

soit parce que l'on n'a pas accompli ce qui est bien (III, 16).

Conclusion (IV 1-2 début). Tous les péchés, qu'ils soient commis par la chair ou par l'esprit, par action ou par désir, sont donc également passibles de châtiment, au regard du jugement; mais Dieu a promis son pardon, à condition que le pécheur fasse pénitence (citation de *Éz.* 18, 21-23; 33, 11).

La pénitence signifie donc la vie; elle l'emporte sur la mort.

Péroraison (IV, 2 fin -4).

Tertullien reconnaît volontiers qu'il a été et reste un pécheur; il exhorte instamment ses auditeurs à faire pénitence, à saisir l'occasion qui s'offre à eux, comme un naufragé agrippe une planche de salut (IV, 2).

Alors que les flots du péché allaient les engloutir, la pénitence les portera jusqu'au port du salut (IV, 3) et au bonheur éternel.

Puisqu'ils ont enfin découvert la vérité, ils se feront un devoir de faire pénitence de leurs erreurs passées; ils se détourneront de tout ce qui déplaît à Dieu (IV, 4).

III. *Fructus paenitentiae* (IV, 5-8)

Transition. Énumérer les avantages de la pénitence est une tâche ardue : le sujet est des plus vastes et il exigerait une grande éloquence ; compte tenu de ses limites, Tertullien se bornera à évoquer un seul aspect :

Propositio. Ce que Dieu ordonne est bon et ce bien l'emporte sur tous (IV, 5).

Praescriptio. Du reste, n'y a-t-il pas de la part de l'homme une certaine outrecuidance à vouloir discuter de la bonté des commandements de Dieu ?

En effet, ce n'est pas parce qu'un commandement de Dieu est bon que nous devons lui obéir, mais parce que Dieu l'a prescrit : (Dieu est le maître ; nous lui devons obéissance) il faut faire passer l'autorité du maître avant les intérêts du serviteur (IV, 6).

Adprobatio. Le chrétien ne se demandera donc pas si c'est un bien ou non de faire pénitence : Dieu l'a ordonné ; cela lui suffit.

Mais Dieu ne se contente pas de prescrire la pénitence ; il y invite, il y exhorte, il promet le salut comme récompense à ceux qui s'y soumettent, et il assortit sa promesse d'un serment solennel (citation de *Éz.* 33, 11) (IV, 7).

Exhortation. Heureux sommes-nous, puisque Dieu s'engage par serment à cause de nous ; mais combien malheureux serons-nous, si nous refusons de croire le Seigneur, qui s'engage par serment (pour nous inviter à faire pénitence).

Conclusion. Ce que Dieu recommande si instamment, nous devons l'entreprendre et nous en acquitter avec le plus grand soin, afin d'en recueillir le fruit, une fois que la pénitence nous aura établis à demeure dans la grâce divine (IV, 8).

IV. *Modus paenitentiae* (V, 1-12)

Propositio. Une fois reconnue et assumée, la pénitence ne doit plus être brisée par la rechute dans le péché.

Adprobatio (V, 1-9).

1. *Status quantitatis.* Retomber dans le péché serait une faute *inexcusable,* car on ne saurait alléguer pour excuse l'*ignorance ;* en effet,

— on a appris à connaître le Seigneur (cf. III, 1) ;
— on a accepté ses commandements (cf. III, 2) ;

– on a accompli la pénitence de ses péchés (V, 2).

2. *Status qualitatis*. Retomber dans le péché constitue :

a) un acte de rébellion *(contumacia)*, d'autant plus grave que l'on avait bénéficié davantage des lumières de la vérité ; en effet,

puisque l'on avait fait pénitence de ses péchés par crainte du Seigneur, la rechute dans le péché implique le rejet de cette crainte ;

or, seule la contumace peut détruire la crainte de Dieu (V, 3-4 début) ;

b) un acte de la pire *ingratitude ;* en effet,

s'il est vrai qu'ignorer Dieu est une faute inexcusable, même de la part de ceux qui n'ont pas appris à le connaître par la foi – car il se fait connaître à tous les hommes par les bienfaits de sa création –,

combien plus il est redoutable de le mépriser, après que l'on a appris à le connaître par la foi ;

or, il méprise Dieu, celui qui ayant reçu de lui l'intelligence du bien et du mal, retourne au péché ; en effet,

il tourne ainsi en dérision sa propre intelligence, qui est le don de Dieu et, du même coup, son donateur (V, 4 fin).

Conclusion partielle. Comment un rebelle, comment un ingrat pourrait-il encore plaire à Dieu ?

3. *Confirmatio*. Si l'on veut apprécier toute la gravité de la rechute dans le péché de la part d'un homme qui avait renoncé à Satan en faisant pénitence, il faut bien se rendre compte :

a) qu'il donne à Satan l'occasion de se réjouir aux dépens du Seigneur, pour avoir récupéré sa proie ;

b) qu'il accorde à Satan la préférence, après avoir, en quelque sorte, comparé les mérites respectifs de Dieu et de Satan ;

c) qu'après avoir offert à Dieu un commencement de satisfaction, en faisant pénitence de ses péchés, il offre en quelque sorte satisfaction à Satan, en faisant pénitence de sa première pénitence (V, 9 début).

Conclusion : Un tel homme sera d'autant plus en abomination devant Dieu, qu'il sera devenu plus agréable à son adversaire.

Confutatio (V, 10-12).

1. L'*objection :* certains prétendent qu'il suffit d'assumer la pénitence de cœur et d'esprit, et qu'il importe moins de la traduire en actes extérieurs ;

2. *Réponse* de Tertullien : c'est là une opinion inadmissible; en effet, elle équivaut à dire :
– que l'on peut pécher tout en gardant la foi et la crainte de Dieu;
– commettre un adultère, tout en gardant la chasteté;
– commettre un parricide, tout en gardant la piété filiale (V, 10).
En vertu du même principe, on pourra leur rétorquer qu'ils seront précipités dans la géhenne, sans perdre le pardon divin (V, 11).
Autant dire que l'on commet le péché, parce qu'on craint le Seigneur, et que l'on ne commettrait aucun péché, si l'on cessait de le craindre (V, 12).
Conclusion : Ce sont là des élucubrations d'hypocrites, qui ont partie liée avec le Diable; leur pénitence n'est jamais sincère.

2ᵉ PARTIE : QUESTIONS PARTICULIÈRES (VI-XI)

I. La pénitence prébaptismale (VI)

Transition. Tout ce qui a été dit précédemment sur la nécessité d'assumer la pénitence une fois pour toutes et de la conduire à son achèvement concerne tous ceux qui se sont donnés au Seigneur, mais au premier chef les catéchumènes.
Propositio. Or, certains d'entre eux, faute de bien connaître la parole de Dieu, ou par manque de volonté, assument la pénitence, mais ils négligent de l'accomplir comme il convient (VI, 1).

Au contraire, la perspective de devoir renoncer bientôt à l'une ou l'autre de leurs convoitises les pousse à les entretenir encore, à se complaire à leur funeste douceur (VI, 2).

DIVISIO
Motif de cette attitude

C'est parce que l'on reçoit le baptême de manière présomptueuse (cf. VI, 20-24), que l'on néglige de s'engager dans une pénitence sincère (cf. VI, 15-16); en effet, certains que le baptême remet tous les péchés (cf. VI, 9-13), d'aucuns s'accordent, avant de le recevoir, un délai pour pécher encore, au lieu d'apprendre à ne plus pécher du tout (VI, 3).

C'est là une attitude inepte et injuste, car :
Propositio. Il n'est pas question de pardon des péchés sans pénitence accomplie (VI, 4).
Adprobatio (VI, 4-20).

A) La pénitence est *le prix* fixé par Dieu pour accorder son pardon (VI, 4-8).
Raisonnement analogique = les *qualités* de la pénitence :

1. Elle doit être intégrale, sans réserve, de bon aloi.
En effet, si les marchands examinent d'abord la pièce qu'ils ont reçue en paiement, pour voir si elle n'est pas rognée, plaquée, de mauvais aloi, le Seigneur aussi voudra examiner de près notre pénitence, puisqu'il doit nous accorder en retour le bien précieux de la vie éternelle (VI, 5).

2. D'autre part, elle doit être accomplie sans aucun *délai,* c'est-à-dire :
– quand le pardon demeure encore en suspens,
– quand le châtiment nous menace encore,
– quand nous pouvons mériter encore (VI, 6).
Sinon, elle est sans valeur, elle ne peut nous mériter le pardon.
Exempla : – l'esclave parvenu à la condition d'homme libre
– le soldat libéré du service militaire
n'ont plus à rendre compte des fautes antérieures (VI, 7).
Conclusion partielle. Il en va de même pour le pécheur : il doit pleurer ses fautes avant d'avoir obtenu le pardon,
car le temps de la pénitence est aussi celui du danger et de la crainte (VI, 8).
Réfutation des objections (VI, 9-13).
Transition. Certes, le baptême remet tous les péchés,
mais il faut faire effort pour atteindre ce but.
Raisonnement analogique. Il en va de même dans tous les groupements religieux, qui exigent de leurs adeptes une conversion sincère (VI, 9).
1. Certains se flattent d'accéder au baptême par surprise.
Réponse. Il se peut qu'ils parviennent à tromper les hommes sur leurs véritables intentions, mais ils ne sauraient se jouer de Dieu, qui connaît la conduite de chacun et n'accorde pas sa grâce à des indignes (citation de *Matth.* 10, 26) (VI, 10).
2. Certains s'imaginent que *Dieu est obligé d'accorder ce qu'il a*

promis, fût-ce à des indignes (or, il a promis de remettre tous les péchés au baptême).

Réponse. C'est là transformer en servitude sa libre bienveillance (VI, 11); mais si Dieu nous accorde ses dons sous l'effet de la contrainte, comment croire que c'est une fois pour toutes et de manière durable (VI, 12)? Du reste, la défection d'un grand nombre, après le baptême, illustre bien avec quelle témérité on reçoit le baptême (VI, 13).

Conclusion partielle. Les catéchumènes ne peuvent continuer de vivre dans le péché; au contraire, dès qu'ils ont appris à connaître Dieu, ils doivent lui témoigner crainte et respect (VI, 14).

Sinon, il leur est inutile d'avoir appris à le connaître (VI, 15 début).

B) D'autre part, la pénitence est le *signe* d'une foi authentique (VI, 16-20).

En effet, le catéchumène participe aux mêmes biens que les chrétiens qui ont déjà reçu le baptême (VI, 15 fin) :
– il croit au même Christ (VI, 15 fin);
– il partage la même espérance;
– il craint le même jugement;
– il a également besoin de faire pénitence.

Or, la foi commence par une pénitence sincère et le baptême est le sceau de la foi (VI, 16).

(On pourrait même affirmer, par manière de *paradoxe,* que :)

Si nous recevons le baptême, ce n'est pas afin de cesser de pécher, mais parce que nous avons déjà cessé de pécher (parce que, au fond de notre cœur, nous sommes déjà lavés).

Adprobatio. En effet, c'est parce que nous avons éprouvé la *puissance* du Seigneur, que nous avons vu naître en nous une *crainte* parfaite et une *foi* pure et que nous avons embrassé la pénitence, une fois pour toutes (VI, 17).

– Vouloir remettre notre conversion (vouloir renoncer au péché seulement) après le baptême, c'est ne céder qu'à la *nécessité* et faire preuve d'une vertu inférieure (VI, 18).

Altercatio (démonstration par l'absurde) (VI, 19-20).

Si la nécessité est le seul frein au péché, autant dire :
– que le seul frein du vol est la solidité des serrures;
– que le seul frein à l'adultère est la vigilance des gardiens (VI, 19).

Se fonder sur de tels principes, c'est s'exposer, une fois baptisé, à regretter d'avoir mis fin à une vie de péché, au lieu de se réjouir d'avoir échappé au péché, en recevant le baptême (VI, 20 début).

Conclusion partielle : Les catéchumènes doivent aspirer au baptême, mais ils doivent éviter de le recevoir témérairement (VI, 20 fin).

Comparatio (VI, 21-24)

Que l'on compare l'attitude de celui qui aspire au baptême (en s'y préparant comme il convient, par une pénitence sincère) et l'attitude de celui qui reçoit le baptême témérairement (sans avoir accompli une pénitence convenable) :

– la première est tout imprégnée de respect, de crainte de Dieu; elle conduit à faire effort, afin de mériter le pardon de ses péchés;

– la seconde témoigne d'irrespect, d'orgueil, de mépris à l'égard de Dieu et de ses bienfaits; elle pousse à la négligence; elle fait voir un dû là où Dieu accorde un don (VI, 21-24 début).

Conclusion : La présomption est source de déception, car se promettre quelque chose avant de l'avoir mérité, c'est offenser celui qui doit l'accorder (VI, 24 fin).

II. La pénitence postbaptismale (VII - XI)

Transition. Existe-t-il aussi une pénitence après le baptême? Certes, il vaudrait mieux que les chrétiens n'aient pas à s'informer à ce sujet ni à recourir à cette possibilité (VII, 1).

Praemunitio : Bien qu'à contre-cœur, Tertullien se doit, cependant, d'en mentionner l'existence; ce n'est pas, de sa part, accorder une prime au péché (VII, 2)

1re section : Description de la pénitence (VII, 2 - IX, 6)

A. *Son existence* (VII, 2-6)

Propositio. Il existe une pénitence postbaptismale, mais une seule; le chrétien n'en tirera pas prétexte pour continuer de pécher.

Adprobatio. S'imaginer que l'existence d'une pénitence après le baptême donne loisir de pécher encore, serait abuser de la miséricorde divine et laisser libre cours à la témérité humaine (VII, 3).

– Au contraire, le chrétien évitera avec soin de pécher encore, conscient qu'il ne saurait échapper toujours à la justice de Dieu, conscient d'autre part, de la gravité du danger auquel il a échappé (VII, 4).

Exemplum. Il en va ainsi des naufragés qui ont survécu : ils renoncent à s'exposer derechef au danger et se montrent reconnaissants envers Dieu qui les a sauvés (VII, 5).

Ils témoignent ainsi de leur *crainte* et rendent gloire à Dieu (VII, 6).

B. *Sa nécessité* (VII, 7-10)

NARRATIO

(Elle se fonde, évidemment, sur l'existence de péchés commis après le baptême)

1. *Causa.* Acharné à nous perdre, Satan ne relâche pas sa méchanceté,
— dans sa fureur de voir l'homme délivré du péché ;
— dans sa déception de le voir pardonné, échappant à sa domination, appelé à le juger, lui et ses anges (VII, 7-8).

2. *Modus.* C'est pourquoi il intensifie ses attaques, afin d'entraîner le chrétien à pécher encore :
— par la concupiscence de la chair ;
— par les séductions du siècle ;
— par la crainte des persécutions ;
— par les doctrines perverses (VII, 9).

3.' *Remedium.* Mais Dieu, prévoyant la virulence de ses attaques, a permis que soit ouverte encore quelque peu la porte du pardon, bien que le baptême l'ait déjà refermée et comme verrouillée ;
— il a établi dans le vestibule une seconde pénitence, qui ouvre cette porte à ceux qui frappent,
— mais une seule fois, cependant, car c'est en réalité déjà la seconde fois, et jamais plus par la suite (VII, 10).

C. *Sa nature* (VII, 11-14)

Propositio. La pénitence postbaptismale est unique ;
cette seule fois suffit.

En effet, elle accorde ce que l'on ne méritait plus de recevoir (la grâce du pardon), puisque l'on a laissé perdre ce que l'on avait reçu en don gratuit, une première fois (VII, 11) ;
bien mieux, elle prête à l'homme de quoi rendre ce qu'il a perdu (les mérites de la satisfaction pénitentielle).

Exhortation. Il convient donc de remercier le Seigneur, qui a voulu renouveler ses bienfaits envers les pécheurs, voire les augmenter (VII, 12).

Conclusion partielle et transition : Si quelqu'un a besoin de recourir à la pénitence après le baptême, il ne doit pas se décourager, mais, au contraire, s'y engager sans honte, résolument (VII, 13).

Il se montrera ainsi reconnaissant envers le Seigneur,
– qui offre le remède de la pénitence,
– promet la réconciliation,
et accepte volontiers la satisfaction offerte par le pécheur qui fait pénitence (VII, 14).

D. *Ses effets* (VIII)

1. *Propositio.* Dieu pardonne au pécheur qui fait pénitence
Preuve scripturaire. Dans l'Apocalypse il invite tous les pécheurs à faire pénitence et il emploie même les menaces à cet effet ;
or, il ne menacerait pas ceux qui négligent de faire pénitence,
s'il n'avait pas l'intention de pardonner à celui qui fait pénitence (VIII, 1-2 début).

2. *Propositio.* Dieu accepte volontiers la pénitence du pécheur, car

a) il est infiniment miséricordieux :

Preuves scripturaires :
– il invite le pécheur à se convertir (citation de *Jér.* 8, 4) ;
– il préfère la miséricorde aux 'sacrifices (allusion à *Os.* 6, 6 ; *Matth.* 9, 13...) ;
– les cieux se réjouissent à la pénitence du pécheur (allusion à *Lc* 15, 10).

Exhortation. Que le pécheur se sente encouragé à cette pensée (VIII, 3).

Exempla. Du reste, les paraboles de l'Évangile offrent les symboles les plus éloquents de la réconciliation divine offerte au pécheur qui fait pénitence :
– la drachme perdue (VIII, 4) ;
– la brebis égarée et retrouvée (VIII, 5) ;
– l'enfant prodigue (VIII, 6).

b) il est père et nul ne l'égale en bonté (VIII, 7) :
C'est pourquoi il accueille le pécheur, car il est son fils ;
– il l'accueille, bien qu'il ait gaspillé ses dons,

— à condition, toutefois, qu'il fasse pénitence du fond du cœur, c'est-à-dire :
- qu'il abandonne le péché,
- retourne auprès de son Père
- et avoue son péché (citation de *Lc* 15, 21) (VIII, 8).

Conclusion partielle. L'aveu sincère du péché le diminue; la dissimulation l'aggrave; en effet, l'aveu manifeste la résolution d'offrir une satisfaction pour le péché, tandis que la dissimulation naît de la contumace (VIII, 9).

E. *Ses modalités* (IX)

Propositio. La pénitence postbaptismale (seconde et unique) doit être accomplie non seulement au for de la conscience, mais réalisée par une prestation extérieure pénible (IX, 1).

Definitio. Cette prestation est désignée par le terme grec : *exomologèse* ;
elle consiste a) à confesser à Dieu son péché;
                 b) à lui offrir satisfaction pour le péché;
par cette pénitence, Dieu est apaisé (IX, 2).

Ratio faciendi. Elle provoque, en effet, en l'homme une attitude pleine d'humilité et un mode de vie de nature à implorer la miséricorde de Dieu (IX, 3).

Description. L'exomologèse
a) détermine jusqu'à la manière de se vêtir et de se nourrir du *pénitent;*
b) elle lui enjoint de jeûner, prier, veiller;
c) de se jeter aux genoux des *prêtres* et des *« autels de Dieu»*;
d) de demander aux *frères* de se faire les ambassadeurs de ses supplications (IX, 4).

Ses effets. Tout cela l'exomologèse l'ordonne, afin :
— de faire agréer la pénitence;
— de rendre gloire au Seigneur, par la crainte du châtiment éternel.

Elle prend la place de la colère de Dieu, en prononçant elle-même la sentence contre le pécheur;
en infligeant un châtiment transitoire, elle élude, ou plutôt elle efface les supplices éternels (IX, 5).

Amplificatio (ab inter se collidentibus)
C'est pourquoi, quand elle abaisse l'homme, elle le relève;

- quand elle lui demande de se négliger, elle lui rend sa beauté;
- quand elle l'accuse, elle l'excuse;
- quand elle le condamne, elle l'absout (IX, 6).

Conclusion partielle. Dieu épargne le pécheur, dans la mesure où celui-ci refuse de s'épargner lui-même.

2ᵉ section : Réfutation des objections (X-XI)

Elles émanent de deux catégories d'adversaires de l'exomologèse :
A. Ceux qui allèguent l'*incommodum pudoris* et le considèrent comme intolérable (X, 1-8).

Transition. Il est bien des chrétiens qui refusent de faire pénitence ou la diffèrent de jour en jour;
ils sont, en effet, plus préoccupés de leur réputation que de leur salut;
(ils ressemblent à des gens qui, ayant contracté une maladie aux parties honteuses, évitent de la montrer aux médecins);
(comme ceux-ci) ils préservent leur *pudor,* mais perdent la vie (X, 1).

Réponse.
1. C'est là une attitude – injuste à l'égard de Dieu
                          – qui se fonde sur une interprétation erronée de ce qui est vraiment *utile* à l'homme
En effet, bien que cela paraisse intolérable à l'amour-propre,
faire pénitence, offrir une satisfaction à Dieu que l'on a offensé, constitue un devoir de *justice;*
– d'autre part, c'est le moyen prévu par Dieu pour rétablir le pécheur dans le pardon, qui lui rend le salut (X, 2).
Au contraire, l'*intérêt* bien compris exige que l'on n'accorde aucune place à l'amour-propre,
mais que l'on accroisse son profit en lui infligeant des dommages.
Prosopopée : C'est à quoi l'amour-propre lui-même convie le pécheur (X, 3).
2. Cette attitude est inspirée par une *crainte sans fondement* (X, 4-6).
Certes, la crainte serait fondée, si l'on avait affaire à des gens
– qui donnent libre cours à leurs moqueries insolentes,
– et cherchent à s'élever en humiliant autrui.

Mais il n'y a rien à craindre de la part de *frères* dans la foi
— qui partagent avec lui espérance, crainte, joie, souffrances,
— car ils possèdent le même Esprit, le même Père (X, 4).
Loin de l'applaudir, ils déplorent le péché,
— car ils sont membres du même corps,
et ils intercèdent pour le pécheur, auprès du Père, avec le Christ,
en son corps, qui est l'Église (X, 5-6).

3. Du reste, il est absolument *inutile* de vouloir dissimuler son
péché :
Si l'on peut se flatter de le cacher aux hommes,
on ne saurait le cacher à Dieu (X, 7).

4. Comment, enfin, a-t-on l'audace de mettre sur le même plan
l'opinion des hommes et la connaissance que Dieu a de
nous (X, 8)?
Conclusion : Il vaut donc mieux recevoir le pardon (en faisant
pénitence) publiquement (au vu et su des hommes) que de
mériter la condamnation en se dérobant (au devoir de faire
pénitence) (X, 8).

B. Ceux qui redoutent les *incommoda corporis* (X, 9 - XI).
Transition : Certains objectent que l'entreprise de l'exomologèse
est trop difficile, trop pénible.
Réponse (générale). C'est pourtant le parti préférable; du reste,
quand il y va de notre salut, peut-on encore parler de
peine (X, 9)?
Exemplum. Il en va de même pour les maladies; il est douloureux
de subir une amputation, le cautère, ou de prendre certaines
potions, mais la douleur ainsi procurée, passagère, est compensée
par la santé rendue (X, 10).
Description. Quels sont, du reste, les inconvénients corporels, que
l'on redoute à ce point (XI, 1-3)?
Réponse (détaillée). A peine quelques restrictions, insignifiantes,
sur la toilette, les agréments de la vie, les bains, la nourriture;
mais convient-il d'implorer le pardon de ses péchés, en ne
s'imposant aucune restriction (XI, 1-3)?
Exemplum. Que l'on mette en regard les sacrifices que
s'imposent les païens, lorsqu'ils briguent des magistratures
éphémères (XI, 4-5).
Conclusion. Comment pourrait-on hésiter à entreprendre l'œuvre

de la pénitence, alors qu'il s'agit d'offrir à Dieu, que l'on a offensé, une juste satisfaction (XI, 6)?

La refuser, n'est-ce pas mettre le comble à ses péchés (XI, 7)?

Péroraison (XII)

A. *Comparatio*. Tous les sacrifices liés à l'exomologèse ne sont rien en comparaison des peines de l'enfer, auxquelles ils permettent d'échapper (XII, 1-4).

En effet, c'est un feu incommensurable, éternel,

– dont les manifestations volcaniques ne donnent qu'une faible idée (XII, 1-4).

B. *Exhortatio*. Conscient de la grandeur du châtiment qui le menace, le pécheur s'empressera de recourir au remède qui lui est proposé (XII, 5-8).

Exempla.

1. Qu'il imite les animaux muets, le cerf, l'hirondelle, qui reconnaissent en temps utile les remèdes que la divinité leur a destinés (XII, 6).

2. Qu'il imite le roi de Babylone, dont la longue et rude pénitence mérita la faveur de Dieu (XII, 7).

3. Mais qu'il évite de suivre l'exemple du Pharaon d'Égypte, qui refusa de s'amender et périt dans les flots (XII, 8).

Conclusion : Tertullien s'excuse auprès de son auditoire d'avoir parlé trop longuement. Sa seule excuse c'est qu'étant pécheur, comme Adam, et rétabli, comme lui, dans la grâce de Dieu, il ne saurait taire les mérites de la pénitence (XII, 9).

ABRÉVIATIONS ET SIGLES

1. Œuvres de Tertullien

An.   : De anima.
Apol.   : Apologeticum.
Bapt.   : De baptismo.
Carn.   : De carne Christi.
Cast.   : De exhortatione castitatis.
Cor.   : De corona.
Cult.   : De cultu feminarum.
Fug.   : De fuga in persecutione.
Herm.   : Aduersus Hermogenem.
Idol.   : De idololatria.
Iei.   : De ieiunio aduersus psychicos.
Iud.   : Aduersus Iudaeos.
Marc.   : Aduersus Marcionem.
Mart.   : Ad martyras.
Mon.   : De monogamia.
Nat.   : Ad nationes.
Orat.   : De oratione.
Paen.   : De paenitentia.
Pal.   : De pallio.
Pat.   : De patientia.
Praes.   : De praescriptionibus aduersus haereses omnes.
Prax.   : Aduersus Praxean.
Pud.   : De pudicitia.
Res.   : De resurrectione mortuorum.

Scap.   : Ad Scapulam.
Scorp.   : Scorpiace.
Spect.   : De spectaculis.
Test.   : De testimonio animae.
Val.   : Aduersus Valentinianos.
Virg.   : De uirginibus uelandis.
Vx.   : Ad uxorem.

2. Autres ouvrages

ALÈS = A. D'ALÈS, *La théologie de Tertullien*, Paris 1905.

ALMA = Archivum Latinitatis Medii Aevi (Bulletin Du Cange), Leiden.

AMANN, «Pénitence – Repentir» = É. AMANN, art. «Pénitence – Repentir», *DTC* 12, 1933, c. 722-748.

AMMAN, «Pénitence – Sacrement» = É. AMMAN, art. «Pénitence – Sacrement, I : La pénitence primitive», *DTC* 12, 1933, c. 749-845.

AUBIN = P. AUBIN, *Le problème de la conversion. Étude sur un terme commun à l'hellénisme et au christianisme des trois premiers siècles*, Paris 1963.

BAGB = Bulletin de l'Association Guillaume Budé, Paris.

BARNES = T.D. BARNES, *Tertullian*, Oxford 1971.

BECK = A. BECK, *Römisches Recht bei Tertullian und Cyprian*, Halle 1930, repr. Aalen 1967.

BRAUN = R. BRAUN, *Deus Christianorum. Recherches sur le vocabulaire doctrinal de Tertullien*, Paris 1977[2].

BRÜCK = M. BRÜCK, «Genugtuung bei Tertullian», *Vigiliae christianae* 29, 1975, p. 276-290.

CAMPENHAUSEN = H. VON CAMPENHAUSEN, *Kirchliches Amt und geistliche Vollmacht in den ersten drei Jahrhunderten*, Tübingen 1963[2].

CCSL = Corpus Christianorum, Series Latina, Turnhout.

CIL = Corpus Inscriptionum Latinarum, Berlin.

CSEL = Corpus Scriptorum Ecclesiasticorum Latinorum, Vienne

DASSMANN = E. DASSMANN, *Sündenvergebung durch Taufe, Busse und Martyrerfürbitte*, Münster 1973.

DIETRICH = E.K. DIETRICH, *Die Umkehr (Bekehrung und Busse) im Alten Testament und im Judentum*, Stuttgart 1936.

DTC = Dictionnaire de Théologie Catholique, Paris.

FINÉ = H. FINÉ, *Die Terminologie der Jenseitsvorstellungen bei Tertullian,* Bonn 1958.

FREDOUILLE = J.C. FREDOUILLE, *Tertullien et la conversion de la culture antique,* Paris 1972.

FUETSCHER = L. FUETSCHER, «Die natürliche Gotteserkenntnis bei Tertullian», *ZKTh* 51, 1927, p. 1-34; 217-251.

HOPPE, *Beiträge* = H.HOPPE, *Beiträge zur Sprache und Kritik Tertullians,* Lund 1932.

HOPPE, *Syntax* = H. HOPPE, *Syntax und Stil des Tertullians,* Leipzig 1903.

JbAC = Jahrbuch für Antike und Christentum, Münster.

KARPP = H. KARPP, *Die Busse. Quellen zur Enstehung des altkirchlichen Busswesen,* Zürich 1969; tr. française par A. Schneider, W. Rordorf, P. Barthel, Neuchatel 1970.

KELLNER = H. KELLNER, *Tertullians ausgewählte Schriften (Bibliothek der Kirchenväter* 7), Kempten-Munich 1912.

KLEIN = J. KLEIN, *Tertullian, christliches Bewusstsein und sittliche Forderungen,* Düsseldorf 1940; repr. Hildesheim 1975.

LABRIOLLE = P. DE LABRIOLLE, *Tertullien. De paenitentia. De pudicitia (Textes et documents* 3), Paris 1906.

LAUSBERG = H. LAUSBERG, *Handbuch der litterarischen Rhetorik,* I-II, Munich 1973[2].

LE SAINT = W.P. LE SAINT, *Tertullian. Treatises on Penance. On Penitence and on Purity (Ancient Christian Writers* 8), Westminster (Maryland) – Londres 1959.

LThK = Lexikon für Theologie und Kirche, Fribourg.

MARTIN = J. MARTIN, *Antike Rhetorik (Handbuch der Altertumswissenschaft* II,3), Munich 1974.

MEFR = Mélanges d'Archéologie et d'Histoire de l'École Française de Rome, Paris.

MONIER = R. MONIER, *Manuel élémentaire de Droit romain,* I, Paris 1945[5].

POHLENZ = M. POHLENZ, *Die Stoa,* I, Göttingen 1978[5].

POSCHMANN = B. POSCHMANN, *Paenitentia secunda,* Bonn 1940, repr. 1964.

RAC = Reallexicon für Antike und Christentum, Stuttgart.

RAMBAUX = Cl. RAMBAUX, *Tertullien face aux morales des trois premiers siècles,* Paris 1979.

REAug = Revue des Études Augustiniennes, Paris.

Rev SR = Revue des Sciences Religieuses, Strasbourg.

SC = Sources Chrétiennes, Paris.

SCIUTO = F. SCIUTO, *Tertulliano. Tre opera parenetiche (Ad martyras, De patientia, De paenitentia)*, Catane 1961.

SMSR = Studi e Materiali di Storia delle Religioni, Rome.

SPANNEUT = M. SPANNEUT, *Le stoïcisme des Pères de l'Église, de Clément de Rome à Clément d'Alexandrie*, Paris 1957.

SVF = Stoicorum Veterum Fragmenta, I-IV, repr. stéréot. Stuttgart 1964.

TRÄNKLE = H. TRÄNKLE, *Q.S.F. Tertulliani Adversus Iudeos*, Wiesbaden 1964.

ThWBNT = Theologisches Wörterbuch zum neuen Testament, Stuttgart.

VORGRIMLER = H. VORGRIMLER, *Busse und Krankensalbung, Handbuch der Dogmengeschichte*, hg. von M. Schmaus, A. Grillmeier, L. Scheffczyk, M. Seybold, IV, 3, Fribourg – Bâle – Vienne 1979.

WASZINK = J.H. WASZINK, *Q.S.F. Tertulliani De anima*. Edited with Introduction and Commentary, Amsterdam 1947.

WILHELM-HOOIJBERG = A.E. WILHELM-HOOIJBERG, *Peccatum, Sin and Guilt in Ancient Rome*, Groningen – Djakarta 1954.

ZATW = Zeitschrift für die Alttestamentliche Wissenschaft, Berlin.

ZKTh = Zeitschrift für Katholische Theologie, Vienne.

Lorsqu'un ouvrage est cité dans la bibliographie (p. 241-248), ses références sont données en note de manière abrégée.

3. Apparat critique

T   Trecensis 523, saec. XII.

T′   eiusdem lectiones ante correctiones.

T″   eiusdem lectiones post correctiones sive librarii ipsius sive correctoris aetatis eiusdem (cf. TRÄNKLE, p. CIV-CVI).

O   Ottobonianus 25, saec. XIV.

N   Florentinus Magliabechianus, conv. soppr. I, VI, 9, saec. XV.

F   Florentinus Magliabechianus, conv. soppr. I, VI, 10, saec. XV.

X   Luxemburgensis 75, saec. XV.

G   Gorziensis amissus, quem B. Rhenanus in tertia editione sua adhibuit.

D   Divionensis amissus, cuius aliquot lectiones a P. Pithou et Cl. de Saumaise collectae sunt.

R¹   editio princeps Beati Rhenani, Basileae 1521.

R²   editio secunda Beati Rhenani, Basileae 1528.

R³   editio tertia Beati Rhenani, Basileae 1539.

Rᵐ   lectiones manu propria Beati Rhenani adpositae in margine cuiusdam exemplaris secundae editionis.

R   consensus editionum Beati Rhenani (R¹, R², R³).

α   consensus codicum NGD.

β   consensus codicum FX et editionum B. Rhenani (qui saepius γR notatur).

γ   consensus codicum FX.

θ   consensus codicum NFXD (cum editionibus B. Rhenani, nisi aliter constet).

Pam   editio Iacobi Pamelii, Antverpiae 1584.

Lat   notae Latini Latinii ex libro qui inscribitur Loci ex coniectura L.L. Viterbiensis vel restituti vel aliter lecti in Tertulliano post editionem Pamelii, Romae 1584.

Iun   notae Francisci Iunii editioni Pamelianae iteratae (Franekerae 1597) in appendice additae.

Vrs   notae Fulvii Ursini ab Ioanne a Wouwer in libro qui inscribitur Ad Q.S.F. Tertulliani opera emendationes epidicticae (Francofurti 1603) traditae.

Rig   editio Nicolaii Rigaltii, Parisiis 1634.

Brf   J.G.Ph. Borleffs editio quarta tractatus Tertulliani De paenitentia (in *CSEL* 76), Vindobonae 1957.

codd.   consensus codicum omnium.

coni.   coniecit.

corr.   prior lectio codicis in textum receptum correcta est.

def.   deficit.

mg   in margine scripsit.

om.   omisit.

tr.   transposuit.

TEXTE

ET

TRADUCTION

DE PAENITENTIA

I. 1. Paenitentiam, hoc genus homines, quod et ipsi retro fuimus, caeci[a] sine Domini lumine, natura tenus norunt passionem animi quandam esse, quae obueniat de offensa sententiae prioris. **2** Ceterum a ratione eius
5 tantum absunt quantum ab ipso rationis auctore. Quippe res Dei ratio, quia Deus, omnium conditor, nihil non ratione prouidit, disposuit, ordinauit; nihil non ratione tractari intellegique uoluit. **3** Igitur ignorantes quique Deum rem quoque eius ignorent necesse est, quia nullius
10 omnino thesaurus extraneis patet. Itaque uniuersam uitae conuersationem sine gubernaculo rationis transfretantes, imminentem saeculo procellam[b] euitare non norunt.
4 Quam autem in paenitentiae actu inrationabiliter deuersentur, uel uno isto satis erit expedire, cum illam
15 etiam in bonis factis suis adhibent. Paenitet fidei, amoris, simplicitatis, liberalitatis, patientiae, misericordiae :

Titulus : Incipit de penitentia T N   Q. Septimii Florentis Tertuliani incipit liber de penitentia X   Incipit liber eiusdem de penitentia F   De bono penitencie enumerando diffusa et propter hoc magno eloquio conmittenda materia est (= 4,5) O.

I.1 paenitentiam *om.* T ∥ homines TO : hominum θ ∥ 12 quod – tenus *om.* O ∥ 3 animi : animae O ∥ esse quandam *tr.* O ∥ obueniat T″ : abueniat T′ ueniat Oθ ∥ 4 prioris TONDR[2,3] : peioris γR[1] ∥ a *om.* T ∥ 5 absunt quantum *om.* O ∥ 6 res dei ratio Oθ : respondet T ∥ deus *om.* T ∥ 7 nihil R : nihilque OND   nihil enim T   nihil quod γ ∥ 8 tractari O″θ : tractans T tractauit O′ ∥ intellegique ONFR : intellegi quod X instituit sicut T ∥ 8-9 ignorantes – ignorent : *locus corruptus* T ∥ 9 ignorent : alias

LA PÉNITENCE

I. **1** La pénitence, les hommes de l'espèce dont nous avons été nous-mêmes autrefois, aveugles[a], privés de la lumière du Seigneur, savent d'après les seules indications de la nature, qu'elle est une affliction de l'âme, qui provient du désagrément causé par une décision antérieure. **2** Au demeurant, ils sont aussi éloignés d'en comprendre le fondement rationnel qu'ils se trouvent éloignés de l'auteur même de la raison. La raison, assurément, est la chose de Dieu, car il n'est rien que Dieu, créateur de toutes choses, n'ait prévu, disposé, ordonné selon la raison, et il n'est rien qu'il ne veuille voir traité et compris selon la raison. **3** En conséquence, tous ceux qui ignorent Dieu, il faut bien qu'ils ignorent aussi la chose de Dieu, car nul ne laisse son trésor accessible à des étrangers. C'est pourquoi, traversant toute la série des actes humains sans se gouverner par la raison, ils ne savent pas éviter la tempête[b] qui menace de s'abattre sur le monde. **4** Combien, dans la pratique de la pénitence, leur conduite est contraire à la raison, il suffira pour le montrer de ce seul fait : ils ont recours à elle même pour leurs bonnes actions; ils font pénitence de leur fidélité, de leur amour, de leur loyauté, de

---

ignorare R^m ‖ nullius T : nullus Oθ ‖ 10 ita O ‖ 11-12 transfretantes ONFR : transfertantes X transferentes T ‖ 12 euitare TO : uitare θ ‖ 13 inrationaliter ND ‖ 14 deuersentur O : diuersentur Tθ ‖ 15 bonis TOR : nobis θ ‖ 16 liberalitatis O : libertatis T *om.* θ ‖ patientiae Oθ : penitenciae T

I, a. cf. Ps. 145, 8   b. cf. Jér. 30, 23

5 prout quid in ingratiam cecidit, semetipsos execrantur,
quia bene fecerint, eamque maxime paenitentiae speciem,
quae optimis operibus inrogatur, in corde figunt,
20 meminisse curantes ne quid boni rursus praestent. Contra
paenitentiae malorum leuius incubant; denique facilius per
eandem delinquunt, quam per eandem recte faciunt.

II. 1 Quodsi Dei ac per hoc rationis quoque compotes
agerent, merita primo paenitentiae expenderent, nec
umquam eam ad augmentum peruersae emendationis adhi-
berent; modum denique paenitendi temperarent, quia et
5 delinquendi tenerent, timentes Dominum[a] scilicet.   **2** Sed
ubi metus nullus, emendatio proinde nulla; ubi emendatio
nulla, paenitentia necessario uana, quia caret fructu suo, cui
eam Deus seuit, id est hominis salute.   **3** Nam Deus, post
tot ac tanta delicta humanae temeritatis a principe generis
10 Adam auspicata, post damnatum[b] hominem cum saeculi
dote[c], post eiectum paradiso mortique subiectum[d], cum
rursus ad suam misericordiam maturuisset, iam inde in
semetipso paenitentiam dedicauit, rescissa sententia irarum
pristinarum, ignoscere pactus operi et imagini suae[e].
15 **4** Itaque et populum sibi congregauit[f] et multis bonitatis
suae largitionibus fouit et ingratissimum totiens expertus,

---

17 quid Tθ : quis OR[m] ‖ ingratiam TR³ : gratiam OθR[1.2] ‖ 17
execrantur . TONDR : execuntur γ ‖ 18 paenitentiae TOGNR²R³ :
patientiae NFXR¹ ‖ 19 figunt Oθ : fingunt T ‖ 20 boni Oθ : non T ‖ 21
paenitentiae T″OND : -tiam T″GR³R[m] patientiae βR[1.2] ‖ malorum
TONDR³R[m] : malum γR[1.2] ‖ incumbant T ‖ 22 eandem¹ : eam O.
II.1 quoque rationis *tr.* ND ‖ quoque *om.* O ‖ 3 ad *om.* T ‖
augmentum TNDFR : augmentam X strumentum O ‖ 4 denique Oθ :
.dignique T′ digneque T″ ‖ 5 dominum Tθ : deum O ‖ scilicet dominum
tr. ND ‖ 7 necessaria O ‖ uana Oθ : uaria T ‖ quia Tθ : qui O ‖ 8 eam :
etiam N ‖ seuit Tθ : censuit O ‖ id est T″θ : idem T′ id O ‖ salute *Brf* :
salutem T saluti Oθ ‖ 8-23 nam – componeret *om.* O ‖ 8 deus² *om.* ND ‖
10 adam γR : ad T humani N ‖ damnatum T : condemnatum θ ‖ 11
subiectum θ : iectum T ‖ 12 maturuisset iam *Brf* : maturius set etiam T
maturauisset θ

leur générosité, de leur patience, de leur pitié. **5** Pour peu qu'une de leurs actions ait rencontré de l'ingratitude, ils se maudissent d'avoir fait le bien et ils impriment dans leur cœur précisément cette forme de pénitence qui vient sanctionner leurs actions les plus louables, veillant à se souvenir soigneusement de ne plus faire le bien désormais. En revanche, ils s'attachent bien moins à faire pénitence de leurs fautes. Bref, la même pénitence est pour eux plus facilement l'occasion de faire le mal que de faire le bien.

II. 1 Si leur conduite était celle de gens qui possèdent Dieu et, par lui, la raison aussi, ils apprécieraient d'abord les bienfaits de la pénitence et ils ne s'en serviraient jamais pour se fourvoyer davantage en s'amendant; en fait ils freineraient le rythme de leur pénitence, car ils possèderaient aussi le moyen de réfréner leur tendance au péché, je veux dire la crainte de Dieu[a]. **2** Mais où il n'est nulle crainte, il n'est aussi nul amendement véritable; où il n'est nul amendement, la pénitence nécessairement est vaine, car elle ne produit pas son fruit, pour lequel Dieu l'a semée, le salut de l'homme. **3** Dieu, en effet, après tant de fautes si graves commises par l'humaine témérité, à commencer par Adam, le premier de sa race; après avoir condamné l'homme[b], avec le monde qu'il avait reçu en partage[c]; après l'avoir chassé du paradis et soumis à la mort[d]; ayant mûri le dessein de revenir à la miséricorde qui est la sienne, Dieu a consacré dès lors la pénitence en sa propre personne et, ayant déchiré la sentence qu'il avait jadis prononcée dans sa colère, il s'engagea à pardonner à celui qui est son œuvre et son image[e]. **4** C'est pourquoi il a rassemblé un peuple qui lui appartînt[f]; il l'a favorisé des nombreuses largesses de sa bonté et, bien qu'il eût si souvent fait

---

II, a. cf. Ps. 2, 11; Prov. 1, 7; Sir. 1, 14; etc.   b. cf. Gen. 3, 17-23 c. cf. Gen. 1, 28-29 d. cf. Gen. 3, 19-23 e. cf. Gen. 1, 26 f. cf. Ps. 84, 3-4; Lc 1, 68

ad paenitentiam semper hortatus, ei praedicandae uniuer-
sorum prophetarum[g] emisit ora, mox gratiam pollicitus,
quam in extremitatibus temporum[h] per spiritum suum[i]
20 uniuerso orbi illuminaturus esset[j], praeire intinctionem
paenitentiae[k] iussit, ut quos per gratiam uocaret ad promis-
sionem semini Abraham destinatam[l], per paenitentiae sub-
signationem ante componeret. 5 Non tacet Iohannes :
paenitentiam initote[m], dicens; iam enim salus nationibus
25 adpropinquabat[n], Dominus scilicet adferens secundum Dei
promissum[o]. 6 Cui praeministram paenitentiam destinarat, purgandis mentibus praepositam, uti quidquid error
uetus[p] inquinasset, quidquid in corde hominis ignorantia
contaminasset, id paenitentia uerrens et radens et foras
30 abiciens, mundam pectoris domum superuenturo Spiritui
sancto paret[q], quo se ille cum caelestibus bonis libens
inferat. 7 Horum bonorum unus est titulus, salus[r]
hominis, criminum pristinorum abolitione praemissa; haec
paenitentiae causa, haec opera, negotium diuinae
35 misericordiae curans; quod homini proficit, Deo seruit.
8 Ceterum ratio eius, quam cognito Domino discimus,
certam formam tenet, ne bonis umquam factis cogitatiue
quasi uiolenta aliqua manus iniciatur. 9 Deus enim
reprobationem bonorum ratam non habet, utpote suorum;
40 quorum cum auctor et defensor sit, necesse est proinde et

---

17 ei predicandae T′ *Brf* : ei praedicando T″ est et prophetando θ ‖ 21
ut TR³ : si θR¹·² ‖ 23 ante componeret TNDR³Rᵐ : anteponeret γR¹·² ‖
25 adpropinquabat T′O : adpropinquabit T″θ ‖ 26 praeministram TO :
praeministrant θ praeministrans R ‖ 26-27 destinarat *Brf* : destinam
distinarat T destinaret O destinabat θ ‖ 27 purgandis Oθ : rogandis T ‖
uti TγR : ut OND ‖ 27-29 quidquid – contaminasset *om.* N ‖ 27
quidquid + aut T ‖ 29 id Tθ : ita per O ‖ paenitentiam OT′ *corr.* ‖
uerrens R³ : auerrens *Iun* auertens TODβR¹·² aduertens N ‖ radens
TR¹ ᵐᵍR²·³ : eradens O tradens NγR¹ ‖ foris γ ‖ 31 sancto *om.* O ‖ 33-34
praemissa – causa : *locus corruptus* T ‖ 34-44 negotium – utraque *om.* O ‖
36 ceterum θ : ceterorum T ‖ 37 bonis *Lat.* : nobis Tθ ‖ 38 uiolenta *Vrs* :
uiolentia TβR inolentia ND ‖ 39 reprobationem θ : perprobationem T ‖
habet T : habens θ

l'expérience de son ingratitude extrême, il n'a cessé de l'exhorter à la pénitence; pour la faire annoncer il a parlé par la bouche de tous les prophètes[g]. Puis, ayant promis la grâce qu'il devait à la fin des temps[h] faire briller par son Esprit[i] pour le monde entier[j], il ordonna que fût instauré d'abord un baptême de pénitence[k], afin que tous ceux que sa grâce appelait à la promesse faite à la race d'Abraham[l] fussent marqués au préalable du signe de la pénitence. 5 Jean ne cesse d'en parler, lui qui dit : «Commencez à faire pénitence[m]»; de fait, le salut approchait pour les nations[n], ou plutôt le Seigneur l'apportait, selon la promesse de Dieu[o]. 6 Pour le servir, le Précurseur indiquait que la pénitence est établie pour purifier les âmes, en sorte que tout ce qui avait été gâté par l'antique erreur[p], tout ce qui, au cœur de l'homme, avait été souillé par l'ignorance, fût balayé, gratté, jeté dehors par la pénitence; elle préparerait ainsi, au cœur de l'homme, une demeure nette pour l'Esprit-Saint qui doit venir ensuite[q], afin qu'il s'y établît volontiers avec les biens du ciel.   7 Ces biens se résument en un seul, le salut[r] de l'homme, une fois effacés les péchés passés. Telle est la raison d'être de la pénitence, tel est son effet; elle administre les intérêts de la divine miséricorde : ce qui profite à l'homme, rend service à Dieu.   8 Par ailleurs, la nature même de la pénitence, que nous apprenons une fois que nous connaissons Dieu, implique une règle bien définie, c'est de ne jamais faire violence, pour ainsi dire, à nos bonnes actions et à nos bonnes pensées. 9 Dieu, en effet, n'admet pas que l'on condamne les choses qui sont bonnes, car elles lui appartiennent; étant leur répondant et leur défenseur, il faut bien aussi qu'il les

---

g. cf. Jér. 35, 15; Lc 1, 70; Act. 3, 18-19   h. cf. Act. 3, 24; Hébr. 1, 1; I Pierre 1, 20   i. cf. Joël 3, 1-2; Act. 2, 17   j. cf. Is. 9, 1; Lc 1, 79; Jn 8, 12   k. cf. Mc 1, 4; Act. 19, 2-6   l. cf. Lc 1, 55   m. cf. Matth. 3, 2   n. cf. Lc 2, 30-31   o. cf. Lc 1, 70   p. cf. Is. 26, 3   q. cf. Matth. 12, 44; I Cor. 3, 16   r. cf. Lc 1, 77

acceptator; si acceptator, etiam remunerator. **10** Viderit
ergo ingratia hominum, si etiam bonis factis paenitentiam
cogit; uiderit et gratia, si captatio eius ad benefaciendum
incitamento est : terrena et mortalis utraque. **11** Quantu-
45 lum enim compendii, si grato benefeceris, uel dispendii, si
ingrato? Bonum factum Deum habet debitorem, sicuti et
malum, quia iudex omnis remunerator est causae. **12** At
cum iudex Deus iustitiae carissimae sibi[s] exigendae tuen-
daeque praesideat et in eam omnem summam disciplinae
50 suae sanciat, dubitandum est, sicut in uniuersis actibus
nostris, ita in paenitentiae quoque causa iustitiam Deo
praestandam esse? Quod quidem ita impleri licebit, si
peccatis solummodo adhibeatur. **13** Porro peccatum nisi
malum factum dici non meretur nec quisquam bene
55 faciendo delinquit. **14** Quodsi non delinquit, cur paenitentiam inuadit delinquentium priuatum? Cur malitiae
officium bonitati suae imponit? Ita euenit ut, cum aliquid
ubi non oportet adhibeatur, illic ubi oportet neglegatur.

III. 1 Quorum ergo paenitentia iusta et debita uideatur,
id est quae delicto deputanda sint, locus quidem expostulat
denotare, sed otiosum uideri potest. **2** Domino enim
cognito, ultro spiritus a suo auctore respectus emergit ad
5 notitiam ueritatis, et admissus ad dominica praecepta, ex
ipsis statim eruditur id peccato deputandum, a quo Deus

44 incitamento γR : incitamentum ND citamento T ‖ et *om.* θ ‖ 45
enim *om.* O ‖ conpendii + est O ‖ 46 sicut OR[2,3] ‖ 47-53 at − adhibeatur
om. O ‖ 50 suae *om.* γR[1,2] ‖ dubitandum Oθ : ubi standum T ‖ in
uniuersis Oθ : inungueris T ‖ 51-52 deo praestandam Oθ : praedicandam
deo T ‖ 54 nec Tθ : ne O ‖ 55 delinquit (bis) T″θ : delinquid T deliquit O
‖ 56 inuadit *om.* O ‖ priuatum Tθ : priuatim O ‖ malicie + sue O ‖ 57
bonitatis T′ *corr.* ‖ imponit TONR : imponitur γ ‖ euenit TONR :
inuenit β ‖ 58 adhibeatur TO : adhibetur θ ‖ ubi + non T.

III.1-9 quorum − est *om.* O ‖ 3 denotare θ : denature T′ de natura T″ ‖
otiosum θ : otiosi T′ otiosa T″ ‖ 4 spiritus a θ : sciret usa T

prenne en compte ; s'il les prend en compte, il se charge
aussi de les rémunérer.   10 Qu'importe donc que l'ingratitude des hommes oblige à faire pénitence même des
bonnes actions ; qu'importe aussi que leur gratitude, par les
efforts déployés pour l'obtenir, soit un stimulant pour faire
le bien ; l'une et l'autre sont terrestres et vouées à la mort.
11 On gagne si peu à obliger une personne reconnaissante ;
on perd si peu à obliger un ingrat ! Mais une bonne action a
Dieu pour débiteur — une mauvaise action également —, car
le juge rétribue chaque cause.   12 Mais étant donné que
Dieu préside comme juge afin que la justice, qui lui est si
chère[s], soit exactement rendue et observée, étant donné
qu'il établit sur le fondement de la justice tout l'ensemble
de sa discipline, peut-on douter qu'en matière de pénitence,
comme en toutes nos actions, il nous faille aussi rendre
justice à Dieu ? Or nous ne pourrons remplir ce devoir que
si nous appliquons la pénitence à nos péchés seulement.
13 Seule une action mauvaise mérite le nom de péché ;
personne ne commet de péché en faisant le bien.   14 Mais
si l'on ne commet pas de péché, pourquoi s'engager dans la
pénitence, qui est le domaine réservé aux pécheurs ? Pourquoi imposer à sa bonté un rôle qui appàrtient à la
méchanceté ? Il arrive ainsi qu'un acte, accompli là où il ne
faut pas, est négligé là où il faudrait l'accomplir.

   III. 1 Déterminer les actes pour lesquels il semble juste
et obligatoire de faire pénitence, à savoir ceux qui doivent
être considérés comme des péchés, c'est ici le lieu de le
faire, mais cela peut paraître superflu.   2 En effet, une fois
que l'on connaît le Seigneur, l'esprit vers lequel son
créateur s'est tourné s'élève de lui-même à la connaissance
de la vérité et, initié aux commandements du Seigneur, il
apprend aussitôt, par leur entremise, qu'il faut considérer
comme péché tout ce que Dieu interdit : en effet, puisque

---

s. cf. Ps. 44, 8 ; Hébr. 1, 9

arceat : quoniam, cum Deum grande quid boni constet
esse, utique bono nisi malum non displiceret, quod inter
contraria sibi nulla amicitia est.   3 Praestringere tamen
10 non pigebit delictorum quaedam esse carnalia, id est
corporalia, quaedam uero spiritalia – nam cum ex hac
duplicis substantiae congregatione confectus homo sit, non
aliunde delinquit quam unde constat –;   4 sed in eo inter
se differunt, quod corpus et spiritus duo sunt, atquin eo
15 magis paria sunt, quia duo unum efficiunt, ne quis pro
diuersitate materiarum peccata earum discernat, ut alterum
altero leuius aut grauius existimet.   5 Siquidem et caro et
spiritus Dei res, alia manu eius expressa, alia adflatu eius
consummata[a]; cum ergo ex pari ad Dominum pertineant,
20 quodcumque eorum deliquerit, ex pari Dominum offendit.
6 An tu discernas actus carnis et spiritus, quorum et in uita
et in morte et in resurrectione tantum communionis atque
consortii est, ut pariter tunc aut in uitam aut in iudicium
suscitentur[b], quia scilicet pariter aut deliquerint aut inno-
25 center egerint?   7 Hoc eo praemisimus, ut non minorem
alteri quam utrique parti, si quid deliquerit, paenitentiae
necessitatem intellegamus impendere; communis reatus
amborum est, communis et iudex, Deus scilicet : communis igitur et paenitentiae medella.   8 Exinde spiritalia
30 et corporalia nominantur, quod delictum omne aut agitur
aut cogitatur, ut corporale sit quod in facto est, quia

---

7 cum deum θ : eum T || 8 nisi malum θ : nisimilum T || 9 sibi θ : nisi T
|| praestringere O : prostringere T perstringere NXR perstringam F || 11
spiritalia TR : spiritualia Oθ || 12 duplicis γR : duplici TOND ||
substantiae Tθ : constantiae O || 14 atquin TOθ : alioquin R || 16
discernat Tθ : discernas O || 16-20 ut alterum – offendit *om.* O || 18 eius
om. TX || 19 cum *om.* T || pertineant T'θ : pertinent T" || 20 offendit
TγR : offenderit ND || 22 communionis θ : communitionis T || 23 aut in
uitam aut *om.* T || in[2] θ : ad T || 24-42 quia – non est *om.* O || 24 aut[1] *om.* T
|| 24-25 aut innocenter θ : adgnoscenter T || 25 praemisimus T :
praemiserimus θ || minorem TFR : minore NXD || 28 iudex deus scilicet
γR : iudex scilicet deus ND iudeus scilicet T || 31 ut *om.* T || 31-32 quod –
factum : *locus corruptus* T

Dieu est un bien immense, il est clair que rien ne saurait déplaire au bien sinon le mal, car entre les contraires nul accord n'est possible. 3 Toutefois que l'on ne m'en veuille pas de dire en passant que certains péchés sont charnels, c'est-à-dire corporels, d'autres spirituels ; en effet, puisque l'homme est constitué par l'union de ces deux substances, ses péchés n'ont pas d'autre origine que les éléments dont il se compose. 4 Mais du fait que le corps et l'esprit sont deux réalités distinctes, il ne s'ensuit pas qu'il existe des péchés de gravité différente ; au contraire, tous les péchés sont d'autant plus égaux que ces réalités constituent un être unique. Que l'on n'aille donc pas distinguer les péchés selon la diversité de ces substances, en estimant qu'un péché de telle espèce est plus léger ou plus grave qu'un péché de l'autre. 5 S'il est vrai que la chair est l'œuvre de Dieu, tout comme l'esprit — l'une a été façonnée par sa main, l'autre parachevé par son souffle[a] —, dès lors, puisque l'une et l'autre relèvent également du Seigneur, tous les péchés commis par l'une ou par l'autre offensent également le Seigneur. 6 Comment, du reste, pourrais-tu discerner les actes de la chair et ceux de l'esprit puisque dans la vie, la mort et la résurrection, leur union et leur association sont tellement étroites qu'ils ressusciteront alors ensemble, pour la vie ou pour le châtiment[b], bien entendu pour avoir vécu ensemble dans le péché ou dans l'innocence ? 7 Si nous avons fait ces remarques préliminaires, c'est pour que nous comprenions bien qu'en cas de péché l'obligation de la pénitence incombe non moins à chacune des parties qu'à toutes les deux ensemble ; commune est leur faute, commun est leur juge, Dieu s'entend ; donc commun leur est aussi le remède de la pénitence. 8 Ainsi donc, si les péchés sont appelés spirituels et corporels, c'est parce que tout péché est commis soit en acte soit en pensée ; ainsi est corporel ce qui est réalisé en

---

III, a. cf. Gen. 2, 7   b. cf. Jn 5, 29

factum ut corpus et uideri et contingi habet, spiritale uero
quod in animo est, quia ut spiritus neque uidetur neque
tenetur. 9 Per quod ostenditur non facti solum uerum et
35 uoluntatis delicta uitanda et paenitentia purganda esse.
Neque enim, si mediocritas humana facti solummodo
iudicat, quia uoluntatis latebris par non est, idcirco crimina
eius etiam sub Deo neglegamus. 10 Deus in omnia
sufficit; nihil a conspectu eius remotum, unde omnino
40 delinquitur[c]; quia non ignorat, nec omittit quominus in
iudicium decernat : dissimulator et praeuaricator perspica-
ciae suae non est. 11 Quid quod uoluntas facti origo est?
Viderint enim, si qua casui aut necessitati aut ignorantiae
imputantur, quibus exceptis, iam non nisi uoluntate delin-
45 quitur. 12 Cum ergo facti origo sit, non tanto potior ad
poenam est, quanto principalis ad culpam? Qua ne tunc
quidem liberatur, cum aliqua difficultas perpetrationem
eius intercipit : ipsa enim sibi imputatur, nec excusari
poterit per illam perficiendi infelicitatem, operata quod
50 suum fuerat. 13 Denique Dominus quemadmodum se
adiectionem legi superstruere[d] demonstrat, nisi et uoluntatis interdicendo delicta, cum adulterum non eum solum
definit qui comminus in alienum matrimonium cecidisset,
uerum etiam illum qui adspectus concupiscentia contami-
55 nasset[e]? 14 Adeo quod prohibetur administrare, satis
periculose animus sibi repraesentat et temere per uolun-

---

    33 ut *om*. θ ‖ 35 delicta θ : deiecta T′ *corr*. ‖ uitanda θ : ut tanda T′ ut
tanta T″ ‖ et paenitentia θ : penitentiae T ‖ 36 facti *Lat*. : factis Tθ ‖
solummodo T : solum θ ‖ 37 idcirco + etiam T ‖ 42 non *om*. T ‖ quid
quod Oθ : quia quod T′ quia T″ ‖ 43-45 uiderint – delinquitur *om*. O ‖
44 imputantur θ : inmittantur T ‖ 45 facti *om*. T ‖ sit TO : est θ ‖ non
T″Oθ : num T″ ‖ 46 qua *Brf* : quae Tθ q*O ‖ ne T′Oθ : nec T″ ‖ 48
imputatur Oθ : excusatur T ‖ 49 poterit Tθ : potest O ‖ 50-59 denique –
plectetur *om*. O ‖ 50 se *om*. ND ‖ 51 legi TND : legis γR ‖ 52 adulterum
TNXR³ : adulterium F ad ultimum R¹·² ‖ 54 adspectus concupiscentia θ :
aspectu concupiscentiam T ‖ 55 prohibetur θ : prohiberetur T ‖ 56
repraesentat TγR : praesentat ND

acte, parce qu'un acte, comme un corps, est visible et tangible ; est spirituel un péché qui demeure dans l'âme, parce que, comme un esprit, il n'est ni visible ni tangible. 9 Dès lors il est évident qu'il faut éviter non seulement les péchés en acte mais aussi ceux de la volonté, et les expier par la pénitence. En effet, si la faiblesse humaine ne peut juger que les fautes commises en acte, incapable qu'elle est de pénétrer les secrets de la volonté, n'allons pas pour autant considérer les fautes de celle-ci comme négligeables, même aux yeux de Dieu.   10 La puissance de Dieu suffit à tout ; rien absolument de ce qui est cause de péché ne peut échapper à son regard[c]. Parce qu'il n'ignore rien, il ne manque pas d'assigner chaque faute en jugement ; sa clairvoyance ne lui permet ni de dissimuler ni de transiger. 11 Et que dire du fait que la volonté est la cause de l'acte ? Qu'importe que certains actes soient imputables au hasard, à la nécessité ou à l'ignorance : si l'on excepte ces cas, le fait est que l'on ne commet de péché que par la volonté. 12 Étant donné que la volonté est la cause de l'acte, n'est-elle pas d'autant plus passible de châtiment que son rôle a été plus déterminant à l'égard de la faute ? Elle ne saurait en être eximée, lors même qu'un obstacle quelconque l'empêche de perpétrer l'acte coupable ; en effet, la volonté est imputée à elle-même, et elle ne saurait trouver d'excuse dans le fait qu'elle n'a pas eu la chance d'aboutir, puisqu'elle avait accompli ce qui dépendait d'elle.   13 Enfin, comment le Seigneur prouve-t-il qu'il élève un édifice sur le fondement de la Loi[d], sinon en interdisant les péchés de la volonté même, étant donné qu'il appelle adultère non seulement celui qui aurait agressé en acte le mariage d'autrui, mais aussi celui qui l'aurait profané par la concupiscence de son regard[e] ?   14 Tant il est vrai que ce qu'il est interdit d'accomplir en acte, il est fort dangereux pour l'âme de se le représenter, et il est

c. cf. Sir. 17, 15-20   d. cf. Matth. 5, 17   e. cf. Matth. 5, 28

tatem expungit effectum. Cuius uoluntatis cum uis tanta sit,
ut nos solatio sui saturans pro facto cedat, pro facto ergo
plectetur. **15** Vanissimum est dicere : «Volui, nec tamen
60 feci»; atquin perficere debes quia uis, aut nec uelle quia nec
perficis. **16** Sed ipse conscientiae tuae confessionem pro-
nuntias, nam si bonum concupisceres, perficere gestisses;
porro si ut malum non perficis, nec concupiscere debueras :
quaqua te constitueris, crimini adstringeris,
65 quia aut malum uolueris aut bonum non adimpleueris.

IV. 1 Omnibus ergo delictis seu carne seu spiritu, seu
facto seu uoluntate commissis, qui poenam per iudicium
destinauit, idem et ueniam per paenitentiam spopondit,
dicens ad populum : *Paenitere et saluum faciam te*[a]. **2** Et
5 rursus : *Viuo,* inquit, *dicit Dominus, et paenitentiam malo
quam mortem*[b]. Ergo paenitentiae uita est, cum praeponitur
morti. Eam tu, peccator[c], mei similis – immo me minor :
ego enim praestantiam in delictis meam agnosco –, ita
inuade, ita amplexare, ut naufragus[d] alicuius tabulae fidem.
10 **3** Haec te peccatorum fluctibus mersum proleuabit et in
portum diuinae clementiae protelabit. Rape occasionem
inopinatae felicitatis, ut ille tu, nihil quondam penes
Dominum nisi stilla situlae[e] et areae puluis[f] et uasculum

---

58 ut Tθ : cur R³ ‖ nos solatio T : non solatium θ ‖ saturans – facto² :
locus corruptus T ‖ 59 uolui nec tamen : *locus corruptus* T ‖ 60 debes Tθ :
debueras O ‖ aut TOR : ut NDRᵐ *om.* γ ‖ 61 perficis Tθ : perfecisse O ‖
sed *om.* O ‖ confessionem O : -one Tθ ‖ 62 concupisceres Tθ :
concupisses O ‖ 62 gestisses Oθ : cessisset T ‖ 63 si ut TO : sicut θ ‖ 64
quaqua te *Lat.* : quaque te γR qua te TO qua te qua ND ‖ crimini
adstringeris *om.* O ‖ crimini TRᵐ : crimine θ ‖ 65 quia Oθ : qua T ‖
adimpleueris Tθ : impleueris O.
IV.3 idem Tθ : ideo O ‖ 4 saluifaciam O ‖ 5 rursus TO : iterum θ ‖
dicit *om.* TOγR ‖ et θ : ad T′ a T″ *om.* O ‖ 6 cum Oθ : quem T′ quae T″ ‖
9 amplexare θ : amplexor T amplexabere O ‖ naufragus TONR :
naufragiis γ ‖ 10 te Tθ : et O ‖ proleuabit OXR : proleuauit TND
prolauauit F ‖ 10-11 et – protelabit *om.* N ‖ 10 et *om.* T ‖ 11 portum θ :
portus T′O portuT″ ‖ protelabit Oθ : protelauit T ‖ 11-20 rape –
constituta est *om.* O ‖ 12 tu TR³ : te θR¹·² ‖ 13 dominum T : deum θ ‖ nisi

téméraire d'en réaliser l'assouvissement par la volonté. Puisque la force de la volonté est telle que, nous rassasiant par le plaisir qu'elle procure, elle prend la place de l'acte, qu'elle soit donc punie, en son lieu et place.   15 Il est tout à fait insensé de dire : « Je l'ai voulu, mais je ne l'ai pas fait. » Au contraire, tu devrais consommer l'acte, puisque tu le veux, ou bien ne pas le vouloir, puisque tu ne le consommes pas.   16 Mais par l'aveu de ta conscience, tu tranches toi-même. Car si tu avais désiré le bien, tu aurais tout fait pour l'accomplir; mais si tu ne consommes pas l'acte, puisque c'est un mal, tu n'aurais pas dû non plus le désirer. Quelle que soit la position que tu adoptes, tu es lié par un chef d'accusation, soit pour avoir voulu le mal, soit pour n'avoir pas accompli le bien.

IV. 1 En conséquence, tous les péchés, qu'ils soient commis par la chair ou par l'esprit, en acte ou en désir, celui qui a décrété de les châtier par son jugement, a promis aussi de les pardonner par la pénitence, quand il dit à son peuple : «Fais pénitence et je te sauverai[a] »;   **2** et encore : « Je suis le Dieu vivant, dit le Seigneur, et j'aime mieux la pénitence que la mort[b]. » Donc la pénitence est vie, puisqu'elle est préférée à la mort. Eh bien, pécheur[c], toi qui me ressembles – mais non, tu l'es moins, car je reconnais ma supériorité dans le péché –, jette-toi sur elle, embrasse-la, comme un naufragé[d] une planche de salut. **3** Toi qui étais plongé dans les flots du péché, elle te soutiendra, elle te conduira jusqu'au port de la clémence divine. Saisis l'occasion d'une chance inespérée, afin que toi qui n'étais jadis devant le Seigneur qu'une goutte au bord d'un seau[e], un grain de poussière sur l'aire à battre le

---

TN : nihil γR[1]

IV, a. Éz. 18, 32   b. Éz. 33, 11   c. cf. I Tim. 1, 15   d. cf. I Tim. 1, 19   e. cf. Is. 40, 15   f. cf. Ps. 1, 4; Dan. 2, 35; Os. 13, 3

figuli[g], arbor exinde fias, illa arbor, quae penes aquas
15 seritur et in foliis perennat et tempore suo fructus agit[h],
quae non ignem[i], non securem uidebit. **4** Paeniteat
errorum, reperta ueritate, paeniteat amasse quae Deus non
amat, quando ne nos quidem ipsi seruulis nostris ea, quibus
offendimur, nosse permittimus : obsequii enim ratio in
20 similitudine animorum constituta est.

5 De bono paenitentiae enumerando diffusa et per hoc
magno eloquio committenda materia est : nos uero pro
nostris angustiis unum inculcamus, bonum atque optimum
esse quod Deus praecipit. **6** Iam nunc cum quid Deus
25 praecipit, audaciam existimo de bono diuini praecepti
disputare; neque enim quia bonum est, idcirco auscultare
debemus, sed quia Deus praecipit : ad exhibitionem obsequii prior est maiestas diuinae potestatis, prior est auctoritas imperantis quam utilitas seruientis. **7** Bonum est
30 paenitere an non? Quid reuoluis? Deus praecipit. Atenim
ille non praecipit tantum, sed etiam hortatur; inuitat
praemio : salute, iurans etiam, *Viuo*[j] dicens, cupit credi
sibi. **8** O beatos nos, quorum causa Deus iurat; o miser-
rimos, si nec iuranti Domino credimus. Quod iterum Deus
35 tantopere commendat, quod etiam humano more sub
deieratione testatur, summa utique grauitate et adgredi et

---

14 figuli TγR : fidei N || arbor exinde θ : arbos inde T || illa arbor *Brf* :
illa arbos T illa NFDR ille X || 14-15 aquas — perennat θ : *locus corruptus* T
|| 15 et² *om.* T || 16 non¹ *om.* T || ignem θ : igne T || securem θR¹ : secure
T securim R²·³ || 18 ea θ : eam T' *corr.* || 19 offendimur θ : defendimur T ||
nosse Tθ : non odisse R³ || 21 paenitentiae enumerando Oθ : paenitentia
est numerando T || et Oθ : est et T' setT'' || 24 praecipit OFXDR¹mgR²·³ :
praecipit TNR¹ || 24-25 iam nunc cum quid deus praecipit O : *om.* TθR ||
25 bono Oθ : bonus T || 27 praecipit OθR¹mgR²·³ : praecepit TR¹ || 30 an
non TONDR : annum F añuo X || reuoluis θ : reuoluit T'O uoluitT'' ||
praecipit Oθ : praecepit T || 31 ille *om.* O || praecipit Oθ : praecepit T ||
hortatur + et O || 32 salute ND : salutem TOγR || iurans Tθ : iurauit O ||
33 o¹ Tθ : proh O *bis* || nos *om.* R¹·² || 34 iterum TO : igitur θ || 35
humano more Oθ : humana opera (-ere T') T''

grain[f], un vase de potier[g], tu deviennes un jour un arbre, cet arbre planté au bord des eaux, qui garde toujours son feuillage, donne du fruit en son temps[h] et ne verra ni le feu[i] ni la hache.   **4** Fais pénitence de tes erreurs, puisque tu as trouvé la vérité ; fais pénitence d'avoir aimé ce que Dieu n'aime pas, puisque nous-mêmes nous ne permettons pas à nos esclaves de fréquenter ce qui nous déplaît. La règle de l'obéissance réside dans la conformité des sentiments.

5 Énumérer les avantages de la pénitence est un sujet des plus vastes et qui exigerait un long discours, mais, compte tenu de nos limites, nous n'insisterons que sur un seul point : ce que Dieu ordonne est avantageux et excellent.   **6** Dès lors, quand Dieu donne un précepte, c'est de l'audace, je pense, que de discuter de la bonté du précepte divin. Car ce n'est pas parce qu'il est bon que nous devons obéir, mais parce que Dieu ordonne. Pour entraîner l'obéissance, la majesté de la puissance divine vient en premier lieu, l'autorité du maître vient en premier lieu, avant l'intérêt du serviteur.   **7** – Est-il avantageux de faire pénitence, ou non ? Pourquoi reviens-tu sur cette question ? Dieu ordonne. Que dis-je ? non seulement il ordonne, mais il exhorte, il invite, par la promesse d'une récompense, celle du salut, allant même jusqu'à faire serment : « Je suis le Dieu vivant[j] » ; il souhaite qu'on le croie.   **8** Heureux que nous sommes, puisque Dieu fait serment à cause de nous ; mais combien malheureux sommes-nous si nous ne croyons pas le Seigneur, lors même qu'il fait serment ! Ce que Dieu à diverses reprises recommande si instamment, ce qu'il va jusqu'à attester sous la foi du serment, comme les hommes ont coutume de faire, nous devons, assurément, l'entreprendre et l'observer

---

g. cf. Jér. 19, 11 ; Rom. 9, 21   h. cf. Ps. 1, 3   i. cf. Matth. 3, 10
j. Éz. 33, 11

custodire debemus, ut in adseueratione diuinae gratiae
permanentes, in fructu quoque eius et emolumento proinde
perseuerare possimus.

V. 1 Hoc enim dico, paenitentiam, quae per Dei gratiam ostensa et indicta nobis in gratiam nos Domino
reuocat, semel cognitam atque susceptam, numquam posthac iteratione delicti resignari oportere. **2** Iam quidem
5 nullum ignorantiae praetextum patrocinatur tibi, quod
Domino adgnito praeceptisque eius admissis, denique
paenitentia delictorum functus, rursus te in delicta restituis.
3 Ita in quantum ab ignorantia segregaris, in tantum contumaciae adglutinaris; nam si idcirco te deliquisse paeni-
10 tuerat, quia Dominum coeperas timere, cur quod metus gratia gessisti, rescindere maluisti, nisi quia metuere desisti?
4 Neque enim timorem alia res quam contumacia sub-
uertit. Cum autem etiam ignorantes Dominum nulla
exceptio tueatur a poena, quia Deum in aperto constitutum
15 et uel ex ipsis caelestibus bonis comprehensibilem ignorari
non licet[a], quanto cognitum despici periculosum est?
5 Despicit porro qui bonorum ac malorum intellectum ab
illo consecutus, quod intellegit fugiendum quodque iam
fugit resumens, intellectui suo, id est Dei dono, contume-
20 liam facit : respuit datorem, cum datum deserit; negat
beneficium, cum beneficum non honorat. **6** Quemadmodum ei potest placere cujus munus sibi displicet? Ita in

---

37 debemus OΘ : iubemus T ‖ 37 - V,24 ut – ceterum *om.* O ‖ 37 ut in
adseueratione θ : aut in aduersationem T′ ut aduersationem T″ ‖ 38
permanentes NXR : permanentis F praecauentes T.

V.2 domino θ : dominus T′ domini T″ ‖ 3-4 posthac TγR : pro hac
ND ‖ 4 designari T ‖ 5 tibi patrocinatur *tr.* θ ‖ 6 adgnito *Brf* : adignoto
T agnito NDFR agnitio X ‖ 7 paenitentiam T ‖ te θ : et T ‖ restituis
TR³ : restitues DγR^{1.2} restituens N ‖ 8 ita in TNDR : iam ita in F *om.* X ‖
ab *om.* θ ‖ 8-9 in tantum – adglutinaris *om.* F ‖ 9 dereliquisse T ‖ 10-11
metus – maluisti : *locus corruptus* T ‖ 13 autem T : *om.* θ ‖ 14 a poena TR³ :
ad poenam θ ‖ aperte T′ *corr.* ‖ 18-19 intellegit – intellectui : *locus
corruptus* T ‖ 21 beneficum TR^mR³ : beneficium θ

avec la plus grande rigueur, afin que, demeurant dans
l'assurance de la grâce divine, nous puissions aussi
recueillir pareillement sans cesse ses fruits et ses gains.

V. 1 Voici, en effet, ce que j'affirme : la pénitence, qui
nous a été proposée et notifiée par la grâce de Dieu et qui
nous rétablit dans la grâce du Seigneur, ne doit plus, une
fois connue et assumée, être brisée désormais par la
répétition du péché. 2 Assurément tu ne peux plus du
tout invoquer l'ignorance pour excuse, puisque c'est après
avoir connu le Seigneur et reçu ses préceptes, après avoir
enfin fait pénitence de tes fautes, que tu t'installes à
nouveau dans le péché. 3 Ainsi, plus tu es éloigné de
l'ignorance et plus tu es englué dans la rébellion. Car, si tu
avais fait pénitence parce que tu avais commencé à craindre
le Seigneur, pourquoi donc as-tu préféré annuler ce que tu
avais accompli sous l'action de la crainte, sinon parce que
tu as cessé de craindre ? 4 En effet, ce qui détruit la
crainte, c'est la rébellion, rien d'autre. Et, puisque ceux-là
mêmes qui ne connaissent pas le Seigneur, nulle exception
ne les garantit du châtiment – car un Dieu qui se présente
au grand jour et que l'intelligence peut saisir déjà à partir
des biens célestes eux-mêmes, il est inadmissible de l'ignorer[a] –, combien est-il plus dangereux de le mépriser, une
fois qu'on l'a connu ? 5 Or il le méprise celui qui, ayant
reçu de lui l'intelligence du bien et du mal, reprend ce qu'il
sait devoir éviter et ce qu'il a déjà évité, et fait injure à sa
propre intelligence, c'est-à-dire au don de Dieu ; il repousse
le donateur en délaissant le don : il nie le bienfait en
n'honorant pas le bienfaiteur. 6 Comment pourrait-il
plaire à celui dont le présent lui déplaît ? Ainsi, à l'égard du

---

V, a. cf. Ps. 18, 2 ; Sag. 13, 1-9 ; Rom. 1, 19-20

Dominum non modo contumax sed etiam ingratus apparet.

7 Ceterum non leuiter in Dominum peccat qui, cum
25 aemulo eius diabolo paenitentia sua renuntiasset et hoc
nomine illum Domino subiecisset, rursus eumdem regressu
suo erigit et exultationem eius semetipsum facit, ut denuo
malus recuperata praeda sua aduersus Dominum gaudeat.
8 Nonne – quod dicere quoque periculosum est, sed ad
30 aedificationem proferendum – diabolum Domino praepones? Comparationem enim uidetur egisse, qui utrumque
cognouerit, et iudicato pronuntiasse eum meliorem, cuius
se rursus esse maluerit.   **9** Ita qui per delictorum paenitentiam instituerat Domino satisfacere, diabolo per aliam
35 paenitentiae paenitentiam satisfaciet, eritque tanto magis
perosus Domino, quanto aemulo eius acceptus.

10 Sed aiunt quidam satis Dominum habere, si corde et
animo suscipiatur, licet actu minus fiat; itaque se saluo
metu et fide peccare, hoc est salua castitate matrimonia
40 uiolare, salua pietate parenti uenenum temperare.   **11** Sic
ergo et ipsi salua uenia in gehennam detrudentur, dum
saluo metu peccant.   **12** Pro mirum exemplum peruersita-
tis : quia timent, delinquunt; opinor, non delinquerent, si
non timerent.   **13** Igitur, qui Deum nolet offensum, nec
45 reuereatur omnino, si timor offendendi patrocinium est.
Sed ista ingenia de semine hypocritarum pullulare consue-

23 ingratos T′ *corr.* ‖ 24 non *om.* T ‖ dominum Tθ : deum O ‖ 25 sua
om. θ ‖ 27 semetipsum TO : seipsum θ ‖ 27-28 ut – gaudeat *om.* O ‖ 30
proferendum O : proferendum est T praeferendum est θ ‖ 30-31
praepones T″O : praeponis T′ praeponit θ ‖ 32 et Oθ : ex T ‖ 33 se
rursus Oθ : seruū T ‖ ita qui Oθ : itaque per T ‖ 35 satisfaciet TOR³ :
-ciat θ ‖ 36 operosus T ‖ domino TO : deo θ ‖ 37 dominum T : domino
O deum θ ‖ 38 suscipiatur TOX : suscipiatur NFDR ‖ actum T′ *corr.* ‖
41 detrudentur Oθ : trudentur T ‖ 42 pro mirum *Brf* : proh mirum O
permirum T primum θ ‖ 43-44 opinor – timerent *om.* T ‖ 44 nolet O :
nollet T nolit θ ‖ 45 offendendi θ : offendi TO ‖ 46-47 consuerunt Tθ :
consueuerunt O

Seigneur, il apparaît non seulement comme un rebelle mais aussi comme un ingrat.

7 Au demeurant, ce n'est pas un péché sans gravité que commet à l'encontre du Seigneur celui qui, après avoir par la pénitence renoncé au diable, l'adversaire de Dieu, après l'avoir ainsi soumis au Seigneur, le relève à nouveau par sa reculade et lui donne sujet de jubiler à son propos, en sorte que le Malin, en face du Seigneur, se réjouit derechef d'avoir recouvré sa proie. **8** Ne sera-ce point là – le seul fait de prononcer ces paroles est redoutable, mais il faut s'y risquer en vue de l'édification –, ne sera-ce point là pour toi préférer le diable au Seigneur? Celui qui a connu l'un et l'autre semble avoir effectué la comparaison et, après délibération, avoir décidé que le meilleur est celui à qui il préfère appartenir à nouveau. **9** Ainsi celui qui, par la pénitence de ses péchés, avait commencé à offrir satisfaction au Seigneur, s'en ira offrir satisfaction au diable par une autre pénitence, celle de sa première pénitence – et il sera d'autant plus odieux au Seigneur qu'il sera agréable à son adversaire!

10 Mais, prétendent certains, il suffit au Seigneur que la pénitence soit assumée de cœur et d'esprit, quand bien même on ne ferait pas pénitence en acte; du même coup ils prétendent commettre le péché sans perdre la crainte de Dieu ni la foi, en d'autres termes, profaner le mariage sans perdre la chasteté, administrer le poison à leurs parents sans perdre la piété filiale. **11** De la même manière ces gens-là seront précipités dans la géhenne sans perdre le pardon, puisqu'ils commettent le péché sans perdre la crainte de Dieu. **12** Quel stupéfiant exemple de perversion! parce qu'ils craignent, ils pèchent; ils ne pécheraient pas du tout, j'imagine, s'ils cessaient de craindre. **13** Ainsi donc, que celui qui ne veut pas offenser Dieu s'abstienne tout à fait de le craindre, s'il est vrai que le respect excuse l'offense! Mais de telles idées germent

runt, quorum indiuidua cum diabolo amicitia est, quorum
paenitentia numquam fidelis.

VI. 1 Quidquid ergo mediocritas nostra ad paenitentiam semel capessendam et perpetuo continendam suggerere conata est, omnes quidem deditos Domino spectat ut
omnes salutis in promerendo Deo petitores, sed praecipue
5 nouitiolis istis imminet, qui cum maxime incipiunt diuinis
sermonibus aures rigare[a], quique, ut catuli, infantiae adhuc
recentis, necdum perfectis luminibus incerta reptant, et
dicunt quidem pristinis renuntiare, et paenitentiam adsumunt, sed includere eam neglegunt. 2 Interpellat enim
10 illos ad desiderandum ex pristinis aliquid ipse finis desiderandi, uelut poma, cum iam in acorem uel amaritudinem
senescere incipiunt, ex parte aliqua tamen adhuc ipsi
gratiae suae adulantur.

3 Omne praeterea cunctationis et tergiuersationis erga
15 paenitentiam uitium praesumptio intinctionis importat.
Certi enim indubitatae ueniae delictorum, medium tempus
interim furantur, et commeatum sibi faciunt delinquendi,
quam eruditionem non delinquendi. 4 Quam porro ineptum, quam iniustum, paenitentiam non adimplere et
20 ueniam delictorum sustinere, hoc est pretium non exhibere
et ad mercedem manum emittere. Hoc enim pretio
Dominus ueniam addicere instituit, hac paenitentiae
compensatione redimendam proponit impunitatem. 5 Si
ergo qui uenditant prius nummum, quo paciscuntur,

---

47 indiuidua θ : inuidia TO.

VI.1-44 quidquid – facile est *om.* O ‖ 3 deditos NFR : dedito X
debitos T ‖ ut *om.* T ‖ 4 omnes R³ : omnis θ omnes qui T′ omnesque T″ ‖
deo γR : dei T *om.* ND ‖ 6 ut *om.* θ ‖ 7 necdum T : nec θ ‖ reptant TγR :
reputant ND ‖ 10 desiderandum TNDR : diserandum γ ‖ 11 iam *om.* T ‖
12 senescire T ‖ ipsi θ : ipsa T ‖ 18 quam – delinquendi *om.* TX ‖ 19
iniustum *scripsi* : ineptum *Brf* iniquum *Vrs om.* Tθ ‖ 19-20 et – sustinere
om. T ‖ 21 et *om.* T ‖ mercedem TND : mercem γR ‖ 22 addicere TR¹ ᵐᵍ :
adducere θ ‖ 24 uenditant γR : uenditat ND uendidat T

ordinairement de la semence des hypocrites, dont l'amitié avec le diable est indissociable, dont la pénitence n'est jamais fidèle.

VI. 1 Tout ce qu'avec mes faibles moyens je me suis efforcé de suggérer sur la nécessité d'assumer la pénitence une fois pour toutes et de l'observer sans discontinuer concerne évidemment tous ceux qui se sont donnés au Seigneur, puisque tous aspirent au salut en cherchant à gagner la faveur de Dieu ; cependant cela s'impose surtout aux jeunes recrues que voici, qui commencent seulement à ouvrir leurs oreilles aux paroles divines[a] et qui, comme de jeunes chiens qui viennent juste de naître et dont les yeux ne sont pas encore bien ouverts, se traînent au sol d'une allure mal assurée. Ils disent bien qu'ils renoncent au passé et ils entreprennent de faire pénitence, mais ils négligent de la conduire à son achèvement.   2 Le terme même imposé à leurs désirs les incite à désirer quelque chose encore du passé ; c'est ainsi que les fruits qui, en vieillissant, commencent à se charger déjà d'aigreur ou d'amertume, veulent cependant garder encore, par quelque endroit, leur charme d'antan.

3 Au demeurant, tous les retards, toutes les tergiversations coupables à l'égard de la pénitence sont dus au fait que l'on reçoit le baptême avec présomption. Certain, en effet, du pardon assuré de ses fautes, on fait larcin, en attendant, sur le temps qui reste et l'on s'accorde un délai pour pécher encore, au lieu d'apprendre à ne plus pécher du tout.   4 Quelle ineptie, quelle injustice, que de ne point accomplir la pénitence et d'attendre le pardon des péchés ! C'est là ne point verser le prix, mais tendre la main vers la marchandise. Car c'est à ce prix que le Seigneur a décidé d'accorder son pardon ; c'est moyennant la pénitence qu'il nous propose d'acheter l'impunité.   5 Si les marchands examinent d'abord les pièces de monnaie,

---

VI, a. cf. Deut. 32, 2

25 examinant, ne scalptus, ne uersus, ne adulter, non etiam
Dominum credimus paenitentiae probationem prius inire,
tantam nobis mercedem, perennis scilicet uitae, conces-
surum?.

6 Sed differamus tantisper paenitentiae ueritatem :
30 tunc, opinor, emendatos licebit, cum absoluimur. Nullo
pacto, sed cum pendente uenia poena prospicitur, cum
adhuc liberari non meremur, ut possimus mereri, cum
Deus comminatur, non cum ignoscit. **7** Quis enim
seruus, posteaquam libertate mutatus est, furta sua et fugas
35 sibi imputat? quis miles, postquam castris suis emissus est,
pro notis suis satagit? **8** Peccator ante ueniam deflere se
debat, quia tempus paenitentiae idem quod periculi et
timoris. **9** Neque ego renuo diuinum beneficium, id est
abolitionem delictorum, inituris aquam omnimodo saluum
40 esse; sed ut eo peruenire contingat, elaborandum est. Quis
enim tibi tam infidae paenitentiae uiro asperginem unam
cuiuslibet aquae commodabit? **10** Furto quidem adgredi
et praepositum huius rei adseuerationibus tuis circumduci
facile est; sed Deus thesauro suo prouidet, nec sinit
45 obrepere indignos. Quid denique ait : *Nihil occultum, quod
non reuelabitur*[b]? Quantascumque tenebras factis tuis
superstruxeris, Deus lumen est[c].

11 Quidam autem sic opinantur, quasi Deus necesse

---

25 examimant T' *corr.* examinat ND ǁ scalptus θ : scalsus T' falsus T″
ǁ ne uersus T : neue rasus θ ǁ ne³ θ : non T' *corr.* ǁ non etiam T‴ : etiam
non ND etiam β ǁ 31 cum pendente θ : comprehendente T ǁ 32 meremur
R³ : meretur Tθ ǁ 35 imputat θ : inportat T ǁ est *om.* θR ǁ 37 idem *Pam* :
id ē T idest θ ǁ 38 renuo NR : renouo T rennuo Dγ ǁ 39 inituris T′θ :
inlatis T″ ǁ aquam θ : aqua T ǁ 40 esse + uult T ǁ 41 aspergiminem T ǁ
42 commodabit θ : commoduit T ǁ 43 et praepositum *Vrs* : ut
repositum T et propositum θ ǁ 44 deus θ : ut T ǁ sinit T″Oθ : sinet T′ ǁ
45 obrepere θ : obripere TO, *an melius?* ǁ ait : ut T' *corr.* ǁ 46 reuelabitur
X : reualabitur T reueletur ONFDR ǁ tuis Tθ : suis O ǁ 47 superstruxeris Tθ : -int O

moyennant quoi ils concluent leur affaire, pour s'assurer
qu'elles ne sont pas rognées, plaquées, falsifiées, ne
devons-nous pas croire aussi que le Seigneur veut d'abord
examiner de près notre pénitence, lui qui doit nous
accorder en retour un bien d'un si grand prix, j'ai nommé
la vie éternelle?

6 – Mais retardons quelque temps encore l'accomplissement d'une véritable pénitence; c'est alors, j'imagine, que
nous pourrons être pleinement amendés, au moment où
nous serons absous. – Pas du tout. Mais nous devons le
faire quand, le pardon demeurant en suspens, le châtiment
est en vue, quand nous ne méritons pas encore d'être
libérés pour pouvoir mériter de l'être, quand Dieu menace,
non point quand il pardonne.   **7** Quel est l'esclave qui,
ayant accédé à la condition d'homme libre, se reproche ses
larcins et ses fugues? Quel est le soldat qui, une fois libéré
de ses obligations militaires, se met en peine des blâmes
qu'il a encourus?   **8** Le pécheur doit déplorer sa situation
avant d'avoir obtenu le pardon, car le temps de la pénitence
est aussi celui du péril et de la crainte.   **9** Moi non plus je
ne nie point que le bienfait de Dieu, c'est-à-dire la
rémission des péchés, ne soit pleinement assuré à ceux qui
vont entrer dans les eaux du baptême; mais pour avoir le
bonheur d'arriver jusque là, il faut faire effort. Qui, en effet,
voudrait te consentir, à toi dont la pénitence est si peu
loyale, la moindre aspersion de n'importe quelle eau?
10 Certes, il t'est facile de circonvenir furtivement et de
tromper par tes belles paroles celui qui est préposé à cet
office, mais Dieu veille sur son trésor et il ne permet pas
que des indignes se faufilent. Car enfin, que dit-il? «Il n'est
rien de caché qui ne doive être révélé[b].» Quelle que soit
l'épaisseur des ténèbres dont tu cherches à couvrir ta
conduite, Dieu est lumière[c].

11 D'aucuns, cependant, raisonnent comme si Dieu était

---

b. cf. Matth. 10, 26; Lc 8, 17   c. I Jn 1, 5

habeat praestare etiam indignis quod spopondit, et liberali-
50 tatem eius faciunt seruitutem. 12 Quodsi necessitate nobis symbolum mortis[d] indulget, ergo inuitus facit; quis
autem permittet permansurum id quod tribuerit inuitus?
13 Non enim multi postea excidunt? non a multis donum
illud auferetur? Hi sunt scilicet qui obrepunt, qui paeniten-
55 tiae fidem adgressi super arenas domum ruituram conlocant[e].

14 Nemo ergo sibi aduletur, quia inter auditorum tirocinia deputatur, quasi eo etiamnunc sibi delinquere liceat.
Dominum, simul cognoueris, timeas; simul inspexeris,
60 reuerearis. 15 Ceterum quid te cognouisse interest, cum
isdem incubas quibus retro ignarus? Quid autem te a
perfecto seruo Dei separat? An alius est intinctis Christus,
alius audientibus? 16 Num alia spes uel merces, alia
formido iudicii, alia necessitas paenitentiae? Lauacrum
65 illud obsignatio est fidei, quae fides a paenitentiae fide
incipitur et commendatur. 17 Non ideo abluimur ut
delinquere desinamus, sed quia desiimus, quoniam iam
corde loti sumus. Haec enim prima audientis intinctio est,
metus integer exinde, quod Dominum senserit, fides sana,
70 conscientia semel paenitentiam amplexata.

18 Ceterum si ab aquis peccare desistimus, necessitate,
non sponte, innocentiam induimus. Quis ergo in bonitate

49-50 libertatem N ‖ 50 ueritatem. seruitutem O′ corr. ‖ 51-95 quis –
offenditur om. O ‖ 52 autem T : enim θ ‖ permittet scripsi : promittet T
permittit θ promittit Iun ‖ id quod θ : et quod T ‖ 54 auferetur T :
aufertur θ ‖ scilicet TγR : si N ‖ 55-56 conlocant T′ : collocant T″XR
collocauit F aedificant N ‖ 57 sibi θ : tibi T ‖ 57-58 tirocinia NFR :
tibocinia T′ tibicinia T″ tyrocenio X ‖ 58 delinquere TR : derelinquere θ
‖ 62-63 an – audientibus : locus corruptus T ‖ 63 num θ : nunc T ‖ alia spes
T : spes alia θ ‖ 64 paenitentiae θ : -tia T ‖ 67 desinamus θ : desinimus T ‖
desiimus XR : desumus NF dicimus T ‖ 69 quod T : quoad θ ‖ senserit
T : senseris θ ‖ 72 post innocentiam add. non T″

obligé d'accorder, même à des indignes, ce qu'il a promis,
et ils transforment sa libre bienveillance en servitude.
12 Si Dieu est obligé de nous accorder le symbole de la
mort[d], c'est donc à contrecœur qu'il l'accorde; mais qui
permettra que subsiste le présent qu'il a fait à contrecœur?
13 De fait, un grand nombre ne font-ils pas défection par
la suite? Un grand nombre ne se voient-ils pas enlever ce
bienfait? Ce sont, évidemment, ceux qui se faufilent, qui
ayant circonvenu la droiture de la pénitence, bâtissent sur
le sable une maison vouée à s'écrouler[e].

14 Que personne donc ne se flatte, comme si, du fait
qu'il est compté parmi les jeunes recrues que sont les
«auditeurs», il lui était encore permis de pécher; dès que tu
connais le Seigneur, tu dois le craindre; dès que tu regardes
vers lui, tu dois le révérer.   15 Au reste, à quoi bon le
connaître, si tu restes attaché aux mêmes choses qu'autrefois, avant de le connaître? Or, quelle différence y a-t-il
entre toi et un parfait serviteur de Dieu? Y a-t-il un Christ
pour les baptisés, un autre pour les «auditeurs»?   16 Y
a-t-il une autre espérance ou une autre récompense, une
autre crainte du jugement, une autre obligation de faire
pénitence? Le bain du baptême est le sceau de la foi, mais la
foi du baptême commence par la foi de la pénitence et
prouve par là sa valeur.   17 Nous n'avons pas été lavés au
baptême pour mettre fin à nos péchés, mais parce que nous
y avons mis fin, pour avoir été lavés déjà, au fond du cœur.
Tel est, en effet, le premier baptême de l'«auditeur»: sa
crainte est parfaite, née de ce qu'il a senti le Seigneur, sa foi
est saine, sa conscience embrasse la pénitence, une fois
pour toutes.

18 D'ailleurs, si nous ne cessons de pécher qu'après les
eaux du baptême, c'est par nécessité et non de notre
propre gré que nous revêtons l'innocence. Mais qui donc
l'emporte en bonté, celui à qui il n'est pas permis d'être

---

d. cf. Rom. 6, 5; Col. 2, 12   e. cf. Matth. 7, 26

praecellens? cui non licet, an cui displicet malo esse? qui
iubetur, an qui delectatur a crimine uacare?   **19** Ergo nec
75 a furto manus auertamus, nisi claustrorum duritia repu-
gnet, nec oculos a stupri concupiscentiis refrenemus, nisi a
custodibus corporum obstructi, si nemo Domino deditus
delinquere desinet, nisi intinctione alligatus.   **20** Quodsi
qui ita senserit, nescio an intinctus magis contristetur,
80 quod peccare desierit, quam laetetur, quod euaserit. Itaque
audientes optare intinctionem, non praesumere oportet.
21 Qui enim optat, honorat; qui praesumit, superbit; in
illo uerecundia, in isto autem petulantia apparet; ille
satagit, hic neglegit; ille emerere cupit, at hic ut debitum
85 sibi repromittit; ille sumit, hic inuadit.   **22** Quem censeas
digniorem, nisi emendatiorem? quem emendatiorem, nisi
timidiorem, et idcirco uere paenitentia functum? Timuit
enim adhuc delinquere, ne non mereretur accipere.   **23** At
ille praesumptor, cum sibi repromitteret, securus scilicet,
90 timere non potuit; sic nec paenitentiam impleuit, quia
instrumento paenitentiae, id est metu, caruit.   **24** Praesumptio inuerecundiae portio est : inflat petitorem, despicit
datorem; itaque decipit nonnumquam. Ante enim quam
debeatur, repromittit, quo semper is, qui est praestaturus,
95 offenditur.

   VII. 1 Hucusque, Christe Domine, de paenitentiae dis-

VII, §§ 1-2 : PACIAN., *Epist.* 1,5

73 an : aut ND ‖ malo T″γR : mala T′ malum ND ‖ 74 uacare
TNR^{1mg}R2R3 : uocare γR1 ‖ 75 auertamus Tβ : auferamus N ‖ 77
deditus T″θ : debitus T′ ‖ 78-79 quodsi – senserit : *locus corruptus* T ‖ 79
qui TγR : quis ND ‖ 81 optare θ : obstare T′ *corr.* ‖ 83 autem *om.* θ ‖ 84
emerere *Brf* : emere T mereri θ ‖ 86 quem θ : quam T′ *corr.* ‖
emendatiorem2 θ : uehementiorem T ‖ 87 functum θ : finctum T′ fictum
T″ ‖ 89 securos T′ *corr.* ‖ 90 nec θ : ne T′ *corr.* ‖ 91 id est : idem D ‖ 92
portio T′θ : potio T″ ‖ 93 datorem : delatorem N ‖ 94 debeatur θ :
debebatur T ‖ quo : quod T′ *corr.* ‖ is : his T″ *corr.* ‖ praestaturus θ : -ros
T.
   VII. 1-3 hucusque – uel nihil *tr. post* XII,34 O ‖ 1 christe domine Oθ :

méchant ou celui à qui il déplaît de l'être? celui qui est
contraint de s'abstenir du péché ou celui qui s'y complaît?
19 En conséquence, ne détournons pas nos mains de voler,
à moins que la solidité des verrous n'y fasse obstacle, ne
retenons pas nos yeux de convoiter l'adultère, à moins que
nous ne soyons écartés par les gardiens de ces personnes,
s'il est vrai qu'aucun de ceux qui se sont donnés à Dieu ne
doive cesser de pécher, à moins d'être lié par le baptême.
20 Si quelqu'un est de cet avis, je ne sais si, une fois
baptisé, la peine qu'il éprouve d'avoir cessé de pécher n'est
pas plus grande que sa joie d'avoir échappé au péché. Les
«auditeurs» doivent donc souhaiter le baptême, non point
le recevoir avec présomption.   **21** Car celui qui souhaite,
honore; celui qui reçoit avec présomption, témoigne de
son orgueil. Chez l'un apparaît le respect, chez l'autre
l'effronterie; l'un s'empresse, l'autre se montre négligent;
l'un aspire à mériter, mais l'autre se promet d'obtenir un
dû; l'un prend, l'autre s'empare de force.   **22** Lequel
estimera-t-on le plus digne, sinon celui qui s'est le mieux
corrigé? qui est le mieux corrigé, sinon celui qui est le plus
rempli de crainte et qui, pour cette raison, a accompli une
pénitence véritable? Il a craint, en effet, de pécher encore,
de ne point mériter de recevoir.   **23** Mais l'autre, le
présomptueux, qui s'est promis d'obtenir, qui évidemment
est sûr et certain d'obtenir, n'a pu connaître la crainte; dès
lors, il n'a pas non plus accompli sa pénitence, car
il lui manquait l'instrument de la pénitence, c'est-à-dire
la crainte.   **24** La présomption est une des sources de
l'impudence : elle enhardit celui qui demande, elle méprise
celui qui donne; aussi est-elle parfois source de déception,
car avant même qu'une chose ne soit due, elle se promet de
l'obtenir, ce qui offense toujours celui qui doit l'accorder.

VII. **1** Qu'il soit accordé à tes serviteurs, ô Seigneur

---

christus dominus T ‖ 2 tuis – uel : dicit T

ciplina seruis tuis dicere uel audire contingat, quousque
etiam delinquere non oportet et audientibus; uel nihil iam
de paenitentia nouerint, nihil eius requirant. 2 Piget
5 secundae, immo iam ultimae spei subtexere mentionem, ne
retractantes de residuo auxilio paenitendi, spatium adhuc
delinquendi demonstrare uideamur. 3 Absit ut aliquis ita
interpretetur, quasi eo sibi etiam nunc pateat ad delinquendum, quia patet ad paenitendum, et redundantiam
10 clementiae caelestis[a] libidinem faciat humanae temeritatis.
4 Nemo idcirco deterior sit, quia Dominus melior est,
totiens delinquendo, quotiens et ignoscitur. Ceterum finem
utique euadendi habebit, qui offendendi non habebit.
Euasimus semel; hactenus periculosis nosmetipsos infera-
15 mus, etsi iterum euasuri uidemur. 5 Plerique naufragio
liberati exinde repudium et naui et mari dicunt, et Dei
beneficium, salutem suam scilicet, memoria periculi honorant. Laudo timorem, diligo uerecundiam; nolunt iterum
divinae misericordiae oneri esse, formidant uideri inculcare
20 quod consecuti sunt, bona certe sollicitudine iterum expe-
riri deuitant quod semel didicerunt timere. 6 Ita modus
temeritatis testatio est timoris; timor autem hominis Dei
honor est[b].

7 Sed enim peruicacissimus hostis ille numquam mali-
25 tiae suae otium facit; atquin tunc maxime saeuit, cum

---

§ 4 : PACIAN., *Epist.* 1,5

---

3 et *om.* OΘ || uel *om.* θ || 3-7 iam – uideamur *om.* O || 4-5 piget – iam :
locus corruptus T || 5 ne θ : nec T || 6 de residuo θ : desiduo T || 7 sed absit
O || 7-9 aliquis – et *om.* O || 9 redundantiam TO : -ia θ || 10 faciat + quis
O || 11 dominus TO : deus θ || melior : meliorem T' *corr.* || 12 et *om.* Tθ ||
ceterum *om.* O || 13 utique *om.* O || qui O : cum θ *om.* T || 14-15 euasimus
– iterum *om.* O || 14 nosmetipsos + non T[mg] || 16-20 et dei – sunt *om.* O ||
18 laudo... diligo T'θ : laudant... diligunt T" || 20 consecuti θ : secuti T ||
sollicitudine Oθ : -nem T || 21 deuitant TO : uitant θ || 21-23 timere – est
om. O || 24 enim Tθ : et O || 24-25 ille... otium Oθ : illum... otiosum T ||
25 atquin Oθ : adqui tum T

Christ, de ne parler et de n'entendre parler de la discipline de la pénitence que juste assez pour connaître le devoir de ne point pécher, qui incombe aussi aux «auditeurs»; ou bien qu'ils ne sachent plus rien de la pénitence, qu'ils n'en attendent plus rien! **2** Il m'en coûte de mentionner ensuite la seconde ou plutôt ce qui est désormais la dernière espérance; je crains, en effet, en traitant du moyen qui s'offre encore de faire pénitence, de paraître indiquer un délai pour pécher encore. **3** A Dieu ne plaise que l'on interprète ainsi mes paroles, comme si une voie était ouverte au péché du fait qu'elle est ouverte à la pénitence; à Dieu ne plaise que l'on ne transforme la surabondance de la clémence céleste[a] en appétit de l'humaine témérité! **4** Que personne ne soit plus mauvais parce que le Seigneur est plus clément, en péchant autant de fois que le pardon est de fois accordé; du reste, il trouvera certainement un terme assigné à son impunité, celui qui n'en met pas à ses offenses. Nous avons échappé une fois; gardons-nous désormais de nous jeter dans les périls, même si nous semblons devoir y échapper, une seconde fois. **5** Bien des gens qui ont échappé à un naufrage disent adieu désormais aux navires et à la mer; ils honorent le bienfait de Dieu, c'est-à-dire leur salut, en se souvenant du péril. Je loue leur crainte; j'aime leur retenue; ils ne veulent pas être à charge une seconde fois à la miséricorde divine, ils redoutent de paraître faire fi du bienfait reçu; par un souci certainement louable ils évitent d'expérimenter une seconde fois ce qu'ils ont appris à redouter. **6** Ainsi, mettre un frein à sa témérité, c'est attester sa crainte. Or la crainte de l'homme est un hommage à Dieu[b].

7 Mais l'ennemi dans son acharnement extrême n'accorde jamais de relâche à sa méchanceté; au contraire, c'est alors qu'il sévit le plus fort, quand il sent l'homme

---

VII, a. cf. Lc 1, 78; Rom. 5, 17   b. cf. Sir. 1, 11

hominem plene sentit liberatum; tunc plurimum accen-
ditur, cum extinguitur. **8** Doleat et ingemiscat necesse
est, uenia peccatorum permissa, tot in homine mortis opera
diruta[c], tot titulos dominationis retro suae erasos. Dolet
30 quod ipsum et angelos eius Christi seruus ille peccator
iudicaturus est[d]. **9** Itaque obseruat[e], oppugnat, obsidet,
si qua possit aut oculos concupiscentia carnali ferire, aut
animum illecebris saecularibus irretire, aut fidem terrenae
potestatis formidine euertere, aut a uia certa peruersis
35 traditionibus detorquere; non scandalis, non temptationi-
bus deficit. **10** Haec igitur uenena eius prouidens Deus,
clausam licet ignoscentiae ianuam et intinctionis sera obstructam, aliquid adhuc permisit patere; collocauit in uestibulo paenitentiam secundam, quae pulsantibus patefaciat[f],
40 sed iam semel, quia iam secundo, sed amplius numquam,
quia proxime frustra. **11** Non enim et hoc semel satis
est? Habes quod iam non merebaris; amisisti enim quod
acceperas. Si tibi indulgentia Domini accommodat unde
restituas quod amiseras, iterato beneficio gratus esto,
45 nedum ampliato. **12** Maius est enim restituere quam
dare, quoniam miserius est perdidisse quam omnino non
accepisse. Verum non statim succidendus ac subruendus
est animus desperatione, si secundae quis paenitentiae
debitor fuerit. **13** Pigeat sane peccare rursus, sed rursus
50 paenitere non pigeat; pudeat iterum periclitari, sed iterum

---

§ 8 : PACIAN., *Epist.* 1,5   § 13 : PACIAN., *Epist.* 1,5.

26 plene Tθ : plane O ‖ 27 cum TO : dum θ ‖ 28 permissa *om.* O ‖
homine ONXR : -nem TF ‖ 29 dominationis TO : damnationis θ ‖ retro
om. O ‖ 30 quod Oθ : quid T′ quia T″ ‖ christi T″Oθ : christo T′ ‖ 32
concupiscentia TNR : -tiae Oγ ‖ 34 certa Oθ : certe T ‖ peruersis T″θ :
per euersis T′ transuersis O ‖ 37 clausam ONXD : clausa TFR ‖ ianuam
T′ONXD : ianua T″FR ‖ 37-38 obstructam T′O : obstructa θ obstructae
T″ ‖ 38 patere Oθ : pateret et T ‖ 38-39 uestibulo Oθ : uectibus T ‖ 40-42
sed¹ – est *om.* O ‖ 40 iam¹ θ : etiam T ‖ 40-41 amplius – quia : *locus
corruptus* T ‖ 43 si tibi TγR : sibi ND ‖ 44 beneficio Tθ benefacto O ‖ 45
est *om.* T ‖ 47 accepisse Tθ : habuisse O ‖ ac θ : hac T′ *corr.* est aut O ‖ 48

pleinement libéré; c'est alors qu'il s'enflamme davantage, quand on cherche à l'éteindre. **8** Il faut bien qu'il s'afflige et qu'il gémisse de voir, par le pardon des péchés, tant d'œuvres de mort détruites en l'homme[c], tant de titres de son antique domination effacés. Il s'afflige à la pensée que lui-même et ses anges, ce pécheur, devenu le serviteur du Christ, les jugera[d]. **9** C'est pourquoi il l'épie[e], il l'attaque, il l'assiège, pour le cas où il pourrait frapper ses regards par la concupiscence de la chair, ou prendre son âme au piège des séductions du siècle, ou renverser sa foi par la crainte des pouvoirs terrestres, ou le détourner de la voie droite en lui faisant suivre des doctrines perverses; ni les scandales ni les tentations ne lui font jamais défaut. **10** Prévoyant donc ces assauts de sa virulence, Dieu a permis que fût ouverte encore un peu la porte du pardon, bien qu'elle eût été fermée et barrée par le verrou du baptême; il a placé dans le vestibule la seconde pénitence, afin d'ouvrir à ceux qui frapperaient[f], mais une fois seulement, car c'est déjà la seconde fois, et jamais plus par la suite, car la fois précédente a été inutile. **11** N'est-ce pas assez de cette seule fois? Tu as ce que tu ne méritais plus, puisque tu as perdu ce que tu avais reçu. Si l'indulgence du Seigneur t'accorde de quoi rétablir ce que tu avais perdu, sois reconnaissant d'un bienfait qu'il renouvelle ou plutôt qu'il amplifie. **12** Car rétablir c'est plus que donner, puisqu'il est pire d'avoir perdu que de n'avoir rien reçu du tout. Toutefois si quelqu'un doit s'acquitter de la seconde pénitence, il ne faut par pour autant l'abattre et accabler son âme par le désespoir. **13** Qu'il en coûte, assurément, de pécher de nouveau, mais non de faire de nouveau pénitence; que l'on ait honte de courir encore le

---

est *om.* O ‖ 49 rursus[1] *om.* O ‖ 50 pudeat T″O : pigeat T′θ ‖ sed + non θ

c. cf. Sag. 1, 12; Rom. 6, 2   d. cf. I Cor. 6, 3   e. cf. I Pierre 5, 18   f. cf. Matth. 7, 7

liberari neminem pudeat : iteratae ualitudinis iteranda
medicina est. **14** Gratus in Dominum extiteris, si quod
tibi denuo offert, non recusaueris. Offendisti, sed reconciliari adhuc potes : habes cui satisfacias, et quidem
55 uolentem.

   VIII. 1 Id si dubitas, euolue quae Spiritus ecclesiis
dicat[a] : desertam dilectionem Ephesiis imputat[b], stuprum
et idolothytorum esum Thyatirenis exprobrat[c], Sardos non
plenorum operum incusat[d], Pergamenos docentes peruersa
5 reprehendit[e], Laodicenos diuitiis fidentes obiurgat[f], et
tamen omnes ad paenitentiam commonet, sub comminationibus quidem. **2** Non comminaretur autem non paenitenti, si non ignosceret paenitenti. Dubium, si non et alibi
hanc clementiae suae profusionem demonstrasset : *Non,*
10 ait, *qui ceciderit, resurget, et qui auersatus fuerit, conuertetur*[g]?
3 Ille est scilicet, ille qui misericordiam mauult quam
sacrificia[h]. Laetantur caeli et qui illic angeli paenitentia
hominis[i]. Heus tu, peccator, bono animo sis : uides ubi de
tuo gaudeatur.

15   **4** Quid illa similitudinum dominicarum argumenta nobis uolunt? Quod mulier drachmam perdit et requirit et

---

VIII, § 1 : PACIAN, *Epist.* 1,5   § 2 : PACIAN, *Epist.* 1,6; *Paraen.* 12
§ 3 : PACIAN., *Paraen.* 12

---

51 iteratae Oθ : iterandae T ‖ 52 dominum R³ : domino T‴θ domini T'
deum O ‖ extiteris TONR : -rit β ‖ 53 denuo TO : dominus θ ‖ offert :
Tθ : offertur O ‖ non Tθ : si O ‖ 54 adhuc Oθ : adhoc T' *corr.* ‖ potes
Oθ : potest T.
VIII. 1 id *om.* O ‖ dubitas – quae : dubitare volueris T ‖ 3 idolothytorum esum Tθ : idolorum cultum O ‖ thyatirenis Tθ : tirrenis O ‖
sardos OXR[1.2] : sardas T sardenses ND sardicanos R[m] sardios R³ sar F ‖
4 pergamos O ‖ 5 laodicenos T‴θ : laodicios O laudicenos T' ‖ diuitiis
fidentes TO : fidentes diuitiis θ ‖ 6-7 comminationibus Tθ : -tione O ‖ 7
autem *om.* T ‖ non² *om.* T ‖ 9 profusionem ONDR : professionem T
perfusionem γ ‖ 9-10 non ait T‴θ : nonne ait T'O ‖ 10 resurget Oθ : -git
T ‖ auersatus θ : aduersatus TO ‖ 11 est Tθ : et O ‖ ille² + est θ ‖ 12

danger, mais que personne n'ait honte d'en être encore
délivré; en cas de rechute, il faut renouveler le remède.
14 Tu prouveras ta reconnaissance envers le Seigneur, si
tu ne refuses pas ce qu'il t'offre de nouveau. Tu l'as offensé,
mais tu peux encore te réconcilier avec lui : tu as affaire à
quelqu'un qui accepte une satisfaction et même la désire.

VIII. 1 Si tu en doutes, lis ce que l'Esprit dit aux
Églises[a]. Il incrimine les Éphésiens d'avoir abandonné la
charité[b]; il reproche aux gens de Thyatire de se livrer à la
fornication et de manger des viandes consacrées aux
idoles[c]; il accuse ceux de Sardes de n'avoir que des œuvres
imparfaites[d]; il réprimande ceux de Pergame d'enseigner
des doctrines perverses[e]; il blâme ceux de Laodicée de
mettre leur confiance dans les richesses[f] et, pourtant, tous il
les avertit de faire pénitence, en recourant aux menaces, il
est vrai. **2** Or il ne menacerait pas celui qui ne fait pas
pénitence, s'il ne pardonnait pas à celui qui fait pénitence.
On pourrait en douter s'il n'avait donné ailleurs encore ces
preuves surabondantes de sa clémence. «Celui qui tombe,
ne se relèvera-t-il pas, dit l'Écriture; celui qui s'égare, ne
reviendra-t-il point sur ses pas[g]?» **3** C'est lui, assurément, c'est lui qui préfère la miséricorde aux sacrifices[h].
Les cieux se réjouissent, et les anges qui y habitent, quand
l'homme fait pénitence[i]. Eh bien, pécheur, aie courage; tu
vois où l'on se réjouit à ton propos.

4 Que veulent nous enseigner les sujets des paraboles du
Seigneur? Voici qu'une femme perd une drachme; elle la

---

sacrificia Tθ : -cium O ‖ illic + sunt O ‖ paenitentia θ : -tiam T propter
penitentiam O ‖ 15-16 nobis Tθ (uobis X) : sibi O ‖ 16 perdit O :
perdidit Tθ

VIII, a. cf. Apoc. 1, 11   b. cf. Apoc. 2, 1-4   c. cf. Apoc. 2, 18-20
d. cf. Apoc. 3, 1-2   e. cf. Apoc. 2, 12-15   f. cf. Apoc. 3, 14-17   g. Jér.
8, 4   h. cf. Os. 6, 6; Matth. 9, 13; 12, 7   i. cf. Lc 15, 10

repperit et amicas ad gaudium inuitat[j], nonne restituti
peccatoris exemplum est?   **5** Errat et una pastoris oui-
cula, sed grex una carior non erat; una illa conquiritur, una
20 pro omnibus desideratur, et tamen inuenitur, et humeris
pastoris ipsius refertur; multum enim errando laboraue-
rat[k].   **6** Illum etiam mitissimum patrem non tacebo, qui
prodigum filium reuocat, et post inopiam paenitentem
libens suscipit, immolat uitulum praeopimum, conuiuio
25 gaudium suum exornat[l]; quidni? filium enim inuenerat,
quem amiserat, cariorem senserat, quem lucri fecerat.

   7 Quis ille nobis intellegendus pater? Deus scilicet; tam
pater nemo, tam pius nemo.   **8** Is ergo te filium suum, etsi
acceptum ab eo prodegeris, etsi nudus redieris, recipiet,
30 quia redisti, magisque de regressu tuo, quam de alterius
sobrietate laetabitur, sed si paeniteas ex animo, si famem
tuam cum saturitate mercenariorum paternorum compares,
si porcos immundum relinquas pecus, si patrem repetas uel
offensum, *Deliqui,* dicens, *pater, nec dignus ego iam uocari*
35 *tuus*[m].   **9** Tantum releuat confessio delictum, quantum
dissimulatio exaggerat; confessio enim satisfactionis consi-
lium est, dissimulatio contumaciae.

---

§ 5 : HIER., *Epist.* 21,39,4   § 6 : HIER., *Epist.* 21,1,1 ; 21,35,1 ; 145,1 ;
In Hier. I,63,1.

---

17 repperit T'OR : reperit T''θ || et *om.* T || 18 errat et una T''θ (errat
et uni X) : erat una T' errat una O || pastoris Tθ : pastori OR || 19 una[1]
T''Oθ : une T' || 20 pro : alias prae R[m] || tamen TOθ : tandem R[1] [mg]R[2,3] ||
inuenitur Oθ : inuenietur T' *corr.* || 21 ipsius Tθ : eius O || 21-22 multum
– laborauerat *om.* O || 21 errando θ : erranda T' *corr.* || 23 paenitentem
OR[3] : paenitentiae θ penitentiam T' penitentia T'' || 24 libens Oθ :
liberans T || immolat Oθ : immolans T || praeopimum OR : praeop-
timum θ pro eo optimum T || 26 cariorem senserat *om.* T || 27 pater deus
scilicet tam *om.* T || 28 is ergo NγR : si ergo O *locus corruptus* T || 29
redieris ONR : redigeris Tβ || recipiet Tθ : recipieris O || 31 paeniteas O :
-teat Tθ || 32 saturitate TO'θ : securitate O'' || compares : conparet T'
corr. || 34 - XII,39 deliqui – non *om.* T || 34 ego *om.* ND || 35 releuat

cherche, elle la trouve et invite ses amies à se réjouir[j];
n'est-ce-point là l'image du pécheur rétabli en grâce?
5 Voici que s'égare une seule petite brebis appartenant à
un pasteur; mais le troupeau entier ne lui était pas plus cher
que cette seule brebis : c'est elle seule qu'il cherche, elle
seule qu'il désire, à l'égal de toutes les autres; mais elle est
retrouvée, et elle est rapportée sur les propres épaules du
pasteur, car elle s'était bien fatiguée dans des égarements[k].
6 Je ne passerai pas sous silence ce père si tendre, qui
rappelle son fils prodigue et qui l'accueille avec joie quand
il fait pénitence après avoir connu la pénurie; il immole le
veau gras, il célèbre sa joie par un festin[l]. Pourquoi pas? Il
avait retrouvé le fils qu'il avait perdu; il l'avait senti plus
cher, pour l'avoir regagné.

7 Qui devons-nous reconnaître en ce père? Dieu, évidemment : personne n'est père comme lui, personne n'est
bienveillant comme lui.   8 C'est pourquoi, toi qui es son
fils, même si tu as gaspillé ce que tu as reçu de lui, même si
tu reviens nu, il t'accueillera, parce que tu es revenu, et il se
réjouira de ton retour plus que de la sagesse de son autre
fils, mais à condition que tu fasses pénitence du fond du
cœur, que tu compares ta faim avec l'abondance dont
jouissent les journaliers de ton père, que tu abandonnes les
porcs, immonde troupeau, que tu retournes auprès de ton
père, même si tu l'as offensé, pour lui dire : «Mon père, j'ai
péché, et je ne suis plus digne d'être appelé ton fils[m].»
9 L'aveu des péchés allège le péché, autant que leur
dissimulation l'aggrave. Car l'aveu est le parti de la
satisfaction, la dissimulation celui de la rébellion.

ONR : reuelat γ || delictum ONGR^mR³ : delictorum R^1.2 || quantum
OγR : quam ND.

---

j. cf. Lc 15, 8-10   k. cf. Lc 15, 4-7   l. cf. Lc 15, 11-32   m. Lc 15, 21

IX. 1 Huius igitur paenitentiae secundae et unius, quanto in arto negotium est, tanto operosior probation, ut non conscientia sola praeferatur, sed aliquo etiam actu administretur. **2** Is actus, qui magis graeco uocabulo
5 exprimitur et frequentatur, exomologesis est, qua delictum nostrum Domino confitemur, non quidem ut ignaro, sed quatenus satisfactio confessione disponitur, confessione paenitentia nascitur, paenitentia Deus mitigatur. **3** Itaque exomologesis prosternendi et humilificandi homi-
10 nis disciplina est, conuersationem iniungens misericordiae inlicem, de ipso quoque habitu atque uictu. **4** Mandat sacco et cineri incubare[a], corpus sordibus obscurare, animum maeroribus deicere, illa quae peccant tristi tractatione multare, ceterum pastum et potum pura nosse, non
15 uentris scilicet, sed animae causa; plerumque uero ieiuniis preces alere, ingemiscere, lacrimari et mugire dies noctesque ad Dominum Deum tuum, presbyteris aduolui, aris Dei adgeniculari, omnibus fratribus legationem deprecationis suae iniungere. **5** Haec omnia exomologesis, ut pae-
20 nitentiam commendet, ut de periculi timore Dominum honoret, ut in peccatorem ipsa pronuntians pro Dei indignatione fungatur, et temporali afflictatione aeterna supplicia, non dicam frustretur, sed expungat. **6** Cum igitur prouoluit hominem, magis releuat; cum squalidum

---

IX, § 1 : PACIAN., *Paraen.* 12; ISID., *Orig.* VI,19,76   § 3 : ISID., *Orig.* VI,19,79.

IX.2 quanto OγR : quantum ND ‖ 3 sola conscientia *tr.* γR ‖ proferatur R[1.2] ‖ 4 uocabulo + et O ‖ 5 qua θ : quia O ‖ 5-6 delictum domino nostrum (nostro X) *tr.* θ ‖ 7-8 confessione paenitentia nascitur *om.* O ‖ confessione[2] : cum ND ‖ 9 humilificandi : mollificandi N ‖ 10 iniungens R[1 mg]R[2.3] : iniunges O inunguens θR[1] ‖ 11 inlicem θ : indicem O ‖ uictu θ : actu O ‖ mandat *om.* R[1.2] ‖ 12 cinere X ‖ 13 illa + illa NFD ‖ peccant Oθ : peccauit R ‖ 14 multare O : mutare θ ‖ pura θ : pure O ‖ 15 scilicet *om.* O ‖ ieiuniis : ieiunus F ‖ 16-17 dies noctesque ONDR : diesque noctes X noctes diesque F ‖ 17 deum *om.* O ‖ aris OND : et aris XR caris F et caris *Pam* ‖ 18 legationem O : -nes θ ‖ 19 inungere R[1.2] ‖

IX. 1 Autant l'obligation de cette pénitence seconde et unique est une affaire délicate, autant sa preuve est laborieuse : il ne suffit pas de la produire au sein de la conscience, mais il faut encore qu'un acte la manifeste. **2** Cet acte, qui est plus communément désigné par un terme grec, c'est l'exomologèse; par elle nous confessons notre péché au Seigneur, non certes qu'il l'ignore, mais parce que la satisfaction se prépare par l'aveu, par l'aveu naît la pénitence, par la pénitence Dieu est apaisé. **3** L'exomologèse est donc la discipline qui enjoint à l'homme de se prosterner et de s'humilier, en lui imposant, jusque dans sa manière de se vêtir et de se nourrir, une conduite de nature à attirer sur lui la miséricorde.   **4** Elle ordonne de coucher sur le sac et la cendre[a], de laisser son corps se noircir de crasse, d'abîmer son âme dans la tristesse, de punir par un traitement sévère tout ce qui est cause de péché; en outre, de ne plus connaître qu'une nourriture et une boisson toutes simples, pour le bien, non du ventre, bien sûr, mais de l'âme; en revanche, de nourrir sa prière de jeûnes fréquents, de gémir, pleurer, crier de douleur, jour et nuit, vers le Seigneur, ton Dieu, de se prosterner aux pieds des prêtres, de s'agenouiller devant les autels de Dieu, de recommander à tous les frères de se faire les ambassadeurs de sa requête en grâce.   **5** Tout cela l'exomologèse l'ordonne pour faire valoir la pénitence, pour honorer le Seigneur par la crainte du péril, pour exercer le ministère de la colère divine, en prononçant elle-même contre le pécheur, pour éluder ou plutôt pour effacer par une souffrance temporaire les supplices éternels. **6** C'est pourquoi, quand elle prosterne l'homme, elle le redresse bien plutôt; quand elle le charge de crasse, elle le

---

19-23 ut paenitentiam – expungat *om.* O ‖ 22 afflictione F ‖ 23 expungat R[1 mg]R[2.3] : expugnat γR[1] expugnet ND ‖ 24 releuat NR : reuelat β ‖ squalidum θ : scalere O

IX, a. cf. Dan. 9, 3; Jonas 3, 5-6

25 facit, magis emundatum reddit; cum accusat, excusat; cum
condemnat, absoluit. In quantum non peperceris tibi, in
tantum tibi Deus, crede, parcet.

X. 1 Plerosque tamen hoc opus, ut publicationem sui,
aut suffugere, aut de die in diem differre praesumo, pudoris
magis memores quam salutis, uelut illi qui in partibus
uerecundioribus corporis contracta uexatione conscientiam
5 medentium uitant, et ita cum erubescentia sua pereunt.
2 Intolerandum scilicet pudori Domino offenso satisfacere,
saluti prodactae reformari. Ne tu uerecundia bonus, ad
delinquendum expandens frontem, ad deprecandum uero
subducens. **3** Ego rubori locum non facio, cum plus de
10 detrimento eius adquiro, cum ipse hominem quodammodo
exhortatur : «Ne me respexeris, dicens, pro te mihi melius
est perire.» **4** Certe periculum eius tunc, si forte, one-
rosum est, cum penes insultatores in risiloquio consistit,
ubi de alterius ruina alter attollitur, ubi prostrato supers-
15 cenditur. Ceterum inter fratres atque conseruos, ubi communis spes, metus, gaudium, dolor, passio − quia communis Spiritus de communi Domino et patre[a] −, quid tu
hos aliud quam te opinaris? **5** Quid consortes casuum
tuorum ut plausores fugis? Non potest corpus de unius
20 membri uexatione laetum agere[b]; condoleat uniuersum et
ad remedium collaboret necesse est. **6** In uno et altero
ecclesia est[c], ecclesia uero Christus[d]. Ergo cum te ad

X, § 1 : PACIAN., *Paraen.* 8

---

25 emundatum O : mundatum θ ‖ accensat F ‖ 26 absoluit : exsoluit
O′ *corr.* ‖ pepercerit N ‖ 27 parcet θ : parcit O.
X.1 plerusque F ‖ ut + aut X ‖ 2 fugere ND ‖ in diem *om.* O ‖ 7
prodactae θ : perdite O ‖ 7-26 ne − postulat *om.* O ‖ 7 tu *om.* N ‖ 9-10 de
detrimento XR : detrimento NF ‖ 13 insultatores *Brf* : -ros γR ‖ 14-15
superscendetur Dγ ‖ 17-18 tu hos ND : tuos γR

X, a. cf. I Cor. 12, 4-11; Éphés. 4, 4   b. cf. I Cor. 12, 26

rend plus propre; quand elle l'accuse, elle l'excuse; quand
elle le condamne, elle l'absout. Autant tu auras refusé de
t'épargner, autant, crois-le bien, Dieu t'épargnera.

X. 1 Cependant, bien des gens se dérobent à cette tâche,
parce qu'elle révèle publiquement leur état, ou la diffèrent
de jour en jour, plus soucieux, je présume, de leur honte
que de leur salut, comme ceux qui, ayant contracté une
maladie aux parties les plus délicates du corps, évitent de la
faire connaître aux médecins et périssent ainsi avec leur
pudibonderie. **2** Évidemment la honte trouve intolérable
d'offrir satisfaction au Seigneur qui a été offensé, de rentrer
en possession du salut qui a été gaspillé. Vraiment, tu es
bien bon avec ta délicatesse, toi qui relèves la tête quand il
s'agit de pécher, mais qui la baisses quand il s'agit
d'implorer ton pardon. **3** Pour moi, je n'accorde aucune
place à la honte, quand j'augmente mon profit à lui porter
préjudice et qu'elle-même y exhorte l'homme, en quelque
sorte, en lui disant : «N'aie de moi aucun souci; mieux vaut
que je périsse pour toi.» **4** Certes, le péril qu'il lui arrive
de courir est grave, étant donné qu'il consiste en propos
moqueurs de la part de gens qui ont l'intention de vous
insulter, là où l'un s'élève par la ruine de l'autre, où l'on
monte en prenant pour marchepied celui qui gît à terre.
Mais au milieu de frères, serviteurs du même maître, là où
sont communes l'espérance, la crainte, la joie, la peine, la
souffrance – car commun est l'Esprit, envoyé par le même
Seigneur et Père[a] –, pourquoi les crois-tu différents de toi?
5 Pourquoi fuis-tu comme des railleurs ceux qui partagent
tes malheurs? Le corps ne peut se réjouir, quand souffre
l'un de ses membres[b]; il est nécessaire que tout entier il
s'afflige et travaille à sa guérison. **6** Là où sont ensemble
un ou deux fidèles, là est l'Église[c], mais l'Église, c'est le
Christ[d]. Par conséquent, lorsque tu tends les mains vers les

c. cf. Matth. 18, 20   d. cf. Col. 1, 24

fratrum genua protendis, Christum contrectas, Christum
exoras. Aeque illi cum super te lacrimas agunt,´ Christus
25 patitur, Christus patrem deprecatur. Facile impetratur
semper quod filius postulat[e]. 7 Grande plane emo-
lumentum uerecundiae occultatio delicti pollicetur. Vide-
licet si quid humanae notitiae subduxerimus, proinde
et Dominum celabimus? 8 Adeone existimatio hominum
30 et Dei conscientia comparantur? An melius est damnatum
latere quam palam absolui? 9 – Miserum est sic ad exomologesin peruenire. – Malo tamen, si peruenitur, sed ubi
paenitendum est, deserit miserum, quia factum est salutare.
10 Miserum est secari et cauterio exuri et pulueris
35 alicuius mordacitare cruciari; tamen quae per insuauitatem
medentur, et emolumento curationis offensam sui excusant
et praesentem iniuriam superuenturae utilitatis gratia com-
mendant.

XI. 1 Quid si praeter pudorem, quem potiorem putant,
etiam incommoda corporis reformident, quod inlotos,
quod sordulentos, quod extra laetitiam oportet deuersari in
asperitate sacci et horrore cineris et oris de ieiunio uani-
5 tate[a]? 2 Num ergo in coccino et Tyrio pro delictis
supplicare nos condecet? Cedo acum crinibus dis-
tinguendis et puluerem dentibus elimandis et bisulcum
aliquid ferri uel aeris unguibus repastinandis; si quid ficti
nitoris, si quid coacti ruboris labia aut genas urgeat.

XI, §§ 2-3 : PACIAN., *Paraen.* 10.

---

29 dominum O : deum θ ‖ celauimus O ‖ 30 conscientia θ : constantia
O ‖ est damnatum : condamnatum F ‖ 31 absolui θ : solui O ‖ 31-33
miserum – salutare *om.* O ‖ 31 sic OγR : sin ND ‖ 32 tamen *scripsi* : enim
amans (amens N′) θ enim aniasi R[1 mg] enim ad miseriam R[3] ‖ 33 deserit :
desinit R[3] ‖ 35 cruciari θR[m] : anxiari R ‖ 36 et *om.* O ‖ sui θ : suam O ‖ 37
gratia : OγR : gratiam ND.
    XI.3 diuersari F ‖ 4 de *om.* O ‖ 4-5 uanitate *om.* O ‖ 5 num θ : non O ‖
6-16 cedo – laesi *om.* O ‖ 6-7 distinguendi X ‖ 7 et[1] FR : sed et N sed XD

genoux de tes frères, c'est le Christ que tu touches, c'est le
Christ que tu implores. Pareillement, quand ils versent des
larmes sur toi, c'est le Christ qui compatit, c'est le Christ
qui supplie son Père. Ce qu'un fils demande, il l'obtient
toujours, facilement[e]. 7 Vraiment, il est grand le profit
que la dissimulation du péché promet à la délicatesse. Bien
sûr, si nous avons pu soustraire quelque chose à la
connaissance des hommes, nous pourrons aussi le cacher
au Seigneur! 8 En est-on au point de comparer l'opinion
des hommes et le jugement de Dieu? Ou bien vaut-il mieux
être condamné en secret que d'être absous en public?
9 – Mais il est pénible d'en arriver ainsi à l'exomologèse. –
Pourtant, en arriver là est le parti préférable, à mon sens;
mais quand il faut faire pénitence, la peine disparaît, car
c'est un acte qui confère le salut. 10 Il est pénible d'être
amputé, brûlé par le cautère, torturé par la morsure de
certaines poudres; pourtant les remèdes qui guérissent au
prix d'un désagrément justifient la peine qu'ils causent par
le profit de la guérison et font accepter le mal présent par la
perspective des avantages qui doivent survenir.

XI. 1 Se pourrait-il qu'outre la honte, que l'on place au
premier rang, on redoute aussi les incommodités pour le
corps, le fait qu'il faut vivre sans se baigner, chargé de
crasse, privé de joie, dans un rude cilice, une effroyable
poussière, la bouche au chômage à cause du jeûne[a]?
2 Mais convient-il donc que nous implorions le pardon de
nos péchés en habits d'écarlate, sous la pourpre de Tyr?
Voici une épingle pour diviser tes cheveux, de la poudre
pour nettoyer tes dents, des ciseaux de fer ou de bronze
pour te tailler les ongles; qu'un éclat emprunté, qu'une
rougeur artificielle viennent charger tes lèvres et tes joues.

|| 8 aeris NR : aereis X ereis F || si quid *om.* ND || 9 labia *Brf* : in labia θ

---

e. cf. Lc 11, 11-13
XI, a. cf. Matth. 6, 16

10 3 Praeterea exquirito balneas laetiores hortulani mariti-
miue secessus; adicito ad sumptum; conquirito altilium
enormem saginam; defaecato senectutem quamque uini;
< si > quis interrogarit cur animae largiaris : «Deliqui,
dicito, in Dominum, et periclitor in aeternum perire;
15 itaque nunc pendeo et maceror et excrucior, ut Deum
reconciliem mihi, quem delinquendo laesi.»

4 Sed enim illos, qui ambitus obeunt capessandi magistratus, neque pudet neque piget incommodis animae et
corporis, nec incommodis tantum, uerum etiam contume-
20 liis omnibus eniti in causa uotorum suorum. 5 Quas non
ignobilitates uestium affectant, quae non atria nocturnis
et crudis salutationibus occupant, ad omnem occursum
maioris cuiusque personae decrescentes, nullis conuiuiis
celebres, nullis commessationibus congreges, sed exules a
25 libertatis et laetitiae felicitate : itaque totum propter unius
anni uolaticum gaudium. 6 Nos, quod securium
uirgarumue petitio sustinet, in periculo aeternitatis tole-
rare dubitamus et castigationem uictus atque cultus offenso
Domino praestare cessabimus, quae gentes nemine omnino
30 laeso sibi inrogant? 7 Hi sunt de quibus scriptura com-
memorat : *Vae illis, qui delicta sua uelut procero fune nectunt*[b].

XII. 1 Si de exomologesi retractas, gehennam in corde
considera, quam tibi exomologesis extinguet, et poenae

XII, § 1 : PACIAN., *Paraen.* 11

---

10 exquirito balneas : acquirito balnias X || 12 enormem R : enormam
θ || quamque uini θ : quumque uicinus R[1 mg] uini quumque R[3] || 13 si *add.*
Krm Brf ex Paciano (paraen. 10) || 14 dominum Oθ : deum R || 17 enim
om. O || ambitus O : ambitu θ || capessendi + causa O || 18 pudet
ONXR : pendet F || et *om.* N || 19 etiam O : et θ || 21 uestium *om.* O || 22
et crudis *om.* O || 25 itaque ONγR[1] : idque R[1 mg]R[2.3] || 26 nos quod : uos
quid X || securum O || 27 sustinet + et O || 28 et *om.* O || atque OγR :
aeque ND || offenso : offendo F || 29 gentes O : gentiles θ || 31 illis θ :
illos O.
XII.1 exomologesis ND || retractans X || 2 considera OR[1 mg]R[2.3] :

3 Mets-toi aussi à la recherche des bains plus agréables,
que réservent les parcs et les bords de mer; n'épargne
pas la dépense : procure-toi force volailles, grasses à
point; décante les vins les plus vieux; et, si l'on te demande
pourquoi tu fais bonne chère, réponds : « J'ai péché contre
le Seigneur et je cours le péril de périr pour toujours; c'est
pourquoi je suis maintenant dans l'angoisse, je me mortifie
et je me tourmente, afin de regagner la faveur de Dieu, que
j'ai offensé par mes péchés.»

4 Mais ceux qui sont candidats pour parvenir à une
magistrature n'éprouvent ni honte ni répugnance à endurer
les incommodités de l'âme et du corps, et non seulement
des incommodités mais toute sorte d'affronts, pour la
réalisation de leurs désirs. 5 Quels vêtements communs
n'affectent-ils pas de porter! Quelles demeures n'assiègent-
ils pas, tard dans la nuit, tôt le matin, afin de présenter leurs
salutations! Chaque fois qu'ils rencontrent un grand personnage, ils s'inclinent très bas; ils s'abstiennent de participer aux réunions amicales, de s'associer aux banquets; ils
s'exilent des agréments de la liberté et de la joie. Et
tout cela pour la satisfaction fugitive d'une seule année!
6 Mais ce que l'on endure pour briguer haches et faisceaux, nous − alors que notre éternité est en péril −, nous
hésitons à le supporter, et nous tardons à offrir au Seigneur
offensé les restrictions sur la nourriture et le vêtement que
les païens s'imposent, alors qu'ils n'ont offensé absolument
personne! 7 C'est à propos de ces gens-là que l'Écriture
rappelle : «Malheur à ceux qui lient ensemble leurs péchés
comme avec une longue corde[b]!»

XII. 1 Si tu as des doutes au sujet de l'exomologèse,
considère en ton cœur la géhenne, que l'exomologèse

---

desidera NγR[1] ‖ extinguet Nγ : excuset extinguet O′ corr. extinguit R ‖
2-4 poenae – dubites om. O ‖ 2 poenae R : poena θ

---

b. cf. Is. 5, 18 (LXX)

prius magnitudinem imaginare, ut de remedii adoptione
non dubites. **2** Quid illum thesaurum ignis aeterni existi-
5 mamus, cum fumariola quaedam eius tales flammarum
ictus suscitent, ut proximae urbes aut iam nullae extent
aut idem sibi de die sperent? **3** Dissiliunt superbissimi
montes ignis intrinsecus feti et, quod nobis iudicii perpe-
tuitatem probat, cum dissiliant, cum deuorentur, num-
10 quam tamen finiuntur. **4** Quis haec supplicia interim
montium non iudicii minantis exemplaria deputabit? Quis
scintillas tales non magni alicuius et inaestimabilis foci
missilia quaedam et exercitatoria iacula consentiet?

5 Igitur cum scias aduersus gehennam post prima illa
15 intinctionis dominicae munimenta esse adhuc in exomologesi secunda subsidia, cur salutem tuam deseris, cur cessas
adgredi quod scias mederi tibi? **6** Mutae quidem animae
et inrationabiles medicinas sibi diuinitus attributas in
tempore agnoscunt : ceruus sagitta transfixus, ut ferrum et
20 inreuocabiles moras eius de uulnere expellat, scit sibi
diptamnum edendam; hirundo, si excaecauerit pullos,
nouit illos oculare rursus de sua chelidonia. **7** Peccator
restituendo sibi institutam a Domino exomologesin sciens,
praeteribit illam, quae Babylonium regem in regna resti-
25 tuit[a]? Diu enim paenitentiam Domino immolarat, septenni
squalore exomologesin operatus, unguium leoninum in

---

§ 6 : HIER., *In eccles.* 7 : PACIAN., *Epist.* 11; ISID., *Orig.* XVII,9,36
§ 7 : PACIAN., *Paraen.* 9

4-5 existimamus O : aestimamus γR extimamus N || 5 fumariola θ :
-riole O || 6 ictus OR : ictu θ || suscitent NR : suscitentur γ oscitent O ||
6-7 extent aut : extente ut X || 8 feti et ND : feta et γR feruet O || 8-10
quod – finiuntur *om.* O || 11 minantis θ : imminentis O || 12 foci : uoce X
|| 13 et *om.* γ || exercitatoria O : exercitoria θ || 14 prima θ : posteriora O ||
15 munimenta *Rig* : monimenta NFDR monumenta OX || 17 adgredi
om. O || 18 inrationabiles O : inrationales θ || 21 diptamnum O :
dictamium N dictamnum Dγ dictamno R || edendam O : medendum θ ||
22-23 rursus – a domino *om.* O || 23 exomologesin a domino *tr.* N ||
25-26 septenni – operatus : septem exomologeses scalore inoperatus O

éteindra pour toi; représente-toi d'abord la grandeur du châtiment, afin de ne point hésiter à adopter le remède. 2 Ce que doit être cette réserve du feu éternel, nous l'imaginons, puisque certains de ses soupiraux crachent de tels jets de flamme que les villes voisines en sont détruites de fond en comble ou s'attendent au même sort chaque jour. 3 Les montagnes les plus altières s'éventrent pour donner naissance au feu nourri dans leur sein et – ce qui prouve l'éternité du jugement – bien qu'elles s'éventrent, bien qu'elles se consument, jamais, pourtant, elles ne s'épuisent. 4 Qui ne verra, dans le supplice actuel de ces montagnes, l'image du jugement qui menace? Qui n'admettra que ces étincelles sont les projections d'un foyer puissant et incommensurable, et comme des traits lancés à l'exercice?

5 En conséquence, puisque tu sais que, contre la géhenne, après la première ligne de défense, constituée par le baptême du Seigneur, il existe encore un second refuge dans l'exomologèse, pourquoi désertes-tu ton salut? Pourquoi tardes-tu à recourir au remède qui doit te guérir, tu le sais? 6 Même les animaux muets et dépourvus de raison reconnaissent en temps voulu les remèdes que la Divinité leur a destinés : le cerf, transpercé d'une flèche, sait que, pour faire sortir de la plaie le fer et ses barbes tenaces, il lui faut manger le dictamne; l'hirondelle, si elle aveugle ses petits, sait leur rendre la vue au moyen de la plante qui porte son nom, la chélidoine. 7 Le pécheur, qui sait que le Seigneur a institué l'exomologèse pour le rétablir, va-t-il la laisser de côté, elle qui a rétabli dans sa royauté le roi de Babylone[a]? Longtemps, en effet, il avait offert à Dieu le sacrifice de sa pénitence; pendant sept ans il avait accompli l'exomologèse dans toute sa hideur; ses ongles avaient pris un aspect sauvage comme les griffes du lion; ses cheveux

---

XII, a. cf. Dan. 4, 29-33

modum efferatione et capilli incuria horrorem aquilinum
praeferente. Pro malae tractationis felicitatem! Quem
homines perhorrebant, Deus recipiebat. **8** Contra autem
30 Aegyptius imperator, qui populum Dei aliquando
afflictum, diu Domino suo denegatum, persecutus in
proelio irruit, post tot documenta plagarum, discidio
maris, quod soli populo peruium licebat, reuolutis fluctibus
perit[b]. Paenitentiam enim et ministerium eius, exomolo-
35 gesin, abiecerat.

9 Quid ego ultra de istis duabus humanae salutis quasi
plancis, stili potius negotium quam officium conscientiae
meae curans? Peccator enim omnium notarum cum sim,
nec ulli rei nisi paenitentiae natus, non facile possum super
40 illa tacere, quam ipse quoque et stirpis humanae et offensae
in Dominum princeps Adam, exomologesi restitutus in
paradisum suum, non tacet.

28 praeferentem β || proh O || felicitatem *om.* θ || 30 qui *om.* O || 31 in
om. O || 32 proelium R[2,3] || tot *om.* O || 33 licebat θ : lucebat O || 36-38
quid – sim *om.* O || 36 ego NDR[m]R[3] : ergo γR[1,2] || 37 plancis R[2] : plane
θR[1,2] pharis R[3] || 39 nec ulli θ : ego uere nulli O || 40 et offensae Oθ : ex
offensa T || 41 exomologesi TR[3] : -sim θ -sin OR[1,2] || 42 de penitentia
explicit T Tertulliani de penitentia explicit N explicit liber Tertulliani de
penitentia F *om.* OX.

négligés inspiraient la terreur comme le plumage hérissé de l'aigle. Mais quel ne fut pas l'heureux résultat d'un traitement aussi rigoureux! Celui que les hommes avaient pris en horreur, Dieu l'accueillit! **8** Au contraire, le monarque d'Égypte, qui avait jadis tourmenté le peuple de Dieu et avait longtemps refusé de le rendre à son Seigneur, se jeta à sa poursuite, pour lui livrer bataille, malgré tous les avertissements des plaies qui le frappaient; dans la mer qui s'ouvrit pour laisser passage au seul peuple de Dieu puis ramena ses flots roulants, il périt[b]. C'est qu'il avait refusé la pénitence et l'exomologèse, son instrument.

9 Mais pourquoi parler davantage de ces deux planches de salut de l'homme, si j'ose dire, me préoccupant de la question du style plus que du devoir de ma conscience? En effet, comme je suis un pécheur, digne de tous les blâmes et né seulement pour faire pénitence, je ne puis facilement cesser d'en parler; lui-même aussi, le premier de la race humaine et le premier à offenser le Seigneur, Adam, rétabli par l'exomologèse dans son paradis, ne cesse d'en parler.

---

b. cf. Ex. 7-14.

COMMENTAIRE

I. 1. et ipsi : T. s'applique à capter la bienveillance des catéchumènes qui font partie de l'auditoire; cf. FRE-DOUILLE, p. 37-38. Noter le pluriel de modestie.

caeci : comme l'auteur de la *IIa Clementis* (1, 6), T. compare les païens à des aveugles, marchant dans les ténèbres, puisqu'ils ne sont pas éclairés par les lumières de la révélation divine; cf. *Bapt.*, 1, 1.5; *Pat.*, 1, 7. L'image a des racines bibliques : cf. *Ps.* 111, 4; 145, 8; *Is.* 60, 3; *Lc* 2, 32; *I Pierre* 2, 9; *I Jn* 2, 8. Elle sert à décrire le péché d'igno-rance comme un aveuglement; cf. F.J. DÖLGER, « Die Sünde in Blindheit und Unwissenheit. Ein Beitrag zu Tertullian *De Baptismo* 1 », *Antike u. Christen-tum* 2, 1932, p. 222-229.

passionem animi : En *An.*, 12 et 13, T. explique longue-ment comment il conçoit les rapports entre l'âme *(anima)* et l'esprit *(animus)*. Il voit dans l'*animus* une fonction de l'âme (12,6) et non une substance indépendante de celle-ci. L'union étroite de l'esprit et de l'âme fait que cette dernière est soumise à toutes les fluctuations des états psychiques. Voir le commentaire de WASZINK à ce sujet, p. 200-201. – *Passio* peut revêtir des acceptions plus ou moins étroites, depuis le sens général d'affection *(pathos)* jusqu'à celui d'affliction, de souffrance. En parlant de *passio animi*,

T. s'exprime par métonymie : la douleur provoquée par la *paenitentia* n'est pas cantonnée dans l'esprit ou l'intellect; elle affecte l'âme tout entière.

offensa : T. attache souvent à ce terme la nuance d'irritation, de mécontentement; cf. *Marc.,* I, 25, 7; 26, 3; *Paen.,* 10, 10. – Le Saint propose de comprendre *o.* au sens objectif : «a certain affection or the soul caused by a past decision which gives offense». La plupart des commentateurs l'entendent au sens subjectif. Kellner traduit : «ein Leidenzustand der Seele, welcher aus der Missbilligung einer frühern Meinung entspringt»; Labriolle : «un sentiment pénible de l'âme qui naît du regret d'une décision antérieure».

sententiae prioris : la leçon du *Trecensis* et de l'*Ottobonianus* : *prioris,* au lieu de *peioris* des mss plus récents, est confirmée par plusieurs passages de T., notamment *Nat.,* I, 1, 10 et *Marc.,* II, 24, 1-2.

2. ratione eius : les païens possèdent une notion naturelle de la pénitence, mais cette connaissance est-elle adéquate? Leur permet-elle d'atteindre la *ratio* de la pénitence, son essence, sa véritable nature, sa raison d'être? et, l'ayant reconnue, d'agir en conséquence? T. le nie, en jouant subtilement des diverses acceptions de *ratio.* Dieu est l'auteur de la raison, la faculté de connaître; il a créé toutes choses *ratione,* par raison, c'est-à-dire par son *logos,* qui est à la fois sa pensée et sa raison : *sermo atque ratio;* cf. *Apol.,* 17, 1; *Marc.,* I, 23, 1; *An.,* 16, 1; *Fug.,* 4, 1; *Prax.,* 6, 3; 5, 2; *Res.,* 3, 6. Puisqu'ils ignorent le vrai Dieu et son Verbe, les païens ne peuvent avoir une notion raisonnable de la pénitence. T. en donnera la preuve au § 4 : «combien leur conduite est contraire à la raison».

res Dei ratio : aux yeux des Romains de l'époque classique, le propriétaire *(dominus),* détenteur de la propriété quiritaire, a une *plena in re potestas;* cf. MONIER, § 260. T. utilise cette notion pour réserver l'accès à la *ratio* *paenitentiae* à ceux qui sont de la famille de Dieu et le refuser aux étrangers *(extranei),* comme c'est le cas pour le *thesaurus,* le trésor, la réserve, de la *domus.*

disposuit : le passage reprend *Apol.* 11, 5. BRAUN, p. 163, observe que chez T. *disponere, dispositio* désigne ordinairement les diverses manifestations du vouloir divin, relatives au monde et à l'homme, et en particulier le plan du salut.

3. ignorantes ... deum : dans ses écrits apologétiques, T., soucieux de préserver l'originalité du christianisme, souligne les incompatibilités doctrinales qui le séparent du paganisme. De même il affirme péremptoirement la supériorité morale de la religion chrétienne; pour lui, la conversion au christianisme s'accompagne toujours d'un amendement d'ordre moral : cf. *Apol.,* 3, 1-2; 45, 1; 46; *Vx.,* II, 7, 2; *Cult.,* II, 1, 2; *Scap.,* 2. J.-C. FREDOUILLE, p. 311-326, a marqué les limites de cette argumentation. Par ailleurs, dans les traités adressés aux fidèles, T. ne manque pas de produire les exemples de vertu offerts par les païens, afin de stimuler l'effort moral des chrétiens; voir F. PÉTRÉ, *L'"exemplum" chez Tertullien.* On observera toutefois qu'il ne reconnaît pas de valeur salvifique aux vertus des païens, où il ne voit qu'imitation diabolique des vertus chrétiennes; cf. *Vx,* I, 6, 5; *Cast.,* 13, 2-3; *Virg.,* 13; *Mon.,* 17.

imminentem procellam : annonce discrète du thème maritime, qui culminera en *Paen.,* 4, 2-3. T. y joint celui du jugement divin, qui ne saurait tarder, pour châtier l'humanité pécheresse. Sur la croyance de T. à l'imminence des derniers temps, cf. ALÈS, p. 446.

4. paenitet fidei : la définition que T. a donnée de la pénitence, au § 1, part de la notion commune, qui s'exprime dans le verbe impersonnel latin : *paenitere.* Dans le langage de tous les jours, *paenitere* ne signifie guère plus qu'un sentiment de déplaisir, de regret, concernant une action passée. Ordinairement, les hommes éprouvent regret et repentir quand ils se souviennent d'avoir commis quelque mal. Mais regret et repentir suivent parfois des actions bonnes, observe T., notamment quand elles n'ont rencontré qu'ingratitude : *ingratia* (cf. *Marc.,* II, 24, 6). T. voit dans cet usage de *paenitere* la preuve que les païens ne possèdent pas une notion raisonnable de la pénitence, du repentir, attitudes qui doivent être réservées aux fautes morales. Pour le chrétien, au contraire, *paenitere,* faire pénitence, concerne exclusivement les péchés que l'on a commis : *Paen.,* 2, 8-14.

5. inrogatur : le terme a une coloration juridique; il désigne ordinairement l'infliction d'une sanction ou d'une peine. On remarquera comment T. décrit les éléments de la pénitence des païens, en les calquant sur le modèle chrétien. Déçus, mécontents de n'avoir rencontré qu'ingratitude, ils se condamnent eux-mêmes *(execrantur)* et s'infligent une sanction pour se punir d'avoir fait le bien; ils opèrent une sorte de conversion, fermement résolus à ne plus faire le bien désormais *(meminisse curantes)*. Ils réalisent ainsi une conversion à rebours : *peruersa emendatio : Paen.,* 2, 1.

1. merita : l'accès à la vérité chrétienne permet seul de comprendre la nature véritable *(ratio)* de la pénitence, affirme T. Celle-ci se définit d'abord par ses bienfaits *(merita)*, qui consistent essentiellement à réaliser le salut de l'homme, une fois effacés les péchés passés (2, 7). D'autre part, dans la mesure où la crainte de Dieu inspire toute sa conduite, le chrétien saura éviter le péché à l'avenir; il possède ainsi un moyen infaillible de contenir la pénitence elle-même en de justes limites *(temperare)*, à la différence des païens, qui l'appliquent à temps et à contre-temps (2, 1) et multiplient leurs repentirs (1, 4-5).

augmentum : cette leçon est préférable à celle de O : *strumentum,* compte tenu de l'antithèse, ménagée par T. *(temperarent)*.

timentes Dominum : aux yeux de T., la crainte *(timor,*

metus) n'est pas seulement le sentiment initial qui pousse à la conversion et inspire le repentir; elle est l'un des mobiles majeurs de la vie morale tout entière, jointe à l'intérêt et à l'émulation; voir, à ce sujet, RAMBAUX, p. 65-85, qui souligne le pessimisme des vues de l'auteur sur l'attrait que le mal exerce sur l'homme.

2. emendatio : la pénitence n'est pas limitée au regret, au repentir du mal que l'on a commis; elle implique une rupture avec le péché, une conversion à Dieu, un changement de vie. T. souligne à mainte reprise, dans le présent traité, la nécessité de faire de dignes fruits de pénitence, aussi bien avant le baptême (6, 1-6), qu'après (5, 1-3). Il dénonce l'attitude de ceux qui prétendent que Dieu se contente de nos sentiments de pénitence, lors même qu'elle ne se traduit pas en actes (5, 10).

3. principe generis : s'il n'est pas possible de trouver ici un témoignage explicite en faveur de la doctrine du péché originel, T. n'en demeure pas moins l'un des représentants les plus marquants de cette croyance. En *An.,* 39-40, il distingue nettement le péché causé par le démon dans la vie de chaque individu et l'état de corruption, qui procède du péché originel : *pristina corruptio,* et qui est levé par le baptême. Le péché d'Adam ne constitue pas seulement une priorité chronologique et un exemple pernicieux; toute sa descendance est infectée en ses racines profondes; par hérédité elle porte et transmet *(tradux)* une propension au mal; elle est, au sens fort, une race pécheresse, de génération en génération *(semen delicti)*; cf. *Pat.,* 5, 5 ; *An.,* 40, 1 ; *Marc.,* V, 17, 10; *Pud.,* 6, 15. Sur la doctrine de T. en cette matière, voir entre autres : ALÈS, p. 120-127; DASSMANN, p. 251-254; P.F. BEATRICE, *« Tradux peccati ». Alle fonti della dottrina agostiniana del peccato originale,* Milan 1978, p. 260-271.

maturuisset : nous retenons la conjecture de Borleffs, fondée sur la leçon du *Trecensis.* Les autres mss écrivent :

maturauisset, qui comporte une nuance de hâte, d'empressement. On observera qu'IRÉNÉE, dont T. dépend étroitement, déclare : «(Dieu) fit d'abord tomber sa malédiction
sur lui (le serpent), pour en venir ensuite seulement au
châtiment de l'homme : car il eut de la haine pour celui qui
avait séduit l'homme, tandis que, pour l'homme qui avait
été séduit, il éprouva peu à peu *(sensim paulatimque)* de la
pitié» *(Adu. haer.,* III, 23, 5, trad. Rousseau-Doutreleau,
SC 211, Paris 1974).

dedicauit : T. emploie ce terme à l'actif au sens de
consacrer, qu'il s'agisse de Dieu *(Marc.,* IV, 14, 1 ; *Iei.,*
8, 2), ou des hommes *(Spect.,* 9, 4 ; *Nat.,* I, 18, 3).– Même
mouvement de la phrase en *Pat.,* 2, 1.

irarum : dans leur ensemble, les Pères ont proclamé
l'impassibilité divine et vu dans les textes bibliques parlant
de la colère de Dieu des anthropomorphismes. Tertullien,
et Lactance à sa suite, occupent une place à part.
Sur la colère de Dieu chez T., voir POHLENZ, p. 439s ;
M. POHLENZ, *Vom Zorne Gottes,* Göttingen 1909, p. 27-29 ;
41-42 ; 439-440 ; SPANNEUT, p. 292 ; FREDOUILLE, p. 160-
162 ; RAMBAUX, p. 77-78.

4. ei praedicandae : datif final ; cf. HOPPE, *Syntax,* p. 26.
intinctionem paenitentiae : conformément à la doctrine
professée en *Act.* 19, 2-6, T. ne voit dans le baptême de
Jean qu'un baptême de repentance ; il ne remet pas les
péchés et ne confère pas la grâce de l'Esprit, comme celui
de Jésus ; cf. *Bapt.,* 10, 1-7.

semini Abraham : réminiscence de *Lc* 1, 55 ; on observera, tout dans tout ce passage, les nombreuses allusions au
Benedictus.

5. non tacet : même tournure en *Paen.,* 12, 9 ; *Pat.,* 14, 1 ;
Marc., IV, 42, 4.
paenitentiam initote : L'appel à la conversion au Dieu
puissant, eu égard à l'irruption imminente de la Seigneurie
divine et du jugement, constitue le thème dominant de la

prédication du Baptiste, qui reprend les monitions des prophètes de l'A.T. : rupture avec la vie pécheresse pour se tourner vers le Seigneur.

salus : il est remarquable que T. ne cite ni *Matth.* 4, 17, ni *Mc* 1, 15, qui attribuent à Jésus un message pénitentiel, à l'instar de Jean-Baptiste. Compte tenu de la tradition lacunaire de ces versets, il permis de se demander si T. les lisait dans son N.T.

adpropinquabat : T. change le temps de *Matth.* 3, 2 ; cf. BORLEFFS, "Observationes", p. 77.

6. error uetus : les commentateurs voient dans ce terme une allusion au péché originel et à ses conséquences, tandis que l'expression suivante, relative à l'ignorance (coupable) de l'homme viserait les péchés personnels ; cf. LE SAINT, p. 142. T. enseigne, dans *An.*, 39, 1 que le péché d'Adam a terni la pureté, l'éclat primitif, de l'âme humaine. Il précise, en *An.*, 41, 2, en quoi consiste le dommage infligé ainsi à l'âme : il affecte aussi bien l'intelligence que la volonté. Grâce au baptême, l'âme est rétablie dans sa beauté originelle, l'homme est délivré de son aveuglement, et sa volonté se trouve fortifiée pour le combat du chrétien ; cf. *An.*, 41, 4 ; *Bapt.*, 1, 1 ; 18, 5 ; *Praes.*, 13, 5 ; *Fug.*, 8, 12.

uerrens et radens : allusion à la parabole de la drachme perdue, qui sera reprise plus loin (*Paen.*, 8, 4).

superuenturo Spiritui sancto : la réception du sacrement du baptême est la condition préalable à la venue de l'Esprit-Saint, enseigne T., conformément aux textes néo-testamentaires et aux usages liturgiques ; cf. *Act.* 2, 38 ; 8, 17 – mais 10, 47. Parmi les textes les plus explicites, voir *An.*, 1, 4 ; *Bapt.*, 6, 1 ; 8, 4. Pour la description de la vie chrétienne, sous la conduite de l'Esprit, voir W. BENDER, *Die Lehre über den Heiligen Geist bei Tertullian,* p. 136-149.

caelestibus bonis : le Saint-Esprit habite dans l'âme régénérée et la comble de biens célestes. La vie de la grâce, qui lui est ainsi conférée, la fait participer à la vie divine :

Herm., 5, 2. T. emploie les images du vêtement neuf, de la nouvelle naissance, des noces de l'âme, de son illumination, pour décrire les aspects de cette vie divine; cf. W. BENDER, *o.c.,* p. 130-135. La présence de l'Esprit-Saint s'accompagne aussi d'une mesure variable de charismes. Cet aspect de la doctrine de T., présent dès les traités catholiques (*Bapt.,* 20, 5; *Praes.,* 29, 3), prendra une importance croissante : cf. *An.,* 9, 4; *Cast.,* 4; *Scorp.,* 1; *Scap.,* 4; *Marc.,* IV, 18; V, 8.17.

8. bonis... factis : l'insistance de T. sur l'objet de la pénitence, qui ne peut être que le péché, s'explique par la pointe polémique antimarcionite du passage; cf. *Marc.,* II, 24, 1 et 7.

manus iniciatur : expression à résonance juridique. La *manus iniectio* est, par excellence, la voie d'exécution des jugements. Elle consiste en une mainmise du créancier sur le débiteur, devant le magistrat; désormais le débiteur est à la merci de son créancier qui, à l'époque de la Loi des XII tables, peut au bout de 60 jours, à défaut d'accord ou de paiement de la dette, le mettre à mort ou le vendre comme esclave au-delà du Tibre; à la fin de la République, le débiteur insolvable, doit travailler au profit de son créancier jusqu'à ce qu'il ait éteint sa dette; cf. MONIER, §§ 112-113. On voit le parti que T. tire de cette allusion à une *uiolenta manus iniectio.*

9. utpote suorum : Tertullien proclame souvent la nécessité absolue de la grâce divine pour toute bonne action; le passage présent est particulièrement expressif à cet égard, puisque l'action de Dieu accompagne l'action de l'homme à tous les moments, à tel point que l'action bonne accomplie par l'homme est, pour ainsi dire, celle de Dieu. Dieu en est l'instigateur *(auctor) ;* il en est aussi le défenseur, écartant tous les obstacles à sa réalisation, afin que la liberté de l'homme puisse répondre pleinement à sa volonté; cf. *An.,* 21, 6; *Marc.,* II, 24.

acceptator : T. utilise avec prédilection les noms d'agent en -*tor* au lieu des verbes correspondants; cf. H. RÖNSCH, *Itala und Vulgata*, p. 55-63. *A.* est moins fréquemment attesté qu'*acceptor;* on le trouve sur une inscription d'Ostie, contemporaine de T. (*CIL* 14, 16), au sens de lieu, d'aire d'accueil. Par contre, les *acceptores* forment, à Ostie, à la même époque, un corps chargé de prendre livraison des arrivages de blé, qu'ils entreposent dans les magasins : *CIL* 14, 2 (a. 197), 150, 154 (a. 210) : *corpus mensorum frumentariorum, adiutorum et acceptorum Ost.* (PAULY-WIS-SOWA, *ad verbum*).

remunerator : Tertullien est le premier témoin du terme latin chrétien *meritum* – ce qui ne veut pas dire qu'il en est le créateur. Il a grandement contribué à définir le principe et les conditions du mérite, en vue d'illustrer la doctrine traditionnellle des rétributions futures. A la base de l'idée de mérite, T. place évidemment la liberté de l'homme, face à la volonté de Dieu, le maître souverain, dont nous sommes les serviteurs. La loi morale prescrit le bien, sans contraindre la volonté; il appartient à l'homme d'adhérer spontanément au bien et de fuir spontanément le mal. La *dispunctio meriti,* qui aura lieu au jour du jugement, s'appliquera à l'usage que chacun aura fait de sa liberté à l'égard du service dû à Dieu; cf. *Apol.,* 18; *Marc.,* I, 27; IV, 17; *Pat.,* 10; *Scorp.* 6. Pour les emplois que T. fait de *remunerator,* voir BRAUN, p. 120-121.

11. bonum factum : LE SAINT, p. 143, observe que ce passage est l'un des plus anciens et des plus explicites des Pères concernant la doctrine du mérite qui sera solennellement définie au IIe concile d'Orange (529), c. 18.

debitorem : T. traduit fréquemment en catégories juridiques, voire commerciales, la doctrine du mérite. Depuis K.H. WIRTH, *Der Begriff des Meritum bei Tertullian,* Leipzig 1882, nombre d'auteurs lui en ont fait grief, y voyant l'expression de l'esprit légaliste du docteur de Carthage et d'un juridisme très romain. Mais a-t-on suffisamment tenu compte des racines bibliques des notions et des images qui fondent la doctrine de Tertullien? Cf. notre c.r. à l'ouvrage de Cl. RAMBAUX, *Tertullien face aux morales des trois premiers siècles* (*RevSR* 54, 1980, p. 180-182).

12. iustitiae : son rigorisme moral et sa polémique contre Marcion ont conduit T. à insister outre mesure sur l'attribut de la justice divine, envisagée surtout dans son exercice implacable au jour du jugement dernier; cf. BRAUN, p. 116-123; RAMBAUX, p. 76-80.

disciplinae : mot cher à T. (319 occurrences). Parmi les études qui lui ont été consacrées, on notera celles de V. MOREL, *"Disciplina"* et de H.I. MARROU, *"Doctrina* et *disciplina* dans la langue des Pères de l'Église", *ALMA* 9, 1934, p. 5-26. S'il emploie souvent ce terme pour désigner l'ensemble des règles et des rites qui constitue l'unité de l'Église et sépare les fidèles des hérétiques et des païens (*ibid.*, p. 19), devenu montaniste, il aura tendance à faire entrer dans la *d.*, outre les lois morales, les rites, les questions disciplinaires, tout le domaine doctrinal qui déborde les limites de la "règle de foi", et qui concerne la doctrine sacramentaire (notamment le baptême et la pénitence), la doctrine ecclésiologique et celle de l'âme; cf. BRAUN, p. 424-425. On observera qu'ici le sens de *d.* demeure essentiellement pratique, sans résonances doctrinales particulières.

III. 1. delicto : si T. emploie le couple *delictum*/*delinquere,* de préférence à *peccatum*/*peccare,* pour désigner le péché, c'est par fidélité à la terminologie paulinienne, ainsi rendue dans les versions latines, observe WILHELM-HOOIJBERGH, p. 94. Mais les termes sont parfaitement synonymes.

2. spiritus : dans ce passage, T. n'emploie pas *s.* dans l'acception technique de souffle de vie; cf. *An.,* 10, 2, mais au sens large et métonymique, pour désigner l'âme humaine. Sur la différence marquée par T. entre *anima* et *spiritus,* voir le commentaire de WASZINK, p. 193-195, à propos de *An.,* 11, 1-3.

peccato deputandum : la définition du péché, esquissée par T., s'inscrit évidemment dans la tradition biblique, pour laquelle le péché est essentiellement transgression des commandements de Dieu, opposition de la volonté de l'homme à la volonté de Dieu. Cette tradition se distingue nettement des vues de Socrate et d'Aristote, qui envisagent le péché comme ignorance, erreur ou maladresse; cf. É. BRÉHIER, *Histoire de la philosophie,* I, Paris 1967[9], p. 211.-221. On sait que le stoïcisme a opéré, pour son compte, la référence de l'action humaine à l'ordre divin des choses; le devoir de l'homme est d'accorder sa volonté à la volonté de Dieu. Malgré les aspects cosmologiques de cette école, les aspirations morales qu'elle encourageait furent profitables à la doctrine chrétienne, qui s'en inspira largement pour nombre de problèmes de morale théorique; cf. SPANNEUT, p. 232-257.

grande quid boni : «Pour définir Dieu et sa nature, T. a utilisé, dans ses discussions avec les païens ou les hérétiques, un vocabulaire assez marqué par la philosophie ambiante, encore qu'il se soit efforcé en général de le rapprocher de celui de l'Écriture», écrit R. BRAUN, p. 39. Dans le présent développement, s'adressant à des fidèles et à des catéchumènes, T. souligne deux aspects de la nature divine, que l'Écriture met particulièrement en relief, sa grandeur et sa bonté; il observe, par ailleurs, que la piété populaire reconnaît dans la grandeur de Dieu son premier attribut; cf. *Apol.* 17, 5; elle compte aussi sur la bienveillance efficace de la Providence divine; cf. *Test.,* 2, 2; *Cor.,* 6,2.

3. carnalia, idest corporalia : T. emploie *caro/carnalis* en diverses acceptions : au sens le plus général, pour désigner le corps, la sensibilité, comme ici, mais aussi, dans le sens paulinien (*Rom.*, 8, 2; *Gal.* 5, 24), tout ce qui en l'homme s'oppose à Dieu, toutes les forces du mal qui l'habitent, corps et âme (cf. *An.*, 40, 2); dans un sens encore plus restreint, T. utilise ces vocables pour désigner le charnel : voir les textes indiqués par Rambaux, p. 133, n. 41.

duplicis substantiae : si Tertullien a marqué avec vigueur l'unité naturelle du composé humain et affirmé la force de ce lien naturel, que la mort même ne brise pas définitivement, il n'a jamais eu l'idée exacte de l'union substantielle entre le corps et l'âme, telle que la décrivent Aristote et la Scolastique. Pour décrire cette union, il emploie diverses images, comme celle du son, de la couleur, de l'odeur, étroitement associés avec le corps sonore, coloré, odorant (*An.*, 6, 5), mais aussi celle du séjour de l'enfant dans le sein maternel (*An.*, 6, 8), ou celle de l'habitation du démon dans le corps du possédé (*An.*, 25, 8; cf. *An.*, 38, 4; *Res.*, 41, 3; 46, 14; *Pud.*, 10, 12). En somme, il se représente le corps comme une demeure où l'âme séjourne, et l'âme et le corps comme deux substances complètes qui existent ensemble. La dépendance de Tertullien à l'égard de l'anthropologie stoïcienne est flagrante sur ces points; voir à ce sujet Spanneut, p. 150-153.

congregatione : les stoïciens parlaient de *krasis di'holou*, pour qualifier le lien corps-âme; ils entendaient par là un mélange intime, où des corps peuvent se compénétrer complètement, malgré leur matérialité (cf. *SVF*, II, 471, p. 153; 463-481, p. 151-158). T. se rapproche davantage de cette notion en *Res.*, 14, 11, où il parle de l'unité du composé humain, effectuée *ex utriusque substantiae concretione* (cf. *Res.*, 7, 9).

5. expressa... consummata : Tertullien reprend ici les images et parfois les termes du récit de la création de l'homme (*Gen.*, 2, 7). *Exprimere* traduit l'ouvrage du divin potier (*figulus* : cf. *Paen.*, 4, 3); *consummare* fait allusion à la création de l'homme, qui achève, couronne, conclut tout l'œuvre du créateur (*Gen.*, 2, 1); l'animation de l'homme parachève à son tour sa création.

adflatu : contre le matérialisme d'Hermogène, T. avait rédigé un ouvrage perdu, intitulé *De censu animae,* où il examinait l'origine de l'âme humaine. Il y fait allusion en *An.*, 3, 1 et en résume la substance en ces termes : « Nous soutenons que l'âme provient du souffle *(flatu)* de Dieu et non de la matière, en nous appuyant dans cette circonstance sur la règle sans équivoque fixée par Dieu : "Dieu insuffla *(flavit)* sur le visage de l'homme un souffle *(flatum)* de vie et l'homme est devenu une âme vivante", bien entendu par le souffle *(flatu)* de Dieu. » (*An.*, 3, 4). – T. est-il retombé lui-même dans le matérialisme en admettant la corporéité de l'âme? Voir, à ce sujet, I. VECCHIOTTI, *La filosofia di Tertulliano,* p. 393, s., qui renvoie aux travaux de G. Esser, A. d'Alès, G. Scarpat.

ex pari : T. souligne ici, à l'encontre des gnostiques, pour lesquels l'âme, d'origine divine, ne pèche pas, que l'âme et le corps de l'homme forment un composé indissoluble; voir l'Introduction, p. 35.

6. pariter... suscitentur : la formule peut paraître maladroite, dans la mesure où l'on n'envisagerait que la résurrection de la chair; mais T. possède aussi une doctrine particulière sur la destinée des âmes entre le moment de la mort et celui du jugement dernier (cf. FINÉ, p. 54-93). Ce qu'il tient à souligner ici c'est que l'homme comparaîtra devant le Juge suprême avec son être tout entier, pour y recevoir le châtiment ou la récompense que lui ont valu ses œuvres terrestres.

7. utrique : cf. *Bapt.*, 4, 5 : *utrumque inter se communicant, spiritus ob imperium, caro ob ministerium.* – On pourrait traduire aussi : non moins à l'une des parties qu'à l'autre; cf. LE SAINT, p. 146, n. 42.

8. spiritalia - corporalia : cette distinction ne s'est pas maintenue ; elle correspond sensiblement à celle des péchés internes et externes, de pensée et d'action. Cette dernière est souvent relayée par une division tripartite : péchés d'action, de parole et de pensée; cf. CLÉMENT D'ALEXANDRIE, *Strom.*, II, 15; Ps.-MACAIRE L'ÉGYPTIEN, *Homélie* 3, 4 (*PG* 34, c. 469 D); JÉRÔME, *In Ez.* 13, 43, 23; etc. T. n'envisage pas expressément le péché d'omission, par lequel on omet ce que l'on peut et doit faire. Voir Th. DEMAN, art. "Péché", *DTC* 12, 1933, c. 154-156.

10. conspectu eius : T. développe fréquemment cette idée, qui a des racines bibliques cf. *Sir.* 10, 24; 11, 23; 17, 13; 39, 24; *Job* 15, 16; 31, 4; *Is.* 1, 16; 59, 15; 65, 12; 66, 4; *Jér.* 16, 17; 32, 30, etc. Voir les articles de F. NÖTSCHER et Th. KLAUSER, «Angesicht Gottes», *RAC* 1, 1950, c. 437-440; de P. WILPERT, «Auge III a», *ibid.*, c. 961-963 pour les citations profanes. – cf. *Spect.*, 20, 5; *Vx*, II, 3, 4.

11. uoluntas : T. place le libre arbitre de l'homme à la source de l'agir moral. En face de la volonté divine, qui s'exprime par ses commandements, la volonté humaine demeure libre d'embrasser un parti ou l'autre; son choix lui appartient en propre. Dieu met devant l'homme le bien ou le mal, la vie ou la mort; ce choix offert à la volonté est l'épreuve du libre arbitre; cf. *Marc.* II, 5-7. La doctrine des actes humains qui commande tout ce développement rejoint, dans ses grandes lignes, les principes qui régissent le droit pénal romain classique; voir BECK, p. 116-118.

casui : le cas fortuit peut être invoqué par le prévenu qui affirme son innocence, tout en reconnaissant le fait incriminé. L'exemple classique est celui de l'incendie qui se propage *casu uenti furentis;* les jurisconsultes romains admettent qu'en ce cas, la responsabilité de l'agent peut être dégagée; mais elle ne l'est pas *a priori;* voir l'Introduction, p. 30.

necessitati : toute action punissable qui n'a pas été accomplie avec la liberté requise, mais sous l'effet d'une

contrainte d'ordre physique ou psychologique, est à considérer comme un *crimen necessarium,* auquel la peine ne
saurait s'appliquer. A la *uoluntas* s'oppose donc la *necessitas;*
cf. BECK, p. 118. Tertullien reprend fréquemment cette
opposition : *Nat.,* I, 10, 20; *Marc.,* II, 6, 7; *Apol.,* 45, 5;
Herm., 9, 1; 10, 4; 14, 1-2; 16, 3; *Cor.,* 11, 7; *Virg.* 14, 1;
etc. Cependant il refuse d'admettre la *necessitas* comme
excuse, quand il s'agit de confesser sa foi : «La nature de la
foi n'admet pas le cas de force majeure *(necessitas)* comme
excuse; on n'est pas contraint *(necessitas)* de commettre un
péché quand on ne connaît qu'une seule contrainte *(necessitas),* celle de ne pas pécher.» *(Cor.,* 11, 6).

ignorantiae : la doctrine aristotélicienne des actes humains
a approfondi la notion de l'acte volontaire, en précisant
qu'il doit être précédé de la connaissance intellectuelle de
son objet. De ce fait, il ne saurait y avoir faute morale sans
la *conscientia criminis.* Un acte ne sera vraiment volontaire
que s'il est posé en connaissance de cause, cette connaissance portant à la fois sur l'acte lui-même, ses circonstances, et sur sa valeur morale; cf. BECK, p. 118. T. se
range à cette doctrine en de nombreux passages de son
œuvre, notamment en *Nat.,* I, 16, 8; II, 1, 2; *Apol.,* 1, 4
et 6; *Marc.,* II, 8, 2; *Pud.,* 10, 1. On peut rapprocher de ce
passage : CLÉMENT D'ALEXANDRIE, *Quis dives,* 38.

12. principalis : T. souligne ici que la volonté joue un
rôle primordial dans l'acte coupable. Il reprend cette idée
en *Res.,* 17, 4-8 et *An.,* 58, 6-8, où il insiste davantage sur la
priorité chronologique de la volonté : puisque c'est elle qui
prend l'initiative, il est juste qu'elle soit sanctionnée
d'abord, sans attendre le jugement dernier, où le corps lui
sera associé pour le châtiment; cf. *Marc.,* IV, 34, 11.

perpetrationem : sur ce point T. partage les vues des
jurisconsultes de son temps, attentifs à punir non seulement le délit consommé, porté à son achèvement *(perpe-
tratum),* mais aussi l'intention criminelle, perceptible dans

la tentative de délit; cf. BECK, p. 118-119. Déjà CICÉRON avait exprimé cette exigence d'une juste répression de l'intention coupable (*Mil.*, 7, 19; *Tull.*, 22, 51). Cf. PAUL, *Sent.*, 5, 23, 3 : «Qui a tué un homme est parfois acquitté; qui ne l'a pas tué est condamné pour homicide; c'est l'intention de chacun, et non l'acte, qui doit être châtiée.» *Digeste*, 48, 8, 14 : «Rescrit du divin Hadrien sur le sujet : en matière criminelle on considère non le résultat mais la volonté.»

13. adiectionem legi : contre Marcion, T. a été amené à souligner la continuité des deux Testaments; la différence entre l'Ancien et le Nouveau Testament est celle qui sépare la lettre de l'esprit. Dans cette perspective, il développe les thèmes de l'Évangile accomplissement, achèvement de la Loi; cf. *Marc.*, II, 17; IV, 9,14; 12, 15; 21, 8; 26, 11; V, 11, 4; 2, 4. Quand il polémique contre les juifs, il affirme au contraire que l'Évangile a mis fin aux préceptes rituels et cérémoniels de la loi juive; cf. *Iud.*, 3,10; 6, 1-12; *Iei.*, 14; *Mon.*, 5, 3; *Pud.*, 6, 3, etc. Voir à ce propos ALÈS, p. 166-172; 262; 278; FREDOUILLE, p. 284-290; D. EFFROYSOM, *Tertullian's Anti-judaïsm*, p. 174-197.

adulterum : afin de prouver la supériorité de la loi de l'Évangile sur celle de Moïse, T. cite de préférence *Matth.*, 5, 28. Celle-ci punit l'adultère consommé en acte (*Lév.* 20, 10; *Deut.* 22, 22), tandis que le Christ condamne même les désirs coupables de la chair; cf. *An.*, 15, 4; 40, 4; 58, 6; *Vx.*, I, 2, 2; *Idol.*, 2, 3; *Res.*, 15, 4; *Cast.*, 9, 2; *Pud.*, 6, 6, etc. On remarquera toutefois que le thème de la rectitude intérieure n'est inconnu ni du judaïsme (*Prov.* 24, 12 et 17; 26, 24) ni de la philosophie (SÉNÈQUE, *Const.*, 7, 4; *Benef.*, 5, 13-14; ÉPICTÈTE, II, 14, 11; III, 22, 93; IV, 11, 5-8). En fait, déjà les livres poétiques de l'A.T. interdisent à l'homme le désir et même le simple regard portés vers une femme qui ne serait pas la sienne (*Job* 31, 1; *Sir.* 9, 8-9). A cet égard, la seule nouveauté dans l'enseigne-

ment de Jésus fut le conseil de se mutiler plutôt que de
céder à la tentation, observe Cl. RAMBAUX, p. 207.

14. repraesentat : pour les sens de *r.,* voir ALÈS, p. 356-
360, qui distingue trois acceptions : physique (présence
réelle, concrète); mentale (représentation imaginative ou
intellectuelle); morale (représentation juridique, iconogra-
phique ou scénique). On se souviendra cependant que,
d'accord avec la psychologie stoïcienne, T. conçoit l'acte
d'appréhension intellectuelle d'une manière matérialiste :
l'âme reçoit, à travers l'*animus,* les impressions des sens, qui
y inscrivent l'image de la réalité extérieure, corporelle;
cf. *An.,* 18, 6-7 et le commentaire de WASZINK.

16. conscientiae... confessionem : pour T., la *conscientia*
n'est pas seulement cette connaissance immédiate que nous
avons de nous-même et des notions communes, capables
de nous guider dans le domaine moral et religieux (voir
SPANNEUT, p. 215-216); à l'instar de Cicéron, de Sénèque,
de Philon et de saint Paul, T. voit en elle cette voix
intérieure, qui juge spontanément et immédiatement la
valeur morale de nos actions; cf. *Idol.,* 23, 2-4;POHLENZ,
p. 317; H. BÖHLIG, «Das Gewissen bei Seneca und
Paulus», *Theologische Studien und Kritiken* 87, 1914, p. 1-24;
C. SPICQ, «La conscience dans le Nouveau Testament»,
RBi 47, 1938, p. 50-80; J. STELZENBERGER, «Conscientia
bei Tertullianus», *Vitae et veritati. Festschrift fur K. Adam,*
Düsseldorf, 1956, p. 28-43.
malum uolueris : le jugement de sa conscience condamne
le pécheur, lors même qu'il n'a pas consommé l'action
projetée; loin de l'excuser, son aveu le condamne : *uolui nec
tamen feci,* car s'il s'est abstenu de poser cette action, c'est
qu'il la savait mauvaise, sous-entend l'orateur.
bonum non impleueris : la conscience va encore plus
loin : elle nous condamne aussi lorsque nous nous abste-
nons de faire le bien que nous devrions; cf. HERMAS, 38, 2.
Il y a, dans cette réflexion, une amorce de la doctrine du

péché d'omission. Le droit pénal romain connaît, du reste, certains délits par omission; cf. BECK, p. 117.

IV. 1. omnibus ergo delictis : T. ouvre par ces mots la conclusion du long développement qu'il consacre à l'objet de la pénitence en général (III-IV). Comme rien n'est spécifié, ces considérations valent aussi bien pour les péchés commis avant le baptême que pour ceux qui surviennent après. Mais le moraliste précisera sa pensée sur chacun de ces points, en soulignant la nécessité et l'efficacité de la pénitence avant et après le baptême (*Paen.*, 6, 8 ; 7, 2 ; 8, 1-2).

ueniam... spopondit : T. se fait ici l'interprète de l'Écriture et de la doctrine commune de l'Église primitive. Elle n'est point compatible avec les vues qu'il exprimera sur les péchés «irrémissibles», une fois passé au montanisme.

2. paenitentiam malo : le texte d'*Éz.* 33, 11, cité par Tertullien, a joué un rôle important dans l'histoire de la théologie pénitentielle, observe LE SAINT, p. 148, dans la mesure où on y a vu affirmées la nécessité de la contrition pour obtenir le pardon des péchés et l'efficacité de la contrition parfaite.

praestantiam... meam : de tels aveux ne sont pas rares sous la plume de T. Il pouvait, du reste, se réclamer d'une tradition bien établie; cf. *I Cor.* 15, 9 ; *I Tim.* 1, 15 ; *IIᵃ Clem.*, 18, 1 (qu'il pastiche en *Paen.*, 12, 9). Même protestation chez AMBROISE, *De paenitentia*, 77.

tabulae fidem : l'image du naufragé qui s'agrippe à une planche de salut est commune dans l'Antiquité; on la trouve chez PLATON, *Phédon*, 85 d ; SÉNÈQUE, *Benef.*, 3, 9, 2 et CICÉRON, *Off.*, 3, 23, 89. Reprise par les auteurs chrétiens, elle illustrait à merveille l'efficacité du bois de la croix du Sauveur; cf. H. RAHNER, «Antenna crucis, VI. Der Schiffbruch und die Planke des Heils», *ZKTh* 79, 1957, p. 129-169. D'une manière générale, elle s'offrait pour désigner tous les moyens de salut offerts par Dieu à l'homme, en vue d'assurer son salut, depuis l'Église (cf. H. RAHNER, *Symbole der Kirche. Die Ekklesiologie des Väter,* Salzbourg 1964, p. 272-280) jusqu'au baptême et à la pénitence (cf. *Paen.,* 12, 9; CYPRIEN, *De zelo,* 1; CLÉMENT D'ALEXANDRIE, *Paed.,* III, 101, 1; ORIGÈNE, *In Ez. hom.* X, 1; etc.

4. seruulis nostris : dès l'A.T., les relations entre Dieu et l'homme sont comparées à celles d'un maître et chef de maison à l'égard de ses serviteurs; cf. *I Sam.* 3, 9-10; *III Rois* 3, 9; 8, 28; *Ps.* 18, 12; 118, 125; etc. L'image est reprise dans le N.T., en particulier dans plusieurs paraboles : *Lc* 12, 35-48; 19, 11-27; *Matth.* 18, 23-35; etc. Les fidèles seront désignés comme *serui Dei (I Pierre* 2, 16) ou *serui Christi (Éphés.* 6, 6). Tertullien emploie fréquemment cette appellation et en tire divers effets de style : apostrophes (*Spect.,* 1, 1, 5; *Paen.,* 7, 1), *exempla (Vx.,* II, 8, 1; *Cult.,* II, 10; *Fug.,* 1, 3), et divers arguments en vue de décrire les devoirs des chrétiens (*Apol.,* 23, 15; *Pat.,* 4, 1; *Vx.,* I, 4, 7; 5, 3; *Marc.,* IV, 29, 6; etc.).

obsequii... ratio : l'*o.* est le respect que l'affranchi doit à son *patronus.* En droit romain, l'inobservation du devoir d'*o.* entraîne des sanctions, corporelles (*Dig.,* 2, 4, 25) ou pécuniaires, prononcées par le magistrat; dans les cas graves, sous le Haut-Empire, elle peut même conduire à la révocation de l'affranchissement, pour cause d'ingratitude; voir MONIER, § 181, A 1, citant P. de FRANCISCI, «La *reuocatio in seruitutem* del liberto ingrato», *Mélanges Cornil,* I, Gand 1926, p. 297-323. L'empereur Commode avait réglementé cette matière (cf. *Dig.,* 25, 3, 6, 1). En l'évoquant, T. aborde donc un sujet des plus actuels.

5. bono paenitentiae : ici commence une nouvelle section de la première partie du traité, celle qui s'attache à décrire les avantages de la pénitence (IV, 5-8). Conformément aux lois du genre, T., qui vient de démontrer en quoi il est *juste* de faire pénitence, se doit de prouver que c'est *utile* (cf. LAUSBERG, I, p. 54 s.).

bonum atque optimum : selon BRAUN, p. 126, l'origine de cette expression redoublée serait à chercher dans la tendance de la langue parlée à l'expressivité; il s'agirait d'une particularité des milieux chrétiens de Carthage au IIe et au IIIe siècle, afin de souligner le prédicat de la bonté divine.

quod Deus praecipit : il est d'autant plus logique de voir T. appliquer à la volonté de Dieu les qualificatifs *bonum atque optimum,* qu'il identifie l'être divin avec son vouloir et son pouvoir; cf. *Marc.,* I, 11, 6-7; 17, 1-4; 22, 1-6; IV, 29-4; 41, 1; *Carn.,* 3, 1; *Prax.,* 10, 9; etc.

6. iam nunc : nous retenons la leçon de l'*Ottobonianus* qui fait mieux ressortir le mouvement de la pensée. T. use volontiers de cette clausule, pour marquer une pause, avant de produire un nouvel argument, dont il a établi les prémisses; cf. *Marc.,* I, 5, 3; 15, 2; II, 25, 1; III, 8, 4; IV, 8, 7; V, 7, 5; *Spect.,* 10, 10; 29, 1; *Test.,* 4, 1; *Herm.,* 19, 2; etc.

maiestas diuinae potestatis : T. a accueilli avec faveur *maiestas,* que lui apportait la tradition chrétienne (47 occurrences). Il s'en est servi surtout pour exprimer la grandeur de Dieu, où il voyait l'expression même de la divinité; cf. *Nat.,* I, 10, 38; *Marc.,* II, 5, 2; 25, 3. etc. BRAUN, p. 45, n. 4, observe que le terme peut rendre les vocables grecs : *doxa, mégalosunè* ou *mégaleiotès.* – Dans le vocabulaire théologique de T., l'idée d'autorité souveraine est assumée par *potestas,* qui recueille les acceptions scripturaires de *dunamis* et *exousia;* cf. BRAUN, p. 110-112, qui marque les ressemblances et les différences entre les deux termes.

auctoritas imperantis : tandis que sa *potestas* désigne la puissance souveraine de Dieu, efficace par elle-même et sans référence à la volonté de l'homme, son *auctoritas* s'adresse à l'homme pour l'inviter à croire une vérité salvifique ou à observer un précepte divin ; elle ne contraint pas sa volonté, mais le sollicite à prendre position librement à son égard ; voir Th. RING, *« Auctoritas » bei Tertullian, Cyprian und Ambrosius,* p. 55-62, qui compare les acceptions d'*auctoritas* chez les auteurs chrétiens et en contexte profane.

utilitas seruientis : la démonstration de T. est typique de son goût pour le paradoxe. Le rhéteur africain démontre que le chrétien ne doit pas se préoccuper de savoir si l'observation des préceptes divins lui sera avantageuse ; il doit lui suffire de savoir que tel est l'ordre de Dieu. Dans un autre contexte, au contraire, il insistera, parfois lourdement, sur les avantages immédiats ou durables conférés par l'existence chrétienne ; voir RAMBAUX, p. 85-95.

7. iurans : le serment occupe une place importante dans les usages juridiques et dans la vie quotidienne des peuples de l'Antiquité, qu'il soit assertoire ou promissoire ; cf. H. STRATHMANN, art. «Eid», *Evangelisches Kirchenlexikon* (hg. v. H. Brunotte und O. Weber), I, Göttingen 1961², p. 1027-1033 ; J. SCHNEIDER, art. *«Omnuo»*, *ThWBNT* 5, 1954, p. 177-185. La loi mosaïque et le rabbinat se sont efforcés de sauvegarder la sainteté du serment et d'en limiter l'usage ; cf. M. LEHMANN, «Biblical Oaths», *ZATW* 81, 1969, p. 74-92. Malgré certains courants qui tendent à l'interdire de manière absolue (*Jac.* 5, 12 ; cf. *Matth.* 5, 34 ; 23, 16-23), les chrétiens ont adopté cet usage, tout en évitant d'y recourir de manière inconsidérée (cf. *Apol.,* 32, 2).

uiuo, dicens : les juifs juraient par le Dieu vivant ou par son nom ; la Bible fait jurer Dieu par lui-même (*Gen.* 22, 16), par son nom (*Jér.* 44, 26) ou par sa propre vie (*Éz.* 33, 11) ; cf. HORST, «Der Eid im A.T.», *Evangelische Theologie* 17, Munich, 1957, p. 366-384. Des formules de serment semblables à celles-ci étaient communes chez les Latins ; cf. VALÈRE MAXIME, IX, 13 (*ita uiuam, dabo*) ;

SÉNÈQUE, *Epist.* 82, 11 (*praebebo, ita uiuam*); CICÉRON, *Fam.*, 2, 13, 3 (*ita uiuam, putaui*).

8. quod iterum : il convient de souligner la forme recherchée de cette période : parallélisme rythmique de la phrase avec chiasme (deux propositions relatives, deux complétives, verbe principal, finale avec une participiale intégrée), rimes intérieures (*deieratione, adseueratione, perseuerare*), clausules métriques; bel exemple de prose liturgique.

V. 1. hoc enim : ici commence la dernière section de la première partie du traité, consacré aux questions générales relatives à la pénitence (I-V). T. y expose les exigences intrinsèques, les propriétés de la pénitence, son caractère unique et irrévocable. Comme il traite encore de la pénitence en général, cette unicité de la pénitence est à comprendre du mouvement de la conversion, qui fait passer le pécheur sous la mouvance de la grâce. S'il est sincère, ce mouvement exclut définitivement toute rechute dans le péché, avant et après le baptême (cf. *Hébr.* 6, 6; *I Jn* 3, 9; 5, 18).

ostensa et indicta : il est permis de voir dans le choix de ces verbes un rappel des deux aspects soulignés plus haut (*Paen.*, 4, 6) : l'*auctoritas* de Dieu se fait connaître par la Révélation; elle formule les exigences de la *potestas* divine au sujet de la pénitence, pour le salut de l'homme, *per gratiam,* par pure faveur.

in gratiam : bien qu'elle demeure très générale, cette proposition marque le résultat de la pénitence, aussi bien avant qu'après le baptême. T. n'envisage que le passage de la condition de pécheur à la vie de la grâce. Il précisera sa pensée plus loin, en ce qui concerne les aspirants au baptême (*Paen.*, 6, 17-18) et les fidèles (*Paen.*, 8, 1-2.4). Il apparaîtra alors nettement qu'il ne traite que des péchés graves soumis à la discipline pénitentielle. Voir RAHNER, «Sünde als Gnadenverlust», p. 471-480.

semel − numquam : les catéchumènes, tout comme les

fidèles de l'assistance, ont opéré leur conversion, de leur
aveuglement originel, de leur vie de péché, à une vie de
soumission aux commandements de Dieu (cf. *Bapt.*, 1, 1).
Pour les premiers, le baptême va sceller leur pénitence-
conversion, mais c'est dès l'instant de leur conversion
qu'ils doivent s'abstenir de tout péché (cf. *Paen.*, 6, 1-5).
resignari : T. applique à la pénitence l'image familière
du sceau baptismal (*II Cor.* 1, 22; *Éphés.* 1, 13; 4, 30;
HERMAS, 72, 3; 93-3; *IIa Clem.*, 7, 6; 8, 6; etc.); revenir au
péché serait briser ce sceau. Voir F.J. DÖLGER, *Sphragis.
Eine altchristliche Taufbezeichnung,* Paderborn 1911, p. 128-
140; J. YSEBAERT, *Greek Baptismal Terminology. Its origins
and early development* (*Graecitas Christianorum Primaeva,* I),
Nimègue 1962, *sub uerbo*.

2. iam quidem : T. s'attache à démontrer la gravité de la
rechute dans le péché et à en définir la nature : elle est
inexcusable (§ 2); elle équivaut à un acte de *contumacia*
(§§ 3-4); elle implique à la fois mépris de Dieu (§ 5) et
ingratitude (§ 6).
domino adgnito : reprise de l'argument développé en
Paen., 3, 2. Pour T., comme pour les stoïciens, la connaissance est la première démarche vers la vie morale; mais l'on
se gardera de forcer cette ressemblance; cf. KLEIN, p. 158-
160. En effet, c'est par la foi, et non par la raison, que toute
la vie chrétienne acquiert sa consistance; c'est sur l'Écriture et la Tradition que repose la *disciplina* chrétienne,
proposée par le magistère de l'Église (cf. ALÈS p. 262-264).
paenitentia delictorum : l'expression est vague à souhait;
elle peut désigner aussi bien la conversion intérieure, qui
est à l'origine de l'engagement des catéchumènes, que les
œuvres pénitentielles concrètes qui précédaient la réception
du baptême, évoquées en *Bapt.,* 20 (cf. JUSTIN, *I Apol.,* 61;
HIPPOLYTE, *trad. apost.,* 20).

4. contumacia : le terme n'a pas, à l'époque de T., le sens
qu'il revêt dans le droit pénal contemporain. De nos jours,

la contumace est l'état de l'individu qui, accusé d'un crime, se soustrait à la procédure de jugement, à laquelle il a obligation de se soumettre. En droit romain classique, il y a contumace dans les actions, lorsque la résistance du défendeur est entachée de dol. Il revient au juge d'apprécier la *fides*, c'est-à-dire l'exactitude à remplir un engagement volontairement pris, par comparaison à l'exactitude que met un homme honnête, *bonus uir*, à accomplir sa promesse (*Dig.*, 16, 1, 27, 2; 46, 1, 54).

exceptio : l'exception se présente matériellement comme une clause restreignant le pouvoir du juge de condamner et subordonnant la condamnation à une condition; le défendeur peut obtenir son absolution en démontrant que le droit du demandeur, dont il reconnaît d'ailleurs l'existence, est paralysé d'une manière temporaire ou définitive, et qu'il serait contraire à l'équité de le condamner; cf. GAIVS, *inst.*, 4, 116. On distingue, de ce fait, les exceptions temporaires, ou dilatoires *(dilatoriae)*, et les exceptions perpétuelles, ou péremptoires *(peremptoriae)*; les premières ont pour but de procurer un délai au défendeur, les secondes paralysent d'une manière définitive le droit du demandeur, telles l'exception de dol ou celle de chose jugée (GAIVS, *Inst.*, 4, 121). Voir MONIER, § 140, 2.

tueatur : le pécheur ne peut avancer aucune exception dilatoire, pour retarder le châtiment mérité par sa récidive; il ne saurait, évidemment, avancer d'exception péremptoire contre le droit de Dieu.

in aperto : T. reprend ici l'argument développé par PAUL en *Rom.* 1, 19-32 (cf. *Sag.* 12, 24; 13, 1-9). Dieu se fait connaître aux hommes par ses œuvres et ses dons, notamment par la création, dont les corps célestes constituent le témoignage le plus admirable. Pour les stoïciens aussi, Dieu se lit dans le monde, tout particulièrement dans l'harmonie du cosmos, dans l'ordre immuable du ciel étoilé; il se révèle également à la conscience, par une sorte d'instinct *(prolèpsis)*, antérieurement aux raisonnements;

voir SPANNEUT, p. 270-288; FUETSCHER, p. 1-34 et 217-251.

7. **aemulo** : Satan n'est pas seulement l'ennemi (*aemulus*) de l'homme, dont il est jaloux (*inuidus*), à cause de la faveur qui lui est faite, tandis que lui-même demeure séparé de Dieu; cf. *Apol.*, 27, 4; *Paen.*, 7, 7-9; il est et reste l'adversaire de Dieu, dont il contrefait les dons, et il cherche à tromper l'homme, en prenant le masque de la religion; cf. *Praes.*, 40, 2; *Vx.*, I, 6, 5; *Bapt.*, 5, 3; *Pat.*, 16, 2; etc. Voir J. FONTAINE, «Sur un titre de Satan chez Tertullien : *Diabolus interpolator*», *SMSR* 38, 1967, p. 197-216. On trouve une désignation équivalente de *aemulus,* dans le *Martyre de Polycarpe* (17, 1) et dans le *Testament de Joseph* (7, 5).

renuntiasset : le renoncement à Satan faisait partie intégrante du rituel baptismal, dès l'époque de T. (cf. *Cor.* 3, 2; *Spect.*, 4, 1; 13, 1; ORIGÈNE, *In Num. hom.*, XII, 4); voir M. ROTHENHAEUSLER – Ph. OPPENHEIM, art. *«Apotaxis»*, *RAC* 1, 1950, c. 558-564 (Bibliographie). Cette fois encore, T. reporte sur la conversion initiale, préparatoire au baptême, les effets du sacrement.

praeda : T. emploie volontiers l'image du butin de guerre (*Apol.*, 50, 2) ou des voleurs (*Marc.*, V, 4, 8; IV, 27, 7); selon la tradition biblique (*Job* 4, 11; 29, 17; 38, 39; *Ps.* 16, 12; *Éz.* 19, 3; 22, 25; *Nah.* 2, 12), il évoque aussi la proie ravie par les bêtes sauvages : *Fug.*, 11, 3. Ces deux sens sont sous-jacents à la comparaison qu'il esquisse, dans ce passage, au sujet du démon qui récupère sa proie. Voir J. RIVIÈRE, «Tertullien et les droits du démon», *Rev SR* 6, 1926, p. 199-216.

9. **satisfacere** : à l'instar du judaïsme tardif, qui envisage parfois – mais non uniquement – les relations entre l'homme et Dieu comme une relation juridique, voire commerciale (cf. F. HAUCK art. *«Opheilo*. A 4»*, ThWBNT* 5, 1954, p. 561), T. utilise toute une gamme d'expressions

et d'images qui font du péché une dette et du pécheur un débiteur à l'égard de Dieu, devenu son créancier. Dans cette perspective, plutôt rare dans l'Ancien et le Nouveau Testament (*Matth.* 6, 12; 18, 21-35; *Lc* 7, 36-50; cf. H.L. STRACK – P. BILLERBECK, *Kommentar zum Neuen Testament aus Talmud und Midrasch,* t. I, Munich 1922, p. 421), chaque transgression de la loi morale constitue une dette, qui est inscrite au ciel dans un livre de compte; cf. L. KOEPP, *Das himmlische Buch in Antike und Christentum,* Bonn 1952; du même, art. «Buch. IV», *RAC* 2, 1954, c. 725-731, qui marque les parallèles égyptiens et perses de ces conceptions juives. Dès lors, le premier devoir de l'homme est de payer ses dettes, car au jour de l'apurement définitif, son destin se décidera selon que la balance de son compte sera positive ou négative. La pénitence lui fournit un moyen de satisfaire à Dieu, son créancier, d'offrir une *compensatio pro debito peccati;* à moins que le Seigneur ne consente à remettre au pécheur sa dette, en tout ou en partie, à certaines conditions. L'idée de *satisfactio* occupe donc une place importante dans la doctrine pénitentielle de T., qui, à l'occasion, aura recours aux institutions juridiques romaines, pour illustrer ce point de vue; cf. M. MÜGGE, «Der Einfluss des juridischen Denkens», p. 440-447.

diabolo... satisfaciet : T. joue sur les diverses acceptions de *s.;* ici, c'est le sens de : procurer une satisfaction, faire plaisir, qui prédomine, reprenant l'image de *Paen.,* 5, 7 (*gaudeat*).

paenitentiae paenitentiam : l'expression se trouve déjà chez PLINE, *Ep.,* X, 7 : *ne agat paenitentiam paenitentiae suae.*

10. sed aiunt quidam : en conclusion de la première partie du traité (I-V), T. réfute une objection dont il n'indique pas l'origine. Elle a été diversement interprétée par les éditeurs, qui ont lu *suspiciatur,* avec les *recentiores* : «il suffit à Dieu qu'on l'honore avec le cœur et l'esprit»

(Labriolle); «es genüge Gott, wenn er im Herzen und im
Geiste hochgehalten wird» (Kellner); «God is satisfied if
He be honored in heart and mind» (Le Saint); «basti
rispettare Dio col cuore e l'anima» (Sciuto). Nous adoptons la leçon du *Trecensis, suscipiatur,* et nous voyons dans la
pénitence, dont il a été question en *Paen.,* 5, 9 (*instituerat*),
le sujet du verbe au passif.

13. paenitentia numquam fidelis : c'est la conclusion
logique de tout le développement : une pénitence sincère,
conforme aux exigences de la foi, demande que l'on ne se
contente pas de cultiver des sentiments de repentir; elle
demande un effort moral et ascétique intense et la prestation d'œuvres pénitentielles – ce qui sera précisé en son
temps (*Paen.,* 6, 1; 9, 1).

VI. 1. mediocritas nostra : formule de modestie, fréquente
chez les orateurs ecclésiastiques africains; cf. C. MUNIER,
Indices des *Concilia Africae, CCSL* 149, p. 412, *ad uerbum;*
même mouvement en *Bapt.,* 10, 1.

deditos Domino : malgré les remarques de BORLEFFS
(CSEL 76, p. 152, app. cr.), nous ne croyons pas devoir
retenir la leçon du *Trecensis : debitos Domino,* qui paraît bien
être une erreur de copiste (on observera qu'en *Paen.,* 6, 19,
le même scribe corrige *debitus* en *deditus*). En effet, T.
emploie fréquemment le participe *deditus,* suivi d'un datif;
il n'en va pas de même de *debitus,* qui demeure en cause en
Paen. 6, 1 et 19; cf. *Praes.,* 43, 1; *Mon.,* 12, 4; *Iud.,* 1, 6;
Pud., 20, 12 (*deditus satanae*); etc.

nouitiolis : image militaire (jeune recrue), appliquée aux
catéchumènes. Tertullien aime développer le thème de la
vie chrétienne comme *militia Christi;* voir A. HARNACK,
Militia Christi, Tubingen 1905, p. 33-46.

catuli : VARRON, *Rust.,* 2, 9, 12 précise : *catuli diebus XX
uidere incipiunt;* l'image a déjà été utilisée par CICÉRON,
Fin., 3, 48; 4, 64 (cf. *SVF* III, 530, p. 142).

incerta reptant : accusatif adverbial; cf. *Pat.,* 1, 7 : *qui*

caeca uiuunt; Iud., 9, 17 : *prospera procede* (citation de
Ps. 44, 5).

includere : antithèse de *adsumere* (en droit romain, *i.*
signifie *actiones in iudicium deducere* : *Digeste,* 50, 17, 139
[GAIVS]). Certains catéchumènes s'engagent dans la voie
de la pénitence, mais ils ne se soucient pas de conduire leur
démarche à bonne fin. Leur pénitence n'est donc pas
achevée, soit qu'ils diffèrent le baptême, soit qu'ils ne
changent pas de vie, pour s'y préparer dignement.

2. adulantur : cf. *Iei.,* 16, 4; HOPPE, *Beiträge,* p. 89-90.

3. commeatum : image militaire (congé, permission), ou
terme d'une portée plus générale (délai). L'exhortation à
faire pénitence sans attendre est un thème commun de la
littérature pénitentielle; cf. HERMAS, 73, 5 ; 74, 3 ; 76, 1 ;
96, 2 ; 100, 2 ; etc; *IIᵃ Clem.,* 13, 1 ; 16, 1 ; *II Cor.* 6, 2.

4. iniustum : Orsini conjecture : *iniquum,* Borleffs : *peruer-*
sum. Mais l'omission du second adjectif n'a-t-elle pas été
provoquée par un saut du même au même (ce qui suppose
une désinence en *-tum*)? Du reste, la démonstration de T.
ne concerne-t-elle pas précisément le juste prix à verser en
vue du pardon? cf. *Paen.,* 2, 12; 6, 4-5. T. utilise ailleurs ces
formules de redoublement : *Marc., IV,* 39, 2 *(quam iniquum,*
quam iniustum) ; Pat., 4, 4 *(at quam iniustum, quam ingratum).*
pretium... mercedem... addicere : dans tout ce développement, T. multiplie les termes et les images empruntés au
monde du négoce : la pénitence véritable est le juste prix
qui, offert en compensation, payé en échange de la dette
contractée par le pécheur, lui permet d'obtenir l'impunité
que le Seigneur a convenu d'accorder à cette condition. Sur
la place que T. réserve aux notions d'intérêt, de mérite, de
récompense, voir RAMBAUX, p. 85-89; sur les sources
bibliques de ces conceptions, voir, entre autres, G. BORN-
KAMM, «Der Lohngedanke im Neuen Testament», *Evange-*
lische Theologie 6, Munich 1946-1947, p. 143-166.

5. nummum : la comparaison amorcée au paragraphe précédent de développe par l'image de la pièce de monnaie offerte au marchand, en guise de paiement. Cette pièce doit être intègre et de bon aloi. T. énumère, dans un ordre de gravité croissante, les diverses formes d'altération ou de falsification des monnaies : une pièce peut être rognée (*scalptus*), plaquée (*uersus*) ou encore contrefaite (*adulter*), à base d'un mélange où entre un métal vil, en proportion variable. De même la pénitence peut être plus ou moins sincère et intègre. – Voir le commentaire de BORLEFFS, «Observationes», p. 90-94, qui voit dans l'expression de T. : *nummus uersus,* l'équivalent de *nummus tinctus* (pièce «saucée»), sur la base de *Cult.,* II, 6, 1, et *Virg.,* 12, 2 (*uertere capillum*).

6. differamus : T. s'en prend ici directement aux catéchumènes peu empressés à abandonner complètement, dès avant le baptême, le péché et leurs habitudes païennes. Cette attitude laxiste se fondait, chez certains, sur la persuasion que le baptême remet tous les péchés. T. réagit avec vigueur contre une telle opinion qui, en attribuant une efficacité «mécanique» au rite baptismal, lui semble de nature à compromettre le sérieux de la conversion et l'attitude même du chrétien. Quelle perspective de voir persévérer, après le baptême, quelqu'un qui se montre aussi indifférent au péché avant même de recevoir le sacrement?

mereri : T. reste fidèle au principe qu'il a développé plus haut (*Paen.,* 6, 4-5) : la pénitence permet au pécheur de racheter la dette qu'il a contractée et de mériter le pardon. Mais cette possibilité lui est accordée par la bienveillance miséricordieuse de Dieu (cf. *Paen.,* 7, 14).

7. seruus – miles : les deux exemples ont pour but de prouver que, si l'on ne fait pas pénitence avant le baptême, il y a peu de chances qu'on le fasse après.

notis : marque sur le corps; marque au fer rouge,

imprimée en guise de flétrissure; plus simplement, blâme (cf. *Paen.*, 12, 9).

9. abolitionem delictorum : le premier effet du baptême, le seul que mentionne le Symbole des apôtres, est la rémission des péchés. Cet effet est obtenu de manière immanquable, si le sujet n'y fait point obstacle, expliquent les Pères; voir DASSMANN, p. 76-80 et 113-116. Mais le baptême est unique (cf. *Bapt.*, 2, 1; 15, 3 : *semel delicta abluuntur quia ea iterari non oportet*). Convaincus de l'infaillibilité des effets du baptême, certains groupes d'hérétiques, à l'époque de Tertullien, offraient la rémission des péchés commis après le baptême, sous la forme d'un second baptême; cf. IRÉNÉE, *Adu. haer.*, I, 14, 2; HIPPOLYTE, *Elenchos*, VI, 41, 2 (Marcosiens); IX, 13-16 (Alcibiade, El-chasaï). La doctrine patristique réagit contre ces pratiques, d'une part en formulant nettement les exigences morales liées à la condition chrétienne, d'autre part en insistant sur la nécessité d'une conversion véritable en vue de la réception du baptême; cf. *Bapt.*, 15, 2-3, et notes *ad loc.* de R.F. REFOULÉ, *SC* 35, Paris 1952, p. 87 s.

inituris aquam : l'expression suppose le baptême par immersion (cf. *Cor.* 3, 2-3).

asperginem : allusion aux aspersions rituelles pratiquées dans certains cultes païens (cf. *Bapt.*, 5, 1).

10. praepositum : celui qui est préposé à ce rite, vraisemblablement le *doctor audientium*, le maître des catéchumènes, qui les suit durant leur stage et juge de leur préparation au baptême; cf. HIPPOLYTE, *Trad. apost.*, 18 (éd. Botte, Münster 1963, p. 41); CYPRIEN, *Ep.*, 29, 6; TERTULLIEN, *Praes.*, 3, 5; *Bapt.*, 18, 1.

12. symbolum mortis : le *symbolon* ou tessère est un signe de reconnaissance ou d'identité. Appliqué au baptême, le terme indique que ce rite est le signe auquel le chrétien est reconnu comme mort au péché, comme celui qui a renoncé

à Satan; voir D. MICHAELIDÈS, *Sacramentum chez Tertullien,*
Paris 1970, p. 261; cf. *Rom.* 6, 3-5.

13. paenitentiae fidem : reprenant une suggestion de
BORLEFFS, «Un nouveau manuscrit de Tertullien», *Vigiliae
Christianae* 5, 1951, p. 76, LE SAINT traduit : «after they
have obtained by force the security of penitence». T. a
employé plus haut l'image de la ruse : *circumduci,* et d'une
vie mensongère, qui peut faire illusion (*Paen.,* 6, 10). Dans
ces conditions, la *fides p.* signifie plutôt la loyauté, la
droiture, la sincérité, qui devrait marquer la pénitence
prébaptismale; cf. *Paen.,* 6, 16; 6, 9 (*infida paenitentia*).

14. auditorum : à l'époque de Tertullien, les catéchumènes sont généralement désignés par les termes *audientes,
auditores.* Lorsque le catéchuménat sera rigoureusement
ordonné, on distinguera des *audientes,* soumis à un stage
probatoire triennal (HIPPOLYTE, *Trad. apost.,* 17), puis
biennal (concile d'Elvire, vers 300, c. 42), les *electi,* appelés
à recevoir le baptême dans un laps de temps rapproché (cf.
Handbuch der Kirchengeschichte, hg. von H. Jedin, Bd. I : *Von
der Urgemeinde zur frühchrislichen Grosskirche,* von K. BAUS,
Fribourg-Bâle-Vienne 1962, p. 315-320).
tirocinia : image militaire; T. emploie l'abstrait pour le
concret : *tiro.* Le génitif *auditorum* est un génitif explicatif
ou d'identité (cf. A. BLAISE, *Manuel du latin chrétien,*
Strasbourg 1955, p. 80).

16. obsignatio... fidei : reprise de l'image employée plus
haut en *Paen.,* 5, 1. On en rapprochera *Bapt.,* 6, 1 :
«comme Jean fut le précurseur du Seigneur préparant ses
voies, de même l'ange qui préside au baptême trace les
voies pour la venue du Saint-Esprit, en effaçant les péchés
par la foi scellée (*fides obsignata*) dans le Père, le Fils et
l'Esprit-Saint» (trad. Refoulé); *Pud.,* 9, 16 : «Il reçoit aussi
pour la première fois cet anneau, par où, sur interrogation,
il scelle (*obsignat*) le pacte de la foi.» (trad. Labriolle);

Bapt., 13, 2 : «Le sacrement lui aussi s'est amplifié : le sceau du baptême (*obsignatio baptismi*) fut ajouté». Cf. L. ABRAMOWSKI, «Tertullian : *sacramento ampliat(i)o, fides integra, metus integer*», *Vigiliae Christianae* 31, 1977, p. 191-195.

paenitentiae fide : T. joue habilement des divers sens de *fides*. Le baptême appose comme un sceau à l'engagement de la foi chrétienne; celle-ci prend son point de départ avec une pénitence loyale, sincère, et trouve en elle sa recommandation.

17. iam corde loti : comme dans le traité *Du baptême,* et pour les mêmes raisons pastorales, T. insiste sur les conditions préalables nécessaires à une bonne réception du sacrement : une conversion effective, sans réserve, un changement de vie radical, une obéissance scrupuleuse aux préceptes divins. Mais cette insistance est telle que l'efficacité propre du baptême s'en trouve quelque peu estompée, bien que sa nécessité demeure affirmée. Voir notre Introduction, p. 42.

18. bonitate : on observera que T. envisage ici la bonté de l'homme d'une manière purement négative, comme abstention de crimes (*innocentia*); voir, à ce propos, RAMBAUX, p. 298.

22. timidiorem : T. revient à l'argument qu'il a développé au début de cette section (*Paen.*, 2, 1-2) : la crainte de Dieu et de son jugement nous pousse à la conversion et assure la sincérité de notre pénitence.

VII. **1. seruis tuis** : l'expression désigne les chrétiens, les baptisés, par opposition aux catéchumènes, les *audientes*.

2. piget : T. imite le mouvement oratoire d'HERMAS, 31, 3. La possibilité de faire pénitence pour les péchés commis après le baptême ne doit, en aucun cas, être comprise comme un prétexte à pécher.

5. laudo : tournure chère à T. (cf. *Apol.*, 16, 8 ; *Cor.*, 2, 3 ; *laudabo : Apol.*, 14, 1 ; *Virg.*, 13, 1).

didicerunt : pour Hermas aussi (30, 2), le fait de se repentir est un acte de grande intelligence.

7. hostis : idée reprise à Hermas (31, 4) : le Seigneur a institué le remède de la pénitence, car il connaît les cœurs et il a prévu la faiblesse des hommes face aux multiples intrigues du diable. Clément d'Alexandrie (*Strom.*, II, 56) s'inspire du même passage d'Hermas.

8. iudicaturus : idée chère à Tertullien, fondée sur *I Cor.* 6, 3 (cf. *Vx.*, II, 6, 1 ; *Cult.*, I, 2, 4 ; *Pud.*, 14, 8. *Mart.*, 2, 4).

9. obseruat : on notera la recherche des effets rhétoriques de cette période, avec tricolon asyndétique, homéopro-phoron *(obseruat, obpugnat, obsidet)* et quatre membres de phrase strictement symétriques, introduits par *aut*.

illecebris saecularibus : l'expression n'est pas claire. T. semble avoir en vue toute les formes d'une vie relâchée, comme Hermas, 97, 1-2 (cf. *Pud.*, 9, 15 ; *Iei.*, 12, 3).

10. uenena : T. a énuméré plusieurs espèces de péchés, que la tradition chrétienne considère comme graves ; ce sont autant de morsures du serpent, qui peuvent être mortelles. Si l'on peut reconnaître dans l'énumération l'impureté, l'apostasie, l'hérésie, il est évident que cette liste n'est point exhaustive et ne saurait se confondre avec la triade des péchés, dits « irrémissibles », de *Pud.*, 5, 1-15.

clausam... ianuam : si l'on retient les leçons attestées par l'*Ottobonianus* et plusieurs *recentiores,* on verra dans *aliquid* un adverbe qui porte sur le participe passif ; on traduira : Dieu a permis que fût ouverte quelque peu encore la porte du pardon ; cette traduction met bien en valeur l'efficacité du pardon procuré par la discipline pénitentielle à l'instar du baptême. Si, au contraire, on adopte les leçons de *F,* consacrées par les éditions de Beatus Rhenanus, on comprendra avec P. de Labriolle : Dieu a permis qu'une fois

fermée la porte du pardon... il y eût encore un refuge
d'ouvert. Mais T. prétend-il que la porte du pardon,
ouverte au baptême, s'est refermée à tout jamais, comme
s'il fallait désormais rentrer dans l'Église par une autre
voie, une sorte de porte basse; dont la pénitence aurait la
garde? (cf. ALÈS, p. 340).

ignoscentiae ianuam : HERMAS (31, 3) distingue le
pardon accordé au baptême, qu'il appelle *aphèsis,* et la
métanoia, la repentance, l'unique pénitence, qui doit per-
mettre à ceux qui ont péché après le baptême d'être sauvés.
Il ne semble pas que T. opère une semblable distinction;
qu'ils aient été commis avant ou après le baptême, les
péchés sont l'objet d'une même *uenia* ou *indulgentia.* – T. a
repris l'image de la porte dans la célèbre formule de *Cult.,*
I, 1, 1, à propos d'Ève : *tu es diaboli ianua;* cf. F.F. CHURCH,
«Sex and Salvation in Tertullian», *Harvard Theological
Review* 68, 1976, p. 83-101.

paenitentiam secundam : T. personnifie la pénitence; il
la place dans le vestibule de l'Église, chargée d'ouvrir la
porte du pardon à ceux qui frappent et implorent la faveur
d'y être réadmis; cf. HERMAS, 72, 6; 73, 1 s.

semel : ici encore, T. reprend le message d'HERMAS,
31, 5-6 : la pénitence n'est pas réitérable; elle est unique,
comme le baptême, qui est la *paenitentia prima.* Nulle part
T. n'envisage explicitement le cas de pécheurs réconciliés
qui retomberaient dans le péché grave après leur réconciliation.

13. iteratae : nous retenons la leçon de l'*Ottobonianus,*
confirmée par les *recentiores;* en efet, si *ualetudo* offre presque
toujours le sens d'état de santé non déterminé, T. l'emploie
aussi au sens d'état de santé défectueux, de maladie; cf.
An., 17, 9; *Marc.,* IV, 8, 4; 20, 12; 36, 14; *Res.,* 57, 8;
Pud., 20, 13; etc. En retenant la leçon *iteratae,* on obtient,
du reste, une proposition parallèle à la précédente grâce
aux relations : *periclitari - ualetudo; liberari - medicina.*

14. reconciliari : la pénitence ne permet pas seulement au pécheur d'obtenir la réconciliation ecclésiastique, de recouvrer ses droits au sein de la communauté chrétienne; il est rétabli en grâce auprès de Dieu (cf. *Paen.*, 7, 12 : *maius est restituere quam dare*); voir K. RAHNER, « Sünde als Gnadenverlust », p. 471-510.

uolentem : T. énonce ici l'une des conditions nécessaires pour que la satisfaction pénitentielle puisse être efficace, à savoir que Dieu accepte l'œuvre pénitentielle à titre de compensation pour la dette contractée auprès de lui par le pécheur (cf. *Paen.*, 6, 4). Bien qu'il n'y renvoie pas expressément, T. semble reprendre ici les catégories usuelles du droit romain en matière d'extinction de dettes : pour qu'une obligation soit éteinte, il faut que le créancier accepte la prestation offerte (cf. *Dig.*, 12, 1, 2, 1 : *aliud pro alio inuito creditori solui non potest*). – LE SAINT (p. 168) remarque, à propos de ce passage, que si Dieu accepte le principe d'une satisfaction pénitentielle (cf. *Paen.*, 8, 2), il accepte aussi, au moins implicitement, cette satisfaction, si elle est accomplie correctement; les théologiens fondent sur cette distinction les notions de mérite *de condigno* et *de congruo*.

VIII. 1. si dubitas : bien que T. ne désigne pas expressément d'adversaires, l'opinion qu'il combat ici est celle-là même qu'il soutiendra quand il sera passé au montanisme, à savoir celle qui refuse la possibilité d'une pénitence post-baptismale pour certains péchés graves.

2. comminaretur : la lettre aux Églises d'Asie s'adresse, bien entendu, à des chrétiens déjà baptisés. Or il convient d'observer que, parmi les fautes qui leur sont reprochées, dont ils doivent faire pénitence, et dont ils obtiendront le pardon, s'ils font pénitence, figurent notamment l'idolâtrie *(idolothytorum esum)* et l'impureté *(stuprum)*, que Tertullien montaniste prétendra exclure de l'exomologèse *(Pud., 5, 4)*.

3. de tuo < reditu > : l'on ne saurait négliger cependant la suggestion de Pamèle, confirmée par PACIEN, *Paraen.*, 12 : *heus tu peccator, rogare ne desinas; uide ubi de tuo reditu gaudeatur.* BORLEFFS discute ce passage («Observationes», p. 103).

4. restituti peccatoris : l'expression décrit la rentrée en grâce du pécheur, mais aussi les effets de la réconciliation ecclésiastique; au terme du processus pénitentiel, le pécheur est bel et bien rétabli dans ses droits au sein de la communauté; cf. P. SINISCALCO, «I significati di *restituere* e *restitutio* in Tertulliano», p. 386-430.

5. pastoris : les témoignages iconographiques révèlent à quel point le symbole du pasteur était cher aux premiers chrétiens; cf. Th.C. KEMPF, *Christus der Hirt. Usrprung und Deutung einer alten Symbolgestalt,* Rome 1942; E. DASS-MANN, p. 332-340 et 374-385. – En *Pud.*, 7, 1-9, T. appli-quera la parabole de la brebis perdue aux païens qui accèdent à la foi, alors qu'ici et en *Pat.*, 12, il l'allègue au sujet des chrétiens tombés dans le péché après le baptême, pour les inciter à faire pénitence et les assurer qu'ils obtiendront le pardon auprès de Dieu et de l'Église.

6. conuiuio : le banquet préparé pour le fils prodigue, revenu à la maison du Père et pardonné, n'est-il pas l'image de l'eucharistie, à laquelle le pécheur est réadmis, au terme de la procédure pénitentielle? (cf. *Pud.*, 9, 16).
filium : dans le *De pudicitia,* T. refuse d'appliquer cette parabole aux chrétiens qui tomberaient dans le péché; il prétend que le fils aîné représente le peuple juif, le fils cadet le peuple chrétien, venu de la gentilité (*Pud.*, 8, 3).

8. ex animo : l'expression est chère à HERMAS. Voir *supra,* Introduction, p. 77,n 6.

9. confessio : le désir qu'a le pécheur d'offrir à Dieu

satisfaction pour les offenses commises envers lui l'incite à reconnaître sa condition pécheresse. Cet aveu, fait devant Dieu et devant l'Église (en se soumettant aux exercices de la discipline pénitentielle) est public, sans avoir besoin d'être détaillé. Il n'est pas exclu, cependant, qu'en certains cas (fautes graves moins notoires) le pécheur ait pris conseil auprès de l'évêque ou d'un prêtre commis à la charge de recevoir les confidences des fidèles désireux d'assumer la pénitence publique (LE SAINT, p. 172-173).

IX. 1. **secundae et unius** : T. rappelle ici que la pénitence intérieure, qui inspire l'exomologèse, opère déjà la seconde fois en vue du pardon espéré (elle a agi une première fois en vue du baptême); et pourtant, c'est toujours la même, l'unique pénitence. On peut comprendre aussi – et c'est l'interprétation qui prédomine – que la discipline pénitentielle postbaptismale ne peut être assumée qu'une seule fois.

conscientia sola : le passage est explicite à souhait : pour certaines fautes commises après le baptême, l'Église ancienne ne se contentait donc pas du repentir interne du pécheur; elle exigeait que celui-ci acceptât de se soumettre à une procédure externe, publique, dont elle fixait les modalités.

administretur : sens juridique, de l'administration d'une preuve.

2. **magis** a ici le sens de : mieux (cf. HOPPE, *Beiträge,* p. 85).

exomologesis : T. vise toute la procédure pénitentielle d'expiation, à laquelle le pécheur est soumis dans le groupe ou l'ordre des pénitents, sous la surveillance de l'Église. Pour les autres sens d'*e.,* voir G.W.H. LAMPE, *A patristic Greek Lexikon, ad uerbum :* 1. confession des péchés à Dieu, ou à d'autres hommes; 2. la pénitence ou l'état de pénitent; 3. la reconnaissance des bienfaits de Dieu; 4. la reconnaissance d'une vérité; S.W.J. TEEUWEN, « De uoce *paenitentia* apud Tertullianum», p. 416-419; P. GALTIER, *De penitentia tractatus dogmatico-historicus,* Rome 1950, p. 188-190.

confitemur : les actes de l'exomologèse constituent par eux-mêmes une confession publique de sa condition péche-resse, faite devant Dieu et l'Église (cf. *Orat.,* 7, 1 : *exomologesis est petitio ueniae, quia qui petit ueniam, delictum confitetur*). Le passage considéré ne donne aucune indication sur les formes concrètes d'une confession détaillée des péchés, soit aux autorités ecclésiastiques avant l'entrée dans le stage pénitentiel, soit *coram ecclesia,* au cours de celui-ci. ORI-GÈNE est plus explicite sur ce point (*In Lev. hom.,* II, 4; VIII, 10; *In Psalm. 37 hom.,* II, 1 et 6; *De oratione,* 14, 6; 28, 9; *Exh. ad martyrium,* 30).

disponitur : le sens exact de ce terme n'est pas facile à cerner, comme en témoignent les traductions proposées : «par l'aveu il (Dieu) reçoit une satisfaction» (Labriolle); «insofern durch das Bekenntnis die Genugtuung vorbe-reitet wird» (Kellner); «because satisfaction receives its proper determination through confession» (Le Saint); «perchè la soddisfazione è subordinata alla confessione» (Sciuto). Il nous semble que le parallélisme des deux propositions, dans lesquelles *confessio* est à l'ablatif, suggère un sens assez voisin de la traduction proposée par Kellner pour *disponitur* : la discipline pénitentielle, dont la fonction est d'offrir à Dieu satisfaction pour le péché, se met en place, s'ordonne, du fait de la confession, de l'aveu. – T. utilise ici le procédé de la *gradatio* (cf. SCIUTO, *La «gradatio» in Tertulliano*).

3. misericordiae : les œuvres pénitentielles décrites par T. ne sont pas seulement des peines canoniques exigées par l'Église, comme une preuve de la pénitence intérieure (*Paen.,* 9, 1); elles sont, aux yeux du moraliste, des œuvres compensatoires, des satisfactions, de nature à rendre Dieu propice et favorable, et elles sont agréées par lui, en expiation pour le péché (cf. *Paen.,* 7, 14).

4. sacco et cineri : l'usage de porter des vêtements spéciaux en signe de pénitence est attesté non seulement dans l'A.T. (cf. *III Rois* 21, 27; *IV Rois* 6, 30; *Jér.* 4, 8; *Ps.* 30, 12; 35, 13; etc.), mais dans plusieurs cultes orientaux, dès l'époque préchrétienne (voir PETTAZZONI, *La confessione dei peccati*, II, 2, p. 114 s., 147 s.; II, 3, p. 15 s.). PLUTARQUE (*Superst.*, 7 et 10) décrit des coutumes pénitentielles analogues dans le culte de la Dea Syria (cf. PORPHYRE, *Abst.*, IV, 5). Voir H. EMONDS - B. POSCHMANN, art «Busskleid», *RAC* 2, 1954, c. 812-814. – S'asseoir dans la poussière (ou la cendre) est un geste qui exprime une grande douleur (*Job* 2, 8; 42, 6; *Jonas* 3, 6); de même, le fait de se coucher (*Jér.* 6, 26) ou de se rouler dans la poussière (*Jér.* 25, 34; *Éz.* 27, 30). La signification proprement pénitentielle de telles attitudes apparaît en *Is.* 58, 5. *Dan* 9, 3; *Neh.* 9, 1; *Sir.* 40, 3; *Judith* 9, 1; *II Macc.* 10, 25; 14, 15; etc.

obscurare : plutôt que de vêtements sans apprêts, «de sombres haillons» (LABRIOLLE), il s'agit ici du fait de se priver de bains (cf. *Paen.*, 11, 3; *Pat.*, 13, 2).

multare : nous retenons la leçon de l'*Ottobonianus*. Si l'on voulait privilégier la leçon des *recentiores (mutare)*, on comprendra que la conversion du pécheur doit se traduire dans son corps ainsi que dans son âme, afin que s'instaure, en lui, une mutation, une transformation radicale, de tout ce qui est cause ou instrument de péché.

pura : formule voisine en *Pat.*, 13, 2 : «... elle (la patience) consacre au Seigneur ses vêtements misérables avec la frugalité de sa nourriture, se contentant d'aliments simples et d'eau pure *(puroque potu)*.» (trad. Fredouille).

alere : alliance de mots recherchée; le pénitent nourrira de jeûnes fréquents sa prière (cf. *Pat.*, 13, 2; *Paen.*, 11, 1). Sur l'usage des jeûnes pénitentiels dans l'A.T., voir l'article «Fasten» de R. ARBESMAN, *RAC* 7, 1969, c. 454 s. La *Didascalie* et les *Constitutions apostoliques* (II, 16, 2; 41, 6; 43, 1) multiplient les prescriptions touchant le jeûne des pénitents.

presbyteris aduolui : il ne s'agit pas ici d'une démarche privée en vue de la confession des péchés, mais de la procédure pénitentielle publique, qui se déroule *coram ecclesia*. T. souligne le rôle éminent joué par le clergé dans cette procédure. Les pénitents s'humilient en présence de toute l'assemblée chrétienne, dont ils implorent l'intercession auprès de Dieu; cf. *Paen.*, 10, 5-6; *Pud.*, 13, 7 : «Eh quoi? quand toi-même tu introduis dans l'Église, pour supplier ses frères, l'adultère pénitent, tu l'agenouilles en public couvert d'un cilice, souillé de cendres, dans une attitude humiliée et propre à inspirer l'épouvante, devant les veuves et les prêtres. Il cherche à attirer sur soi les larmes de tous, il lèche la trace de leurs pas, il embrasse leurs genoux» (trad. Labriolle).

aris : du point de vue purement paléographique la leçon : *aris* semble devoir s'imposer. Elle est attestée, en effet, par *ONXR,* tandis que *caris* représente une conjecture de *F.* Une comparaison avec *Pud.*, 13, 7 la confirme, du reste. Tertullien y mentionne les trois groupes de personnes dont le pénitent sollicite la compassion et les prières, à savoir les prêtres, les veuves, et tous les fidèles. Ces trois groupes se retrouvent ici : les prêtres et les fidèles sont désignés nommément, les veuves y figurent sous l'expression métaphorique : *aris dei,* déjà utilisée par POLYCARPE (*Lettre aux Philippiens*, IV, 3) et reprise par TERTULLIEN, *Vx.,* I, 7, 4.

adgeniculari : rapprocher de ce passage *Pud.,* 5, 14; 13, 7; *Apol.,* 40, 15; *Paen.,* 10, 6; ORIGÈNE, *C. Celsum,* 6, 15.

5. expungat : effacer un nom avec le stylet en traçant des points (*puncta*) sur la tablette de cire, c'est *expungere*. On effaçait ainsi les noms des condamnés après l'exécution; dans la langue du négoce, *e.* signifiait : apurer un compte, effacer une dette. L'image ici développée trouve son équivalent en *Apol.*, 2, 15 (*nocens expungendus est, non eximendus*) : un criminel ne doit être rayé de la liste qu'après justice faite et non pour le soustraire à la peine. Telle est donc la vertu de la pénitence qu'elle permet de payer intégralement son dû et d'échapper au châtiment (cf. *Paen.,* 9, 6 : *cum condemnat, absoluit*).

6. absoluit : comme le souligne LE SAINT, p. 175, le sens obvie de cette expression est que le pardon résulte de l'exomologèse comme telle et non d'une action déterminée de la part des autorités ecclésiastiques, réconciliant le pécheur avec l'Église, après qu'il a accompli la pénitence publique. L'auteur ne nie pas pour autant qu'un acte ecclésial intervienne au terme de la procédure pénitentielle.

X. 1. plerosque : T. entreprend de réfuter les objections soulevées contre la discipline pénitentielle. Les unes se fondent sur le respect humain *(incommodum pudoris)* : *Paen.,* 10; les autres sur la lâcheté, prétextant que les sacrifices imposés par l'exomologèse sont trop pénibles *(incommoda corporis)* : *Paen.,* 11.

medentium : dans la littérature patristique, le péché est souvent comparé à une maladie, à laquelle l'Église, par l'office des prêtres, applique divers traitements, en vue de la guérison. Elle continue, en cela, l'œuvre du Christ-Sôter. Voir A. HARNACK, *Mission und Ausbreitung des Christentums in den ersten drei Jahrhunderten*, Leipzig 1906, I, p. 129-150; F.J. DÖLGER, «Der Heiland», *Antike u. Christentum* 6, 1950, p. 241-272; L. SABOURIN, *Les noms et les titres de Jésus*, Bruges-Paris 1963, p. 135-146.

3. detrimento — adquiro : images tirées du monde du négoce; c'est augmenter son profit que de porter préjudice à l'amour-propre et au respect humain.

4. si forte : expression chère à T., qui l'utilise souvent avec une signification ironique, pour souligner la faible probabilité d'un cas envisagé; voir WASZINK, p. 161.

risiloquio : le terme n'apparaît que cette unique fois chez T., qui a pu le créer à l'instar de *turpiloquium* (*Pud.,* 17, 18),

spurciloquium (*Res.*, 4, 7), *minutiloquium* (*An.*, 6, 7); cf.
HOPPE, *Beiträge,* p. 139. – La crainte des moqueries, venant
non seulement des païens, mais aussi des «frères» dans la
foi, semble avoir été fondée : cf. ORIGÈNE, *C. Celsum,*
VI, 15; *In Psalm. 37 hom.,* II, 1.

6. ecclesia : comme le fait remarquer LE SAINT, p. 177,
plusieurs interprétations peuvent être données de ce passage. On peut comprendre que l'Église se trouve à la fois
dans le corps tout entier et dans chacun des membres, selon
les termes de *Paen.,* 10, 5; ou bien encore, dans chaque
membre de l'Église, dans chacun des chrétiens. Toutefois il
semble plus probable que T. veuille ici faire allusion à
Matth. 18, 20, comme il le fait en *Vx.,* II, 8, 9 *(ubi duo, ibi et
ipse).* D'ordinaire, T. voit l'Église réalisée lorsque trois
sont réunis (cf. *Bapt.,* 6, 2; *Cast.,* 7, 3; *Fug.,* 14, 1; *Pud.,*
21, 16).

te... protendis : il y a ici une ébauche de rituel, bien que les
attitudes des pénitents ne puissent être exactement décrites.
Il peut s'agir de prostrations (cf. *Judith* 5, 11; *II Macc.*
10, 4) ou de l'attitude classique des suppliants, agenouillés,
tendant les bras en guise d'humilité et d'imploration (cf.
APULÉE, *Met.,* 8, 28; PÉTRONE, 17 : *protendo supinas manus
in genua*).

8. palam absolui : tout le symbolisme de l'exomologèse,
décrite en *Paen.,* 7, 10; 9, 3-6; 10, 6, suppose que la
procédure pénitentielle se conclut par un acte public de
l'autorité ecclésiastique, réadmettant le pécheur repentant à
la communion avec l'Église, au terme du stage qui lui a été
imposé (cf. *Pud.,* 18, 17). Il faut reconnaître, cependant,
que la formule employée ici n'est pas très explicite; en
rigueur de termes, on pourrait comprendre que le pardon
est public, du fait que le pénitent y accède après s'être
soumis à l'exomologèse, publique de par sa nature. Discussion de ce passage par POSCHMANN, p. 288 s.

XI. 2. coccino : les éléments de cette description sont empruntés à l'*Apocalypse* (17, 4), où ils servent à évoquer la Prostituée (cf. *Cult.,* II, 12, 2). On voit que T. ne ménage pas ses effets.

acum : T. s'adresse à une pénitente (mariée) qui refuse de laisser ses cheveux épars, en signe de pénitence. A l'époque romaine, en effet, les femmes mariées se coiffaient autrement que les jeunes filles; leur signe distinctif était une raie partant du milieu du front. Ainsi *Virg.,* 12, 3; «... professant ouvertement qu'elles sont femmes avec leurs cheveux partagés à partir du front...»; PLAUTE, *Mil.,* 791 s : «... tu l'amèneras costumée en femme honnête : chignon, nattes et bandelettes; en outre qu'elle fasse semblant d'être ta légitime;» (trad. Ernout).

puluerem : l'Antiquité n'ignorait pas l'usage des dentifrices, très à la mode à l'époque impériale; on faisait briller l'émail des dents en les frottant avec une poudre de corne pilée (PLINE L'ANCIEN, 28, 178-179; 31, 117). Il s'est conservé aussi des recettes, assez compliquées, à base d'extraits de plantes (cf. GALIEN, 12, 890, cité par F. KUDLIEN, «Dentifricium», *Der kleine Pauly,* I, Stuttgart 1964, c. 1490.

repastinandis : image agricole; *r.* désigne essentiellement les travaux destinés à remuer la terre et les cultures avec la houe, mais aussi à défoncer, défricher un terrain (cf. VARRON, *Rust.,* I, 18, 8). Tertullien l'emploie volontiers au sens figuré (cf. *Cult.,* II, 9, 5; *Marc.,* II, 18, 1; *Cast.,* 6, 18).

nitoris : désigne l'éclat d'emprunt de la parure (cf. *Cult.,* II, 1, 2; 9, 1).

ruboris : on voit que le rouge à lèvres et les fonds de teint ne sont pas une invention moderne (cf. B. GRILLET, *Les femmes et les fards dans l'Antiquité grecque,* Lyon 1975). CLÉMENT D'ALEXANDRIE (*Paed.,* II, 104-106) ne se montre pas moins sévère que T. pour condamner l'usage des fards et maquillages; cf. *Cult.,* II, 5, 2; 7, 3; 13, 7, et les commentaires de M. TURCAN, *ad locum* (*SC* 173, Paris 1970).

3. secessus : nous prenons ce terme pour un génitif, qui précise *balneas*.

saginam : deux sens sont possibles, soit que l'on rapporte l'embonpoint aux volailles servies, soit qu'on y voie le résultat de la trop bonne chère. C'est ainsi que P. de Labriolle traduit : «recherchez l'embonpoint démesuré qu'apportent les mets raffinés». Le parallélisme de la phrase suggère la première traduction, semble-t-il (cf. *Spect.*, 18, 2).

defaecato : la décantation est l'opération par laquelle, après avoir fait déposer une liqueur, on la verse doucement en penchant le vase et séparant ainsi la partie claire, qui est au-dessus, de celle qui s'est précipitée (LITTRÉ).

4. magistratus : peut désigner toute charge ou fonction publiqué; T. fait allusion à des charges annuelles (romaines? locales?). La brigue des candidats est un lieu commun de la littérature latine classique; il a été repris aussi par CYPRIEN, *Ad Donat.*, 3.11.

6. securium uirgarumue : les licteurs portaient devant les premiers magistrats de Rome les faisceaux *(fasces)*, dont émergeait un fer de hache, en signe du *ius capitis* qu'ils détenaient.

7. uae illis : T. cite le verset d'Isaïe d'après la Septante (cf. ALÈS, p. 235-237). La Vulgate traduit : *Vae qui trahitis iniquitatem in funiculis uanitatis*. L'image choisie par Tertullien n'est pas très nette. En la reprenant dans un sens positif, on dirait équivalemment : Heureux ceux qui, en faisant pénitence, brisent la corde qui lie ensemble leurs nombreux péchés!

XII. **1. gehennam** : T. donne à ce mot le même sens que le N.T.; il l'emploie exclusivement pour désigner le lieu du châtiment éternel, (voir FINÉ, p. 96).

2. ignis aeterni : la notion d'un feu éternel, signifiant les peines de l'enfer, n'est pas inconnue de l'A.T., bien que l'expression même n'y figure point (cf. *Is.* 66, 24; *Sir.* 21, 9; *Judith* 16, 17). L'apocalyptique juive a développé cette notion avec prédilection (voir F. LANG, art. «Pûr», *ThWBNT* 6, 1959, p. 937). On la retrouve aussi dans les écrits de Qumran (*ibid.,* p. 938), dans le N.T. (*ibid.,* p. 945), chez IGNACE D'ANTIOCHE (*Eph.,* 16, 2), JUSTIN (*I apol.,* 45, 6; 54, 2; *II apol.,* 2, 2; *dial.,* 45, 4), dans la *II^a Clem.,* 17, 7, etc.

fumariola : T. développe avec soin la comparaison qu'il a instituée entre le feu de la géhenne et le feu souterrain, enfermé dans les entrailles de la terre; les volcans ne sont que les cheminées de cette fournaise inextinguible. Sur les idées de T. au sujet de la topographie des lieux infernaux, voir FINÉ, p. 86 s.

proximae urbes : il n'est pas impossible que T. fasse ici allusion à l'éruption du Vésuve qui, en 79, détruisit Herculanum et Pompéi. Le volcan retrouva une activité inquiétante dans les derniers mois de l'année 204, mais la rédaction du traité *De la pénitence* est-elle aussi tardive? Voir l'introduction, p. 7.

4. exercitatoria : leçon de l'*Ottobonianus;* mot très rare, utilisé aussi par AUGUSTIN, *Epist.* 26, 2 *(sapientia quos alligauerit et exercitatoriis laboribus edomuerit, soluit postea).* Les volcans lancent des traits de feu, afin d'exercer l'homme en lui rappelant le feu éternel qui l'attend s'il ne fait pas pénitence; voir J.W. BORLEFFS, «Un nouveau manuscrit de Tertullien», *Vigiliae Christianae* 5, 1951, p. 71.

5. munimenta : comme si elles étaient appelées par l'image des javelots du § précédent, les images militaires se multiplient : après la première ligne de défense (*munimenta*) constituée par le baptême, il existe encore un second refuge (*subsidia*) dans l'exomologèse; le chrétien n'a donc aucune raison de déserter (*deseris*). Aussitôt après, le terme *adgredi,* employé au sens large, assure la transition vers une nouvelle série d'images, médicales cette fois : *mederi* (cf. *Paen.*, 10, 10).

6. moras : il s'agit des barbes, dont sont pourvus les traits, afin de les fixer solidement dans les blessures (cf. VIRGILE, *Aen.*, 10, 888 : *inde ubi tot traxisse moras, tot spicula taedet uellere*).

diptamnum : les vertus curatives de cette labiée (*origanum uulgare, var. creticum;* cf. *Hagers Handbuch der pharmazeutischen Praxis,* par P.H. LIST et L. HÖRHAMMER, vol. VI, Berlin-Heidelberg-New York 1977[4], p. 333) sont décrites déjà par PLINE L'ANCIEN, 8, 97 («Le cerf qui, en mangeant de l'herbe *diptamne,* fait tomber le trait qui l'a frappé, lui (à l'homme) a montré l'usage de cette plante pour extraire les flèches.» Trad. Ernout); 25, 92; 26, 142; CICÉRON, *Nat. Deor.*, 2, 126 et VIRGILE, *Aen.*, 12, 412. T. semble avoir démarqué Pline; cf. J. BORLEFFS, *art. cit.*, p. 71-72.

edendam : leçon de l'*Ottobonianus,* qui confirme une conjecture de Kroymann; cf. BORLEFFS, *art. cit.*, p. 73.

excaecauerit : les commentateurs ont eu quelque difficulté à admettre que l'hirondelle puisse aveugler ses petits et ils ont suggéré diverses corrections : *excaecaueris* (Junius); *si quis excaecauerit* (Scaliger), *si excrementum excaecauerit* (Preuschen). Mais T. a pu se souvenir de *Tobie* 2, 10. PLINE L'ANCIEN (2, 17; 6, 6) affirme que, si une jeune hirondelle perd un œil, celui-ci repoussera; d'autre part, il attribue à la chélidoine la vertu de rendre la vue (6, 27; 25, 50).

sua chelidonia : le latin possède deux mots pour désigner l'hirondelle : *hirundo* et *chelidon.* D'où l'allusion à la chélidoine.

7. leoninum in modum : on s'attendrait plutôt à voir T. parler des griffes de l'aigle et de la crinière du lion (cf. PAULIN DE NOLE, *Epist.*, 4, 6), mais la Septante fait dire au roi Nabuchodonosor : «mes cheveux poussèrent comme des plumes d'aigle, mes ongles comme les griffes du lion» (*Dan.* 4, 33 b). De son côté, PACIEN, qui imite Tertullien, écrit (*Paen.*, 9) : *manus horrentes aquilas mentiuntur,* ce qui semble indiquer que T. avait écrit : *horrorem aquilinum.*

8. aegyptius : on peut s'étonner de voir T. recourir aux exemples de Nabuchodonosor et du Pharaon, deux païens, pour illustrer la nécessité de l'exomologèse, qui est la discipline pénitentielle ecclésiastique. Mais le propos de l'auteur est de rappeler d'abord la nécessité et l'efficacité de la pénitence intérieure, dont la procédure chrétienne de l'exomologèse n'est que l'instrument *(ministerium),* comme il le souligne en conclusion de ce développement.

9. quid ego ultra : même tournure en *Idol.,* 4, 5.
plancis : reprise de l'image du naufrage (*Paen.,* 4, 2 ; 7, 5 ; cf. 1, 4).
peccator : T. n'est pas avare de tels aveux (cf. *Pat.,* 1, 5 ; *Paen.,* 1, 1 ; 4, 2 ; *Bapt.,* 20, 5 ; *Orat.,* 20, 1). Mais on observera qu'il s'agit là d'une tradition ecclésiastique bien ancrée (cf. *I Cor.* 4, 4 ; *Jac.* 3, 1 ; *II^a Clem.,* 18, 1 ; 20, 5), à laquelle T. ne sacrifie que dans ses premiers écrits.
restitutus : les Pères de l'Église ont cru généralement qu'Adam fit pénitence après sa chute et que sa repentance lui valut de rentrer en grâce auprès de Dieu (cf. IRÉNÉE, *Adu. haer.,* III, 25, 1-8). Ils suivent en cela une indication du livre de la Sagesse (9, 19 ; 10, 1-2). Tertullien affirme, contre Tatien, le salut d'Adam : *Marc.,* II, 2 et 10 ; en *Marc.,* II, 25, il décrit les éléments de la pénitence d'Adam : il confessa son péché, lorsque le Seigneur l'appela dans le jardin (*Gen.* 3, 9-11) ; il s'acquitta des œuvres de pénitence que Dieu lui imposa (*Gen.* 3, 17-19). La littérature apocryphe a brodé sur la pénitence et le salut d'Adam (voir X. LE BACHELET, art. «Adam», *DTC* 1, 1923, c. 380-386) et a voulu placer sa sépulture soit à Hébron, soit au Calvaire.
paradisum suum : si l'on estime que T. envisage ici le paradis, au sens topographique du terme, rien n'empêche de voir dans la présente affirmation un emprunt à l'apo-

cryphe *Vita Adae et Euae* 40 (éd. Charles, II *Pseudepigrapha,* Oxford 1913, p. 144). Il convient toutefois d'observer que T. voit plutôt, sinon exclusivement, dans le paradis, l'état de sainteté, d'intégrité, d'amitié avec Dieu, qui était celui du premier homme avant la chute : cf. *An.,* 38, 2 *(hominem de paradiso integritatis educit [concupiscentia]); Pat.,* 5, 13 *([Adam] innocens erat et Deo de proximo amicus et paradisi colonus); Mon.,* 17, 5 *(semel de paradiso sanctitatis exulauit).* Sur les conceptions eschatologiques de T. concernant le paradis, voir FINÉ, p. 225.

non tacet : à l'instar d'Adam, de T., pécheurs repentants, le chrétien qui fait pénitence pourra chanter la miséricorde du Seigneur, car il sera devenu semblable à Adam, *restitutus in paradisum.*

BIBLIOGRAPHIE

On trouvera un bon aperçu d'ensemble des ouvrages et articles concernant Tertullien dans l'Introduction générale à l'édition de ses œuvres parues au *Corpus Christianorum, series latina,* I, Turnhout 1954, p. X-XXV.

Pour la période qui suit, les meilleures indications bibliographiques sont données par J.-C. Fredouille et par R. Braun[1].

Depuis 1976, la chronique annuelle : *Chronica Tertullianea,* publiée dans la *Revue des Études augustiniennes* par les soins de R. Braun, J.-C. Fredouille et P. Petitmengin, recense tous les livres et articles qui traitent de Tertullien.

ÉDITIONS ET TRADUCTIONS

Les anciennes éditions de Tertullien sont recensées et décrites dans la Préface de l'édition de Migne (*PL* 1, c. 35-72).

Parmi les éditeurs qui ont fait avancer l'intelligence du présent traité, on retiendra, dans l'ordre chronologique, les noms de B. Rhenanus, M. Mesnartius, S. Gelenius, I. Pamelius, F. Iunius, J.L. de La Cerda, N. Rigaltius, J.-P. Migne, F. Œhler[2].

Il faut y ajouter ceux de :

---

1. Voir *infra,* p. 246-247.
2. Voir la Bibliographie qui accompagne notre édition de l'*Ad Vxorem* (*SC* 273, Paris 1980), p. 195-197.

242 BIBLIOGRAPHIE

I.S. SEMLER, *Q.S.F. Tertulliani opera*, 6 vol., Halle 1769-1776.

E. PREUSCHEN, *De paenitentia. De pudicitia*, Tübingen 1892, Fribourg i. Br. 1910[2].

G. RAUSCHEN, *De paenitentia et De pudicitia* (*Florilegium patristicum* X), Bonn 1915.

J.G.Ph. BORLEFFS, « *De paenitentia* », *Mnemosyne* 60, 1932, p. 256-290.

ID. *Q.S.F. Tertulliani libri de patientia, de baptismo, de paenitentia*, La Haye 1948.

ID. dans *Q.S.F. Tertulliani opera, pars* I (*CCSL* 1), Turnhout 1954, p. 319-340.

ID. dans *Q.S.F. Tertulliani opera, pars* IV (*CSEL* 76), Vienne 1957, p. 140-169.

Traductions allemandes par :

F.A. VON BESNARD, *Q.S.F. Tertullians sämtliche Schriften*, Augsburg 1837, p. 259-279.

H. KELLNER, *Tertullians ausgewählte Schriften* (*BKV* 7), Kempten-Munich 1912, p. 224-246.

Traductions anglaises par :

G. DOGSON, *Tertullian* I (*LF* 10), Oxford 1842.

S. THELWALL, *Tertullian* (*Antenicene Christian Library*), Oxford 1870, reprint (*The antenicene Fathers* 4) New York 1925.

W.P. LE SAINT, *Tertullian. Treatises on Penance. On Penitence and on Purity* (*ACW* 8), Westminster (Maryland) – Londres 1959, p. 1-37; notes p. 131-188.

Traductions françaises par :

A. DE GENOUDE, *Tertullien, Œuvres complètes*, II, Paris 1852, p. 197-216.

P. DE LABRIOLLE, *Tertullien. De paenitentia. De pudicitia* (*Textes et documents* 3), Paris 1906, p. 1-51.

Traduction italienne par :

F. SCIUTO, *Tertulliano. Tre opere parenetiche* (*Ad martyres, De patientia, De paenitentia*), Catane 1961, p. 71-113.

Traduction néerlandaise par :

C. MOHRMANN, dans *Monumenta Christiana* I,3, Utrecht-Brussel 1951, p. 273-300.

ÉTUDES GÉNÉRALES SUR LA PÉNITENCE

Depuis la fin du XIXe siècle, l'histoire de la doctrine et de la pratique pénitentielles dans l'Église paléochrétienne a provoqué un nombre considérable de travaux; on s'orientera utilement dans les controverses engagées à ce propos grâce à l'exposé de VORGRIMLER, p. 28-32, qui donne aussi la bibliographie du sujet (p. 28; 43-44). Nous ne signalons ici que les études les plus marquantes depuis 1920.

E. AMANN, art. «Pénitence-Repentir», *DTC* 12, 1933, c. 722-748.

ID., art. «Pénitence-Sacrement, I : La pénitence primitive», *DTC* 12, 1933, c. 749-845.

P. AUBIN, *Le problème de la conversion. Étude sur un terme commun à l'hellénisme et au christianisme des trois premiers siècles,* Paris 1963.

J. BERNHARD, «Excommunication et pénitence-sacrement aux premiers siècles de l'Église», *RDC* 15, 1965, p. 265-281; 318-330; 16, 1966, p. 41-70.

H. BRAUN, «Umker in spätjüdisch-häretischer und in frühchristlicher Sicht», *ZThK* 50, 1953, p. 243-258.

H. VON CAMPENHAUSEN, *Kirchliches Amt und geistliche Vollmacht in den ersten drei Jahrhunderten,* Tübingen 1963[2].

F. CAVALLERA, «La doctrine de la pénitence au IIIe siècle», *BLE* 31, 1929, p. 19-36; 32, 1930, p. 49-63.

E. DASSMANN, *Sündenvergebung durch Taufe, Busse und Martyrerfürbitte,* Münster 1973.

E.K. DIETRICH, *Die Umkehr (Bekehrung und Busse) im Alten Testament und im Judentum,* Stuttgart 1936.

F.J. DÖLGER, «Das Garantiewerk der Bekehrung als Bedingung und Sicherung bei der Annahme zur Taufe», *Antike und Christentum* 3, 1932, p. 260-277.

A. DONINI, «Escatologia e penitenza nel cristianesimo primitivo», *Ricerche Religiose* 3, 1927, p. 489-502.

A. EMONDS-B. POSCHMANN, art. «Busse», *RAC* 2, 1954, c. 802-812.

G. D'ERCOLE, *Penitenza canonico-sacramentale dalle origini alla pace costantiniana*, Rome 1963.

P. GALTIER, *Aux origines du sacrement de pénitence*, Rome 1951.

ID., *L'Église et la rémission des péchés aux premiers siècles*, Paris 1932.

J. GROTZ, *Die Entwicklung des Busstufenwesens in der vornicänischen Kirche*, Fribourg Br. 1955.

K. HEIN, *Eucharistia and Excommunication. A Study in Early Christian Doctrine and Discipline*, Francfort 1973.

G.H. JOYCE, «Private Penance in the Early Church», *JThS* 42, 1941, p. 18-42.

J.A. JUNGMANN, *Die lateinischen Bussriten*, Innsbruck 1932.

H. KARPP, *Die Busse. Quellen zur Enstehung des altkirchlichen Busswesens*, Zürich 1969; version française par A. Schneider, W. Rordorf, P. Barthel, Neuchatel 1970.

H. LECLERCQ, art. «Pénitence», *DACL* 14, 1939, c. 186-202.

R. PETAZZONI, *La confessione dei peccati*, 3 vol., Bologne 1929-1936.

H. POHLMANN, *Die Metanoia als Zentralbegriff der christlichen Frömigkeit*, Leipzig 1938.

B. POSCHMANN, *Die Abendländische Kirchenbusse im Ausgang des christlichen Altertums,* Münster 1928.

ID., *Paenitentia secunda. Die kirchliche Busse im ältesten Christentum bis Cyprian und Origenes*, Bonn 1940; réimp. 1964.

K. RAHNER, *Frühe Bussgeschichte (Schriften zur Theologie* 11), Zürich 1973.

ID., «Sünde als Gnadenverlust in der frühchristlichen Litteratur», *ZKTh* 60, 1936, p. 471-510.

H. RONDET, «Esquisse d'une histoire de la pénitence», *NRTh* 80, 1958, p. 562-584.

C. VOGEL, «Le péché et la pénitence dans l'Église ancienne», *Pastorale du péché*, Paris 1961, p. 147-234.

ID., *Le pécheur et la pénitence dans l'Église ancienne,* Paris 1982².

H. VORGRIMLER, *Busse und Krankensalbung, Handbuch der Dogmengeschichte,* IV, 3, hg. von M. Schmaus, A. Grillmeier, L. Scheffczyk, Fribourg-Bâle-Vienne 1979.

O. WATKINS, *A History of Penance,* Londres 1920.

A.E. WILHELM-HOOIJBERGH, *Peccatum, Sin and Guilt in Ancient Rome,* Groningen-Djakarta 1954.

LA PÉNITENCE CHEZ TERTULLIEN

La plupart des auteurs qui ont étudié le sujet au début de ce siècle ont prêté une extrême attention aux opinions de Tertullien montaniste et traité des relations entre le *De pudicitia* et l'Édit de Calliste. On trouvera un bon aperçu de ces travaux dans KARPP, p. XXXVII s. Parmi les études plus spécialement consacrées au *De paenitentia,* on retiendra :

M. BRÜCK, «Genugtuung bei Tertullian», *Vigiliae Christianae* 29, 1975, p. 276-290.

C. CHARTIER, «La discipline pénitentielle d'après les écrits de Tertullien», *Antonianum* 14, 1939, p. 20-47.

ID., «L'excommunication ecclésiastique d'après les écrits de Tertullien», *Antonianum* 10, 1935, p. 301-344; 499-536.

E. DEKKERS, *Tertullianus en de geschiedenis der liturgie,* Bruxelles-Amsterdam 1947.

P. DE LABRIOLLE, «Vestiges d'apocryphes dans le *De paenitentia* de Tertullien, XII, 9», *Bulletin d'ancienne littérature et d'archéologie chrétienne* 1, 1911, p. 127 s.

W.P. LE SAINT, «*Traditio* and *exomologesis* in Tertullian», *Studia Patristica* 8 (TU 93), 1966, p. 416-419.

M. MÜGGE, «Der einfluss des juridischen Denkens auf die Busstheologie Tertullians», *Theologie und Glaube* 68, 1979, p. 426-450.

A. QUACQUARELLI, «Libertà, peccato et penitenza secondo Tertulliano», *Rassegna di scienze filosofiche* 2, 1949, p. 16-37.

K. RAHNER, «Zur Theologie der Busse bei Tertullian», *Abhand-lungen über Theologie und Kirche. Festschrift K. Adam,* Düssel-dorf 1952, p. 139-167.

P. SINISCALCO, «I significati di *restituere* e *restituto* in Tertul-liano», *Atti della Academia delle Scienze di Torino* 93, 1958-1959, p. 386-430.

J. STUFLER, «Die verschiedenen Wirkungen der Taufe und der Busse bei Tertullian», *ZKTh* 31, 1907, p. 372-376.

S.W. TEEUWEN, «De voce *paenitentia* apud Tertullianum», *Mnemosyne* 55, 1927, p. 410-419.

QUESTIONS BIBLIQUES

G.J.D. AALDERS, *Tertullianus' citaten uit de Evangeliën en de oudlatijnsche bijbelvertalingen,* Diss. Amsterdam 1932.

J.E.L. VAN DER GEEST, *Le Christ et l'Ancien Testament chez Tertullien,* 1972.

R.P.C. HANSON, «Notes on Tertullians Interpretation of Scrip-ture», *JThS* 12, 1961, p. 273-279.

T.P. O'MALLEY, *Tertullian and the Bible,* Nimègue-Utrecht 1967.

H. RÖNSCH, *Itala und Vulgata,* Marburg 1875², reprod. Munich 1965.

QUESTIONS DIVERSES

A. D'ALÈS, *La théologie de Tertullien,* Paris 1905.

T.D. BARNES, *Tertullian,* Oxford 1971.

A. BECK, *Römisches Recht bei Tertullian und Cyprian,* Halle 1930, repr. Aalen 1967.

W. BENDER, *Die Lehre über den Heiligen Geist bei Tertullian,* Munich 1961.

R. BRAUN, *Deus Christianorum. Recherches sur le vocabulaire doctrinal de Tertullien,* Paris 1977².

G. BRAY, « The Legal Concept of *ratio* in Tertullian », *Vigiliae Christianae* 31, 1977, p. 94-116.

D. EFROYMSON, *Tertullian's Anti-Judaism and its role in this Theology*, Diss. Temple University, Philadelphie 1976.

L. FÜTSCHER, « Die natürliche Gotteserkenntnis bei Tertullian », *ZKTh* 51, 1927, p. 1-34; 217-251.

J.Cl. FREDOUILLE, *Tertullien et la conversion de la culture antique*, Paris 1972.

H. KARPP, *Schrift un Geist bei Tertullian*, Gütersloh 1955.

J. KLEIN, *Tertullian, christliches Bewusstsein und sittliche Forderungen*, Düsseldorf 1940, repr. Hildesheim 1975.

P. MONCEAUX, *Histoire littéraire de l'Afrique chrétienne I, Tertullien et les origines*, Paris 1901.

R. MONIER, *Manuel élémentaire de Droit romain*, I, Paris 1945[5].

V. MOREL, « *Disciplina* : le mot et l'idée représentée par lui dans les œuvres de Tertullien », *RHE* 40, 1944-1945, p. 5-46.

S. OTTO, *Natura et Dispositio. Untersuchung zum Naturbegriff und zur Denkform Tertullians*, Munich 1960.

M. POHLENZ, *Die Stoa*, I-II, Göttingen 1978[5].

Cl. RAMBAUX, *Tertullien face aux morales des trois premiers siècles*, Paris 1979.

Th.G. RING, « *Auctoritas* » *bei Tertullian, Cyprian und Ambrosius*, Würsburg 1975.

M. SPANNEUT, *Le stoïcisme des Pères de l'Église, de Clément de Rome à Clément d'Alexandrie*, Paris 1957.

ID., *Tertullien et les premiers moralistes africains*, Paris 1969.

J. STELZENBERGER, « *Conscientia* bei Tertullian », *Festchrift K. Adam*, Darmstadt 1956, p. 28-43.

H. TRÄNKLE, *Q.S.F. Tertulliani Adversus Iudeos*, Wiesbaden 1964.

I. VECCHIOTTI, *La filosofia di Tertulliano. Un colpo di sonda nella storia del cristianesimo primitivo*, Urbino 1970.

J.H. WASZINK, *Q.S.F. Tertulliani De anima. Edited with Introduction and Commentary*, Amsterdam 1947.

Langue et style

J.W. BORLEFFS, «Observationes criticae ad Tertulliani de paenitentia libellum», *Mnemosyne* 60, 1932, p. 41-106.

V. BULHART, *Tertullian-Studien* (*SAWW* 231, 5), Vienne 1957.

H. FINÉ, *Die Terminologie der Jenseitsvorstellungen bei Tertullian,* Bonn 1958.

H. HOPPE, *Beiträge zur Sprache und Kritik Tertullians,* Lund 1932.

ID., *Syntax und Stil des Tertullians,* Leipzig 1903.

H. LAUSBERG, *Handbuch der literarischen Rhetorik,* I-II, Munich 1973².

E. LÖFSTEDT, *Kritische Bemerkungen zu Tertullians Apologeticum,* Lund 1918.

ID., *Zur Sprache Tertullians,* Lund 1920.

J. MARTIN, *Antike Rhetorik,* Munich 1974.

Chr. MOHRMANN, «Observations sur la langue et le style de Tertullien», *Nuovo Didaskalion* 4, 1950-1951, p. 41-54 = *Études sur le latin des Chrétiens,* II, p. 235-246.

H. PÉTRÉ, *L'«exemplum» chez Tertullien,* Dijon 1940.

F. SCIUTO, *La «gradatio» in Tertulliano. Studio stilistico,* Catane 1966.

R.D. SIDER, *Ancient Rhetoric and the Art of Tertullian,* Oxford 1971.

S.W. TEEUWEN, *Sprachlichen Bedeutungswandel bei Tertullian,* Paderborn 1926, repr. New York 1968.

G. THOERNELL, *Studia Tertullianea I-IV,* Upsala 1917, 1921, 1922, 1926.

INDEX SCRIPTURAIRE

Les chiffres de la colonne de droite renvoient aux pages du texte latin.

ANCIEN TESTAMENT

NOUVEAU TESTAMENT

INDEX ANALYTIQUE

Cet index ne contient que les mots expliqués dans l'Introduction ou le commentaire. Les chiffres renvoient aux pages du présent ouvrage.

TABLE DES MATIÈRES

SOURCES CHRÉTIENNES

LISTE COMPLÈTE DE TOUS LES VOLUMES PARUS

N.B. – L'ordre suivant est celui de la date de parution (n° 1 en 1942) et il n'est pas tenu compte ici du classement en séries : grecque, latine, byzantine, orientale, textes monastiques d'Occident; et série annexe : textes para-chrétiens.

Sauf indication contraire, chaque volume comporte le texte original, grec ou latin, souvent avec un apparat critique inédit.

La mention *bis* indique une seconde édition. Quand cette seconde édition ne diffère de la première que par de menues corrections et des *Addenda et Corrigenda* ajoutés en appendice, la date est accompagnée de la mention « réimpression avec supplément ».

1. GRÉGOIRE DE NYSSE : **Vie de Moïse.** J. Daniélou (3ᵉ édition) (1968).

2 bis. CLÉMENT D'ALEXANDRIE : **Protreptique.** C. Mondésert, A. Plassart (réimpression de la 2ᵉ éd., 1976).

3 bis. ATHÉNAGORE : **Supplique au sujet des chrétiens.** *En préparation.*

4 bis. NICOLAS CABASILAS : **Explication de la divine Liturgie.** S. Salaville, R. Bornert, J. Gouillard, P. Périchon (1967).

5. DIADOQUE DE PHOTICÉ : **Œuvres spirituelles.** É des Places (réimpr. de la 2ᵉ éd., avec suppl., 1966).

6 bis. GRÉGOIRE DE NYSSE : **La création de l'homme.** *En préparation.*

7 bis. ORIGÈNE : **Hom. sur la Genèse.** H. de Lubac, L. Doutreleau (1976).

8. NICÉTAS STÉTHATOS : **Le paradis spirituel.** *Remplacé par le n° 81.*

9 bis. MAXIME LE CONFESSEUR : **Centuries sur la charité.** *En préparation.*

10. IGNACE D'ANTIOCHE : **Lettres – Lettres et Martyre de** POLYCARPE DE SMYRNE. P.-Th. Camelot (4ᵉ édition) (1969).

11 bis. HIPPOLYTE DE ROME : **La Tradition apostolique.** B. Botte (1968).

12 bis. JEAN MOSCHUS : **Le Pré spirituel.** *En préparation.*

13. JEAN CHRYSOSTOME : **Lettres à Olympias.** A.-M. Malingrey. Trad. seule (1947).

13 bis. 2ᵉ édition avec le texte grec et la **Vie anonyme d'Olympias** (1968).

14. Hippolyte de Rome : **Commentaire sur Daniel.** G. Bardy, M. Lefèvre. Trad. seule (1947).
2ᵉ édition avec le texte grec. *En préparation.*

15 bis. Athanase d'Alexandrie : **Lettres à Sérapion.** J. Lebon. *En prép.*

16 bis. Origène : **Hom. sur l'Exode.** H. de Lubac, J. Fortier. *En prép.*

17. Basile de Césarée : **Sur le Saint-Esprit.** B. Pruche. Trad. seule (1947).

17 bis. 2ᵉ édition avec le texte grec (1968).

18 bis. Athanase d'Alexandrie : **Discours contre les païens.** P. Th. Camelot (1977).

19 bis. Hilaire de Poitiers : **Traité des Mystères.** P. Brisson (réimpression, avec supplément, 1967).

20. Théophile d'Antioche : **Trois livres à Autolycus.** G. Bardy, J. Sender. Trad. seule (1948).
2ᵉ édition avec le texte grec. *En préparation.*

21. Éthérie : **Journal de voyage.** H. Pétré. *Remplacé par le nᵒ 296.*

22 bis. Léon le Grand : **Sermons** 1-19. J. Leclercq, R. Dolle (1964).

23. Clément d'Alexandrie : **Extraits de Théodote.** F. Sagnard (réimpr., 1970).

24 bis. Ptolémée : **Lettre à Flora.** G. Quispel (1966).

25 bis. Ambroise de Milan : **Des Sacrements. Des Mystères. Explication du Symbole.** B. Botte (réimpr. de la 2ᵉ éd., 1980).

26 bis. Basile de Césarée : **Homélies sur l'Hexaéméron.** S. Giet (réimpr. avec suppl., 1968).

27 bis. **Homélies Pascales.** t. I. P. Nautin. *En préparation.*

28 bis. Jean Chrysostome : **Sur l'incompréhensibilité de Dieu.** J. Daniélou, A.-M. Malingrey, R. Flacelière (1970).

29 bis. Origène : **Homélies sur les Nombres.** A. Méhat. *En préparation.*

30 bis. Clément d'Alexandrie : **Stromate I.** *En préparation.*

31. Eusèbe de Césarée : **Histoire ecclésiastique,** t. I. Livres I-IV. G. Bardy (réimpression, 1964).

32 bis. Grégoire le Grand : **Morales sur Job,** t. I. Livres I-II. R. Gillet, A. de Gaudemaris (1975).

33 bis. **A Diognète.** H.-I. Marrou (réimpr. avec suppl., 1965).

34. Irénée de Lyon : **Contre les hérésies,** livre III. F. Sagnard. *Remplacé par les nᵒˢ 210 et 211.*

35 bis. Tertullien : **Traité du baptême.** F. Refoulé. *En préparation.*

36 bis. **Homélies Pascales,** t. II. P. Nautin. *En préparation.*

37 bis. Origène : **Homélies sur le Cantique.** O. Rousseau (1966).

38 bis. Clément d'Alexandrie : **Stromate II.** *En préparation.*

39 bis. Lactance : **De la mort des persécuteurs.** 2 vol. *En préparation.*

40. Théodoret de Cyr : **Correspondance,** t. I. Y. Azéma (1955).

41. Eusèbe de Césarée : **Histoire ecclésiastique,** t. II. Livres V-VII. G. Bardy (réimpression, 1965).

42. Jean Cassien : **Conférences,** t. I. E. Pichery (réimpression, 1966).

43 bis. Jérôme : **Sur Jonas.** *En préparation.*

73 bis. Eusèbe de Césarée : **Histoire ecclésiastique,** t. IV. Introd. générale de G. Bardy et tables de P. Périchon (réimpr. avec suppl., 1971).

74 bis. Léon le Grand : **Sermons** 38-64. R. Dolle (1976).

75. S. Augustin : **Commentaire de la Ire Épître de S. Jean.** P. Agaësse (réimpression, 1966).

76. Aelred de Rievaulx : **La vie de recluse.** Ch. Dumont (1961).

77. Defensor de Ligugé : **Le livre d'étincelles,** t. I. H. Rochais (1961).

78. Grégoire de Narek : **Le livre de Prières.** I. Kéchichian. Trad. seule (1961).

79. Jean Chrysostome : **Sur la Providence de Dieu.** A.-M. Malingrey (1961).

80. Jean Damascène : **Homélies sur la Nativité et la Dormition.** P. Voulet (1961).

81. Nicétas Stéthatos : **Opuscules et lettres.** J. Darrouzès (1961).

82. Guillaume de Saint-Thierry : **Exposé sur le Cantique des Cantiques.** J.-M. Déchanet (1962).

83. Didyme l'Aveugle : **Sur Zacharie.** Texte inédit. L. Doutreleau. Tome I. Introduction et livre I (1962).

84. **Id.** – Tome II. Livres II et III (1962).

85. **Id.** – Tome III. Livres IV et V, Index (1962).

86. Defensor de Ligugé : **Le livre d'étincelles,** t. II. H. Rochais (1962).

87. Origène : **Homélies sur S. Luc.** H. Crouzel, F. Fournier, P. Périchon (1962).

88. **Lettres des premiers Chartreux,** tome I : S. Bruno, Guigues, S. Anthelme. Par un Chartreux (1962).

89. **Lettre d'Aristée à Philocrate.** A. Pelletier (1962).

90. **Vie de sainte Mélanie.** D. Gorce (1962).

91. Anselme de Cantorbéry : **Pourquoi Dieu s'est fait homme.** R. Roques (1963).

92. Dorothée de Gaza : **Œuvres spirituelles.** L. Regnault, J. de Préville (1963).

93. Baudouin de Ford : **Le sacrement de l'autel.** J. Morson, É. de Solms, J. Leclercq. Tome I (1963).

94. **Id.** – Tome II (1963).

95. Méthode d'Olympe : **Le banquet.** H. Musurillo, V.-H. Debidour (1963).

96. Syméon le Nouveau Théologien : **Catéchèses.** B. Krivochéine, J. Paramelle. Tome I. Introduction et Catéchèses 1-5 (1963).

97. Cyrille d'Alexandrie : **Deux dialogues christologiques.** G. M. de Durand (1964).

98. Théodoret de Cyr : **Correspondance,** t. II. Y. Azéma (1964).

99. Romanos le Mélode : **Hymnes.** J. Grosdidier de Matons. Tome I. Introduction et Hymnes I-VIII (1964).

100. Irénée de Lyon : **Contre les hérésies,** livre IV. A. Rousseau, B. Hemmerdinger, Ch. Mercier, L. Doutreleau. 2 vol. (1965).

101. QUODVULTDEUS : **Livre des promesses et des prédictions de Dieu,** R. Braun. Tome I (1964).

102. **Id.** – Tome II (1964).

103. JEAN CHRYSOSTOME : **Lettre d'exil.** A.-M. Malingrey (1964).

104. SYMÉON LE NOUVEAU THÉOLOGIEN : **Catéchèses.** B. Krivochéine, J. Paramelle. Tome II. Catéchèses 6-22 (1964).

105. **La Règle du Maître.** A. de Vogüé. Tome I. Introd. et chap. 1-10 (1964).

106. **Id.** – Tome II. Chap. 11-95 (1964).

107. **Id.** – Tome III. Concordance et Index orthographique. J.-M. Clément, J. Neufville, D. Demeslay (1965).

108. CLÉMENT D'ALEXANDRIE : **Le Pédagogue,** tome II. Cl. Mondésert, H.-I. Marrou (1965).

109. JEAN CASSIEN : **Institutions cénobitiques.** J.-C. Guy (1965).

110. ROMANOS LE MÉLODE : **Hymnes.** J. Grosdidier de Matons. Tome II. Hymnes IX-XX (1965).

111. THÉODORET DE CYR : **Correspondance,** t. III. Y. Azéma (1965).

112. CONSTANCE DE LYON : **Vie de S. Germain d'Auxerre.** R. Borius (1965).

113. SYMÉON LE NOUVEAU THÉOLOGIEN : **Catéchèses.** B. Krivochéine, J. Paramelle. Tome III. Catéchèses 23-34, Actions de grâces 1-2 (1965).

114. ROMANOS LE MÉLODE : **Hymnes.** J. Grosdidier de Matons. Tome III. Hymnes XXI-XXXI (1965).

115. MANUEL II PALÉOLOGUE : **Entretien avec un musulman.** A.-Th. Khoury (1966).

116. AUGUSTIN D'HIPPONE : **Sermons pour la Pâque.** S. Poque (1966).

117. JEAN CHRYSOSTOME : **A Théodore.** J. Dumortier (1966).

118. ANSELME DE HAVELBERG : **Dialogues,** livre I. G. Salet (1966).

119. GRÉGOIRE DE NYSSE : **Traité de la Virginité.** M. Aubineau (1966).

120. ORIGÈNE : **Commentaire sur S. Jean.** C. Blanc. Tome I. Livres I-V (1966).

121. ÉPHREM DE NISIBE : **Commentaire de l'Évangile concordant ou Diatessaron.** L. Leloir. Trad. seule (1966).

122. SYMÉON LE NOUVEAU THÉOLOGIEN : **Traités théologiques et éthiques.** J. Darrouzès. Tome I. Théol. 1-3, Éth. 1-3 (1966).

123. MÉLITON DE SARDES : **Sur la Pâque (et fragments).** O. Perler (1966).

124. **Expositio totius mundi et gentium.** J. Rougé (1966).

125. JEAN CHRYSOSTOME : **La Virginité.** H. Musurillo, B. Grillet (1966).

126. CYRILLE DE JÉRUSALEM : **Catéchèses mystagogiques.** A. Piédagnel, P. Paris (1966).

127. GERTRUDE D'HELFTA : **Œuvres spirituelles.** Tome I. **Les Exercices.** J. Hourlier, A. Schmitt (1967).

128. ROMANOS LE MÉLODE : **Hymnes.** J. Grosdidier de Matons. Tome IV. Hymnes XXXII-XLV (1967).

156. SYMÉON LE NOUVEAU THÉOLOGIEN : **Hymnes.** J. Koder, J. Paramelle. Tome I. Hymnes I-XV (1969).

157. ORIGÈNE : **Commentaire sur S. Jean.** C. Blanc. Tome II. Livres VI et X (1970).

158. CLÉMENT D'ALEXANDRIE : **Le Pédagogue.** Livre III. Cl. Mondésert, H.-I. Marrou et Ch. Matray (1970).

159. COSMAS INDICOPLEUSTÈS : **Topographie chrétienne.** Tome II. Livre V. W. Wolska-Conus (1970).

160. BASILE DE CÉSARÉE : **Sur l'origine de l'homme.** A. Smets et M. Van Esbroeck (1970).

161. **Quatorze homélies du IXᵉ siècle d'un auteur inconnu de l'Italie du Nord.** P. Mercier (1970).

162. ORIGÈNE : **Commentaire sur l'Évangile selon Matthieu.** Tome I. Livres X et XI. R. Girod (1970).

163. GUIGUES II LE CHARTREUX : **Lettre sur la vie contemplative** (ou **Échelle des Moines). Douze méditations.** E. Colledge, J. Walsh (1970).

164. CHROMACE D'AQUILÉE : **Sermons.** Tome II. S. 18-41. J. Lemarié (1971).

165. RUPERT DE DEUTZ : **Les œuvres du Saint-Esprit.** Tome II. Livres III et IV. J. Gribomont, É de Solms (1970).

166. GUERRIC D'IGNY : **Sermons.** Tome I. J. Morson, H. Costello, P. Deseille (1970).

167. CLÉMENT DE ROME : **Épître aux Corinthiens.** A. Jaubert (1971).

168. RICHARD ROLLE : **Le chant d'amour (Melos amoris).** F. Vandenbroucke et les Moniales de Wisques. Tome I (1971).

169. **Id.** – Tome II (1971).

170. ÉVAGRE LE PONTIQUE : **Traité pratique.** A. et C. Guillaumont. Tome I. Introduction (1971).

171. **Id.** – Tome II. Texte, traduction, commentaire et tables (1971).

172. **Épître de Barnabé.** R.-A. Kraft, P. Prigent (1971).

173. TERTULLIEN : **La toilette des femmes.** M. Turcan (1971).

174. SYMÉON LE NOUVEAU THÉOLOGIEN : **Hymnes.** J. Koder, L. Neyrand. Tome II. Hymnes XVI-XL (1971).

175. CÉSAIRE D'ARLES : **Sermons au peuple.** Tome I. Sermons 1-20. M.-J. Delage (1971).

176. SALVIEN DE MARSEILLE : **Œuvres.** Tome I. G. Lagarrigue (1971).

177. CALLINICOS : **Vie d'Hypatios.** G. J.M. Bartelink (1971).

178. GRÉGOIRE DE NYSSE : **Vie de sainte Macrine.** P. Maraval (1971).

179. AMBROISE DE MILAN : **La pénitence.** R. Gryson (1971).

180. JEAN SCOT : **Commentaire sur l'évangile de Jean.** É. Jeauneau (1972).

181. **La Règle de S. Benoît.** Tome I. Introduction et Chapitres I-VII. A. de Vogüé et J. Neufville (1972).

182. **Id.** – Tome II. Chapitres VIII-LXXIII, Tables et concordance. A. de Vogüé et J. Neufville (1972).

183. **Id.** – Tome III. Étude de la tradition manuscrite. J. Neufville (1972).

184. **Id.** – Tome IV. Commentaire (I-III). A. de Vogüé (1971).

185. **Id.** – Tome V. Commentaire (IV-VI). A. de Vogüé (1971).

186. **Id.** – Tome VI. Commentaire (VII-IX), Index. A. de Vogüé (1971).

187. HÉSYCHIUS DE JÉRUSALEM, BASILE DE SÉLEUCIE, JEAN DE BÉRYTE, PSEUDO-CHRYSOSTOME, LÉONCE DE CONSTANTINOPLE : **Homélies pascales.** M. Aubineau (1972).

188. JEAN CHRYSOSTOME : **Sur la vaine gloire et l'éducation des enfants.** A.-M. Malingrey (1972).

189. **La chaîne palestinienne sur le psaume 118.** Tome I. Introduction, texte critique et traduction. M. Harl (1972).

190. **Id.** – Tome II. Catalogue des fragments, Notes et Index. M. Harl (1972).

191. PIERRE DAMIEN : **Lettre sur la toute-puissance divine.** A. Cantin (1972).

192. JULIEN DE VÉZELAY : **Sermons.** Tome I. Introduction et Sermons 1-16. D. Vorreux (1972).

193. **Id.** – Tome II. Sermons 17-27, Index. D. Vorreux (1972).

194. **Actes de la Conférence de Carthage en 411.** Tome I. Introduction. S. Lancel (1972).

195. **Id.** – Tome II. Texte et traduction de la Capitulation et des Actes de la première séance. S. Lancel (1972).

196. SYMÉON LE NOUVEAU THÉOLOGIEN : **Hymnes.** J. Koder, J. Paramelle, L. Neyrand. Tome III. Hymnes XLI-LVIII, Index (1973).

197. COSMAS INDICOPLEUSTÈS : **Topographie chrétienne.** T. III. Livres VI-XII, Index. W. Wolska-Conus (1973).

198. **Livre** (cathare) **des deux principes.** Ch. Thouzellier (1973).

199. ATHANASE D'ALEXANDRIE : **Sur l'incarnation du Verbe.** C. Kannengiesser (1973).

200. LÉON LE GRAND : **Sermons.** tome IV. Sermons 65-98, Éloge de S. Léon, Index. R. Dolle (1973).

201. **Évangile de Pierre.** M.-G. Mara (1973).

202. GUERRIC D'IGNY : **Sermons.** Tome II. J. Morson, H. Costello, P. Deseille (1973).

203. NERSÈS SNORHALI : **Jésus, Fils unique du Père.** I. Kéchichian. Trad. seule (1973).

204. LACTANCE : **Institutions divines,** livre V. Tome I. Introd., texte et trad. P. Monat (1973).

205. **Id.** – Tome II. Commentaire et index. P. Monat (1973).

206. EUSÈBE DE CÉSARÉE : **Préparation évangélique,** livre I. J. Sirinelli, É. des Places (1974).

207. ISAAC DE L'ÉTOILE : **Sermons.** A. Hoste, G. Salet, G. Raciti. Tome II. Sermons 18-39 (1974).

208. GRÉGOIRE DE NAZIANZE : **Lettres théologiques.** P. Gallay (1974).

209. PAULIN DE PELLA : **Poème d'actions de grâces** et **Prière.** C. Moussy (1974).

210. IRÉNÉE DE LYON : **Contre les hérésies,** livre III. A. Rousseau, L. Doutreleau. Tome I. Introduction, notes justificatives et tables (1974).

211. **Id.** – Tome II. Texte et traduction (1974).

212. GRÉGOIRE LE GRAND : **Morales sur Job.** Livres XI-XIV. A. Bocognano (1974).

213. LACTANCE : **L'ouvrage du Dieu créateur.** Tome I. Introd., texte critique et trad. M. Perrin (1974).

214. **Id.** – Tome II. Commentaire et index. M. Perrin (1974).

215. EUSÈBE DE CÉSARÉE : **Préparation évangélique,** livre VII. G. Schrœder, É. des Places (1975).

216. TERTULLIEN : **La chair du Christ.** Tome I. Introduction, texte critique et traduction. J.- P. Mahé (1975).

217. **Id.** – Tome II. Commentaire et Index. J.-P. Mahé (1975).

218. HYDACE : **Chronique.** Tome I. Introduction, texte critique et traduction. A. Tranoy (1975).

219. **Id.** – Tome II. Commentaire et index. A. Tranoy (1975).

220. SALVIEN DE MARSEILLE : **Œuvres,** t. II. G. Lagarrigue (1975).

221. GRÉGOIRE LE GRAND : **Morales sur Job.** Livres XV-XVI. A. Bocognano (1975).

222. ORIGÈNE : **Commentaire sur S. Jean.** Tome III. Livre XIII. C. Blanc (1975).

223. GUILLAUME DE SAINT-THIERRY : **Lettre aux Frères du Mont-Dieu (Lettre d'or).** J.-M. Déchanet (1975).

224. **Actes de la Conférence de Carthage en 411.** Tome III. Texte et traduction des Actes de la 2ᵉ et de la 3ᵉ séance. S. Lancel (1975).

225. DHUODA : **Manuel pour mon fils.** P. Riché, B. de Vregille et C. Mondésert (1975).

226. ORIGÈNE : **Philocalie 21-27 (Sur le libre arbitre).** É. Junod (1976).

227. ORIGÈNE : **Contre Celse.** M. Borret. Tome V. Introduction et index (1976).

228. EUSÈBE DE CÉSARÉE : **Préparation évangélique.** Livres II-III. É. des Places (1976).

229. PSEUDO-PHILON : **Les Antiquités Bibliques.** D. J. Harrington, C. Perrot, P. Bogaert, J. Cazeaux. Tome I. Introduction critique, texte et traduction (1976).

230. **Id.** – Tome II. Introduction littéraire, commentaire et index (1976).

231. CYRILLE D'ALEXANDRIE : **Dialogues sur la Trinité.** Tome I. Dial. I et II. G.-M. de Durand (1976).

232. ORIGÈNE : **Homélies sur Jérémie.** P. Nautin et P. Husson. Tome I. Introduction et homélies I-XI (1976).

233. DIDYME L'AVEUGLE : **Sur la Genèse.** Tome I (Sur Genèse I-IV). P. Nautin et L. Doutreleau (1976).

234. THÉODORET DE CYR : **Histoire des moines de Syrie.** Tome I. Introduction et **Histoire philothée** I-XIII. P. Canivet et A. Leroy-Molinghen (1977).

235. HILAIRE D'ARLES : **Vie de S. Honorat.** M.-D. Valentin (1977).

236. **Rituel cathare.** Ch. Thouzellier (1977).

237. CYRILLE D'ALEXANDRIE : **Dialogues sur la Trinité.** Tome II. Dial. III-IV. G.-M. de Durand (1977).

291. CYPRIEN DE CARTHAGE : **A Donat et La vertu de patience.** J. Molager (1982).

292. EUSÈBE DE CÉSARÉE : **Préparation évangélique,** livre XI. G. Favrelle et É. des Places (1982).

293. IRÉNÉE DE LYON : **Contre les hérésies,** livre II. A. Rousseau, L. Doutreleau. Tome I. Introduction, notes justificatives et tables (1982).

294. **Id.** – Tome II. Texte et traduction (1982).

295. THÉODORET DE CYR : **Commentaire sur Isaïe.** Tome II. Sections 4-13. J.-N. Guinot (1982).

296. ÉGÉRIE : **Journal de voyage.** P. Maraval. – **Lettre de Valérius,** M.C. Díaz y Díaz (1982).

297. **Les Règles des saints Pères.** A. de Vogüé. Tome I : **Trois règles de Lérins au Vᵉ siècle** (1982).

298. **Id.** – Tome II : **Trois règles du VIᵉ siècle** (1982).

299. BASILE DE CÉSARÉE : **Contre Eunome,** suivi de EUNOME : **Apologie.** B. Sesboüé, G.M. de Durand et L. Doutreleau. Tome I (1982).

300. JEAN CHRYSOSTOME : **Panégyriques de S. Paul.** A. Piédagnel (1982).

301. GUILLAUME DE SAINT-THIERRY : **Le miroir de la foi.** J.-M. Déchanet (1982).

302. ORIGÈNE : **Philocalie 1-20 et Lettre à Africanus.** M. Harl et N. de Lange (1983).

303. S. JÉRÔME : **Contre Rufin.** P. Lardet (1983).

304. JEAN CHRYSOSTOME : **Commentaire sur Isaïe.** J. Dumortier (1983).

305. BASILE DE CÉSARÉE : **Contre Eunome,** suivi de EUNOME : **Apologie.** B. Sesboüé, G.-M. de Durand et L. Doutreleau. Tome II (1983).

306. SOZOMÈNE : **Histoire ecclésiastique,** livres I-II. A.-J. Festugière, B. Grillet, G. Sabbah (1983).

307. EUSÈBE DE CÉSARÉE : **Préparation évangélique,** livres XII-XIII. É. des Places (1983).

308. GUIGUES Iᵉʳ : **Méditations.** Par un Chartreux (1983).

309. GRÉGOIRE DE NAZIANZE : **Discours** 4-5. J. Bernardi (1983).

310. TERTULLIEN : **De la patience.** J.-C. Fredouille (1984).

311. JEAN D'APAMÉE : **Dialogues et traités.** R. Lavenant. Trad. seule (1984).

312. ORIGÈNE : **Traité des principes.** Tome V. Compléments et index. H. Crouzel et M. Simonetti (1984).

313. GUIGUES Iᵉʳ : **Coutumes de Chartreuse.** Par un Chartreux (1984).

314. GRÉGOIRE LE GRAND : **Commentaire sur le Cantique.** R. Bélanger (1984).

315. THÉODORET DE CYR : **Commentaire sur Isaïe.** Tome III. J.-N. Guinot (1984).

316. TERTULLIEN : **La Pénitence.** Ch. Munier (1984).

Hors série :

Directives pour la préparation des manuscrits (de «Sources Chrétiennes»). A demander au Secrétariat de «Sources Chrétiennes», 29, rue du Plat, 69002 Lyon.
La Règle de S. Benoît. VII. Commentaire doctrinal et spirituel. A. de Vogüé (1977).

SOUS PRESSE

Histoire «acéphale» d'Athanase et Index syriaque des **Lettres festales :** M. Albert, A. Martin.
PALLADIOS : **Dialogue sur la vie de Jean Chrysostome** (2 vol.). A.-M. Malingrey.
CYRILLE D'ALEXANDRIE : **Contre Julien, Livre I-II.** P. Évieux et H. Burguière.
EUSÈBE DE CÉSARÉE : **Préparation évangélique,** livres XIV-XV.
GRÉGOIRE DE NAZIANZE : **Discours 32-37.**
TERTULLIEN : **Exhortation à la chasteté.**

PROCHAINES PUBLICATIONS

JÉRÔME : **Sur Jonas.** (2 tomes).
TERTULLIEN : **Du mariage unique.**
GRÉGOIRE LE GRAND : **Homélies sur Ézéchiel,** tome I.
Constitutions apostoliques. Tome I.

SOURCES CHRÉTIENNES

(1-316)

Photocomposition laser
Abbaye de Melleray
C.C.S.O.M.
44520 Moisdon-la-Rivière

———

Achevé d'imprimer par
l'Imprimerie Bontemps
87002 Limoges cedex
en novembre 1984

Dépôt légal : 4ᵉ trimestre 1984